Le Ramat de la typographie

Aurel Ramat

Le Ramat de la typographie

Édition 2005

ISBN 2-922366-03-0
Huitième édition, imprimée en juillet 2004
© Aurel Ramat 2004
Tous droits réservés
Dépôt légal :
Bibliothèque nationale du Canada, troisième trimestre 2004
Bibliothèque nationale du Québec, troisième trimestre 2004
La première édition est parue en 1982.

Couverture : Ashraf Shaker, étudiant en infographie
au Collège Inter-Dec, filiale du groupe Collège LaSalle, à Montréal,
sous la supervision de Pierrette Coiteux, professeure.

Illustrations : Catherine Ramat

Bureau :
Aurel Ramat, éditeur
400, rue De Rigaud, porte 1600
Montréal (Québec) H2L 4S9
Téléphone : 514-499-1142 ou 450-672-4651
Courriel :   aurel.ramat@videotron.ca

Diffuseur :
Diffusion Dimédia inc.
539, boulevard Lebeau
Saint-Laurent (Québec) H4N 1S2
Téléphone : 514-336-3941
Télécopie : 514-331-3916
Courriel :   general@dimedia.qc.ca

En vente dans les librairies seulement.

• Les règles de cet ouvrage s'appliquent d'abord au Canada et au Québec. Elles peuvent être différentes de celles utilisées en Europe. J'ai rédigé le contenu de ce livre avec le plus grand soin. Je décline donc toute responsabilité pour toute erreur ou omission qui aurait pu être préjudiciable à qui que ce soit. — Aurel Ramat

Les chapitres de ce livre

Les titres de chapitres dans les entêtes au haut des pages sont par ordre alphabétique.

www.**orthographe-
recommandee**.info

Lire les pages 4 et 5.

Introduction

La typographie

Aujourd'hui, le mot *typographie* a deux significations.

D'abord, il désigne la présentation visuelle d'un imprimé : on qualifiera donc de «belle typographie» un imprimé agréable à regarder, où les caractères ont été judicieusement choisis et les espaces blancs harmonieusement répartis. Plaisir des yeux : tel est le but d'une belle typographie.

Le mot *typographie* désigne aussi les règles typographiques, c'est-à-dire celles qui sont présentées dans ce livre. Ces règles, quand elles sont bien appliquées, donnent au texte une évidente distinction et rendent la lecture facile et agréable. Leur bon emploi évite souvent des ambigüités et des contresens.

Remerciements

Je remercie le Centre Calixa-Lavallée, qui m'a fourni gratuitement les films et l'épreuve couleur de la couverture, sous la supervision technique de Jean Laferrière, enseignant.

Je remercie aussi les personnes et les organismes suivants, qui m'ont prodigué leurs conseils lors de la rédaction de cette édition :

Camille Alepin, Jacques André, Geneviève Boutry, Louise Carrier, Guy Connolly, François Hubert, François Huot, Alain Joly, René Julien, Annik Jutras, Corinne Kraschewski, Claude Landry, Yves Lanthier, Catherine Saguès, Jef Tombeur, Johanne Tousignant, Victor Trahan, l'Association des enseignants en imprimerie du Québec et l'Association des arts graphiques du Québec.

Enfin, un immense merci à mes précieux collaborateurs : Anne-Marie Benoit, Chantal Contant, Paul Morisset, Romain Muller, Guy Robert et Anne-Marie Théorêt.

Les perles au bas des pages

Ce sont des perles d'enfants. Nous avons tous fait nos petites erreurs quand nous étions écoliers. C'est souvent une virgule mal placée ou un mot mal compris qui font que la phrase devient drôle. Le lecteur peut s'amuser à déceler où est la faute. J'ai ainsi relevé le défi, en évitant la vulgarité, de susciter un sourire chez quiconque consultera ce livre.

À propos de la nouvelle orthographe

Avant de me lancer dans la nouvelle orthographe, j'ai réalisé un sondage auprès d'une vingtaine de mes lecteurs. Les résultats ont été exactement partagés. Mais j'ai constaté que les opposants n'avaient qu'une vague idée de la nouvelle orthographe, et que la crainte de l'inconnu leur dictait la prudence. C'est pourquoi j'ai rédigé les deux pages suivantes. Voici la lettre d'encouragement d'une lectrice.

«Bien le bonjour, monsieur Ramat !

«Voici ma petite réponse à votre sondage... Je suis en faveur que vous rédigiez le reste du texte avec la NOUVELLE orthographe. Pourquoi ? Parce que plus les dictionnaires et ouvrages de référence iront de l'avant, plus les réticences s'atténueront. Par définition, l'Homme est réfractaire aux changements, mais il ne peut y avoir d'évolution sans bousculade. Vous avez depuis longtemps acquis une grande crédibilité auprès des rédacteurs et réviseurs québécois. J'estime que vous devez justement profiter de ce statut pour être le moteur du changement. Si l'on peut dire à son voisin : "Grevisse-Goosse le permet... Ramat le permet... Hanse le permet, etc.", les objections ne pourront tenir la route bien longtemps, et, ainsi, l'évolution souhaitée se fera en douceur. Vous êtes une RÉFÉRENCE, monsieur Ramat. Tablez là-dessus ! Je vous encourage à aller de l'avant avec la nouvelle orthographe !» — Pauline Gélinas

La nouvelle orthographe

La nouvelle orthographe a commencé à être appliquée en Europe. Tout comme les autres instances francophones — au premier rang desquelles l'Académie française —, l'Office québécois de la langue française, dans son communiqué du 3 mai 2004, écrit :

> L'Office estime qu'en cette période de transition ni les graphies traditionnelles ni les nouvelles graphies proposées ne doivent être considérées comme fautives.

La situation actuelle

Actuellement, les ouvrages de référence entrent de plus en plus la nouvelle orthographe. C'est un mouvement irréversible qu'on ne peut pas ignorer. L'Italie, l'Espagne, l'Allemagne, le Portugal, la Grèce, etc., tous ont simplifié leur orthographe. Dans tous les cas, l'écriture a changé, mais sans la moindre conséquence pour la langue. Dès l'âge de huit ans, les petits Italiens connaissent tout de l'orthographe de leur langue. À l'heure d'Internet, le français doit lui aussi simplifier son orthographe. Il en va de sa survie.

Pour mieux découvrir la nouvelle orthographe

Afin de faire mieux connaissance avec la nouvelle orthographe, je me suis lancé dans la lecture de Michèle Lenoble-Pinson, André Goosse, Michel Masson et Romain Muller, tous quatre de grands noms et de fervents défenseurs de la nouvelle orthographe.

La prudence

Mais avant de rédiger cette édition en nouvelle orthographe, je voulais m'assurer de quatre points importants, c'est-à-dire que

> 1° la longueur de mon texte ne serait pas augmentée ni réduite ;
> 2° la compréhension n'en serait pas modifiée ;
> 3° les accords grammaticaux ne seraient pas changés ;
> 4° toutes mes règles typographiques ne seraient aucunement altérées.

J'ai donc fait l'essai, et j'ai dû constater que ces quatre points ont été respectés. Tout ce livre est donc rédigé en nouvelle orthographe, parce que j'y crois. Cependant, je laisse au lecteur la possibilité de choisir, et pour cela j'indique entre crochets l'orthographe traditionnelle quand il y a un choix à faire. Mon seul but est de prouver que ce n'est pas une autre orthographe différente et compliquée que nous devons apprendre, mais que cette nouvelle orthographe rend notre écriture un peu plus simple et plus logique.

Les réticences

Les réticences des opposants à toute nouvelle orthographe ont toujours existé. Mais des réformes ont été introduites lors de chacune des huit premières éditions du *Dictionnaire de l'Académie française*. Avec le temps, elles ont toutes été acceptées. Grâce à elles, on n'écrit plus comme Henri IV, qui envoyait en 1600 ce billet doux à Marie de Médicis :

> Je vous remercye ma belle mettresse du presant que vous mavès anvoyé. Je le metré sur mon abyllemant de teste sy nous venons a un combat, et donneré des coups despée pour lamour de vous.

Le patrimoine

L'orthographe appartient à notre patrimoine, c'est vrai. L'église Notre-Dame de Montréal aussi. Cela ne signifie pas qu'il faut les laisser à l'abandon. Sans entretien, l'église tomberait en ruines. L'orthographe figée aussi.

Les mots rectifiés dans ce livre

Total de mots : 82 570 ; nombre de mots rectifiés dans le texte : 102. Changements : 60 *î* en *i*, 15 *û* en *u*, 9 traits d'union supprimés, 7 mots francisés, 5 trémas déplacés, 3 pluriels normalisés, 3 anomalies rectifiées. Un mot touché toutes les 3 pages environ.

L'accent grave, l'accent circonflexe, les noms composés

Maintenant, j'écris *je cèderai* comme je le prononce, avec un è accent grave devant une syllabe muette (plus de cent verbes sont dans ce cas). Plusieurs noms ont profité du même principe : *crèmerie, cèleri, évènement,* etc.

Des accents circonflexes sur le *î* et le *û* disparaissent : *Je lui plais, elle me plait, l'abime ne reçoit plus le chapeau de la cime, je goute mon casse-croute.* Les accents sur *â, ê, ô* subsistent : *Je lâche mon râteau, j'ai la tête en fête, je contrôle mes impôts.*

Dans les noms composés d'un verbe et d'un nom, le nom se met au singulier quand le composé est au singulier, et au pluriel quand le composé est au pluriel.

L'aspect visuel

Oui, ça dérange un peu de lire *connaitre* sans accent circonflexe. Pour une question d'étymologie, l'élève se retrouvait devant des bizarreries telles que *je connais* mais *elle connaît, nous connaissons* mais *nous connaîtrons,* avec un accent qui vient et qui va. Jadis, cela a dérangé aussi quand *roy* est devenu *roi.* On s'y est habitué. Le jeune élève qui, à l'école, apprend à écrire *connaitre* ne remettra pas l'accent quand il sera adulte.

Les *pourquoi*

Pourquoi les experts ne sont-ils pas allés plus loin ? Tous les *pourquoi* que l'on peut se poser, les experts les ont débattus. Je leur fais confiance. Oui, l'orthographe comporte encore des exceptions, mais elles ont été réduites en grand nombre.

> — Docteur, j'ai mal aux deux bras.
> — Je peux vous guérir un bras.
> — Ah, non, si vous ne me guérissez pas les deux, je refuse le traitement.

Le choix et le mélange

Je peux choisir l'une ou l'autre orthographe, car ni l'une ni l'autre ne peut être fautive. Je peux aussi mélanger les deux, comme le dit André Goosse : «Chacun peut continuer à écrire comme il l'entend, le *Canard enchaîné* garder le circonflexe qui lui plait.»

Les langagiers

Les correcteurs et les réviseurs assimileront la nouvelle orthographe en peu de temps. Ils demanderont à leurs clients de choisir une des deux orthographes. Le client pourra même demander à son correcteur d'appliquer la nouvelle orthographe, sauf sur tel mot qu'il préfère garder avec l'accent que ce mot comportait en traditionnelle. Évidemment, il faudra être cohérent : si l'on a choisi d'écrire *cèdera,* il faudra écrire aussi *cèderont.* Pour les langagiers, rejeter la nouvelle orthographe serait une erreur, puisqu'elle entre progressivement dans tous les ouvrages de référence. Au moment de mettre sous presse, j'apprends que Microsoft intègre la nouvelle orthographe dans ses produits : www.orthographe-recommandee.info/actu.htm.

Les gens du livre

Dans son livre cité dans la bibliographie, Michel Masson suggère :

> Ce sont les gens du livre qui, jadis, ont contribué à faire bouger l'orthographe, les Plantin, les Tory, les de Tournes, sans oublier Étienne Dolet. Pourquoi, en collaboration avec les auteurs et la presse, ne resteraient-ils pas sur cette prestigieuse lancée, non pas les gardiens d'un ordre à jamais établi, mais ceux par qui l'écriture vit ?

J'en ai la chair de poule quand j'entends parler des gens du livre, les typographes du XVIᵉ siècle, mes idoles. Surtout Geofroy Tory, qui a écrit en 1529 le premier code typographique, *Le champ fleury.* Je m'imagine un peu son descendant.

Rester, moi aussi, sur la prestigieuse lancée ? Je veux bien.

Aurel Ramat

Bibliographie

Abrégé du Code typographique à l'usage de la presse, 2e édition, Paris, CFPJ, 1989.

Antidote Prisme : le remède à tous vos mots, Montréal, Druide informatique, 2003.

ARCHAMBAULT, Ariane, et Jean-Claude CORBEIL. *La cuisine au fil des mots,* Montréal,
    Québec Amérique.

ASSELIN, Claire, et Anne McLAUGHLIN. *Apprentissage de la grammaire du français écrit.*
    Méthode pratique. Module 1, 2e édition, Éditions Grammatix inc., 2003.

BRODEUR, France. *Vocabulaire du prépresse,* Montréal, Institut des communications
    graphiques du Québec, 2001.

CLAS, André, et Paul A. HORGUELIN. *Le français, langue des affaires,* 2e édition,
    McGraw-Hill éditeurs, 1979.

Code typographique, 16e édition, Paris, Fédération CGC de la communication, 1989.

De l'emploi de la majuscule, 2e édition, Fichier français de Berne, 1973.

DOPPAGNE, Albert. *Majuscules, abréviations, symboles et sigles,* Duculot, 1991.

DREYFUS, John, et François RICHAUDEAU. *La chose imprimée,* Paris, CEPL, 1977.

GAGNIÈRE, Claude. *Au plaisir des mots,* Paris, Robert Laffont, 1989.

GOOSSE, André. *La "nouvelle" orthographe,* Paris, Éditions Duculot, 1991.

GREVISSE, Maurice. *Le français correct : guide pratique,* 5e édition, révisée et actualisée
    par Michèle Lenoble-Pinson, Paris, Éditions Duculot, 1998.

Guide du rédacteur (Le), Ottawa, Bureau de la traduction, 1996.

Guide du typographe romand, 5e édition, Lausanne, Héliographia, 1993.

GUILLOTON, Noëlle, et Hélène CAJOLET-LAGANIÈRE. *Le français au bureau,* 5e édition,
    Montréal, Les Publications du Québec, 2000.

LEJEUNE, Paule. *Les reines de France,* Éditions Vernal/Philippe Lebaud, 1989.

Lexique des règles typographiques en usage à l'Imprimerie nationale, 3e édition, Paris.

MALO, Marie. *Guide de la communication écrite,* Montréal, Québec Amérique, 1996.

MASSON, Michel. *L'orthographe : guide pratique de la réforme,* Paris, Éditions
    du Seuil, 1991.

MULLER HEHN, Anita. *Le menu : guide de rédaction orthographique et gastronomique,*
    Éditions Chenelière-McGraw-Hill.

Petit Larousse illustré (Le), Librairie Larousse, 2005.

Répertoire des avis linguistiques et terminologiques (mai 1979 à septembre 1989),
    Office québécois de la langue française, Les Publications du Québec.

Répertoire toponymique du Québec, Commission de toponymie, 1978.

ROUX, Paul. *Lexique des difficultés du français dans les médias,* 3e édition, Montréal,
    Les Éditions *La Presse,* 2004.

Système international d'unités (SI), Bureau de normalisation du Québec,
    norme NQ 9990-901, 92-10-10.

TANGUAY, Bernard. *L'art de ponctuer,* 2e édition, Montréal, Québec Amérique, 2000.

Vadémécum de l'orthographe recommandée, Montréal, Renouvo, 2004.

VILLERS, Marie-Éva de. *Multidictionnaire,* 4e édition, Montréal, Québec Amérique, 2003.

Abc
de
typographie

Abrégé historique

La langue française

- LE ROMAN. En 58 avant Jésus-Christ, Jules César envahit la Gaule. Vaincus, les Gaulois adoptent la langue des Romains, le latin. Après 400 ans de paix, les Francs, les Huns et les Arabes envahissent tour à tour la Gaule et apportent avec eux des mots nouveaux. Ainsi prend naissance une nouvelle langue : le *roman.*
- TRAITÉ DE VERDUN. Après la mort de Charlemagne, roi des Francs, son petit-fils Charles le Chauve reçoit la partie occidentale de l'empire au traité de Verdun en 843. C'est la première fois que le mot *France* est prononcé.
- SERMENT DE STRASBOURG. En 842, Charles le Chauve avait signé avec son frère Louis le Germanique un pacte d'assistance, le serment de Strasbourg. C'est le premier texte historique écrit en langue romane, qui deviendra le français.

Le livre manuscrit

- PÉRIODE MONASTIQUE (842-1257). Ce sont les moines qui possèdent le monopole du livre. Dans chaque monastère existe un *scriptorium,* c'est-à-dire un atelier dans lequel les *scribes* écrivent sous la dictée d'un des leurs. Leur écriture est gothique. Les *enlumineurs* décorent les livres. On écrit sur du parchemin. L'orthographe des moines est phonétique : ils écrivent *doi, lou, ier.*
- PÉRIODE LAÏQUE (1257-1440). La Sorbonne est créée en 1257. Les praticiens (fonctionnaires, greffiers et écrivains publics) vont remplacer les moines dans le domaine de l'écriture. Ils utilisent alors le papier, apparu en France vers 1250. Les lunettes sont inventées en 1280, facilitant ainsi la lecture. Les scribes sont maintenant payés à la lettre. Pour augmenter leur salaire, ils ajoutent de nombreuses lettres inutiles et ils écrivent *avecques, deffense, chappelle.* Enfin, pour montrer leur connaissance du latin, ils écrivent *doigt* (digitus), *loup* (lupus), *hier* (heri).

Le quinzième siècle

- GUTENBERG. Né à Mayence (Allemagne), Gutenberg s'installe à Strasbourg où, en 1440, il invente la typographie, c'est-à-dire l'impression par caractères mobiles en plomb. De retour à Mayence, il y imprime la Bible en caractères gothiques.
- INCUNABLES. Les incunables sont les livres imprimés avant l'an 1500. Premier livre imprimé : la Bible, à Mayence, par Gutenberg en 1455. En Italie : *De Oratore,* de Cicéron, à Subiaco en 1465 (première utilisation du caractère romain, qui remplacera le gothique). En France, en latin : *Epistolarum libri,* de Gasparin de Bergame, à la Sorbonne en 1470. La première pièce de théâtre imprimée en France : *La farce de maitre Pathelin,* d'un auteur inconnu, représentée en 1464, imprimée en 1470.
- ALDE MANUCE, typographe à Venise, invente en 1500 (avec Francesco Griffo) les premiers caractères penchés, appelés *lettres vénitiennes,* ou *aldines,* puis *italiques.*

Le seizième siècle

- GEOFROY TORY, typographe, écrit en 1529 le premier code typographique français, le *Champ fleury,* dans lequel il dessine des caractères basés sur le visage humain. Il y suggère les accents, la cédille et le *point crochu,* qui deviendra l'apostrophe.
- JACQUES DUBOIS, grammairien, propose en 1531 qu'on distingue *i* et *j,* ainsi que *u* et *v.* À cette époque, les sons *u* et *v* s'écrivent *u* et on prononce selon la position de la lettre dans le mot (*subjet, scauoir*). En capitales, *U* et *V* s'écrivent *V.* Jacques Dubois invente l'accent circonflexe pour remplacer un *s* non prononcé (*teste* = *tête*).

Le génie de la Renaissance : Mickey l'Ange.

- ROBERT ESTIENNE, le plus célèbre d'une famille d'imprimeurs, introduit les accents en 1530. Il épouse la jolie Perrette Bade, correctrice, dont il aime la ligne, la taille et le caractère. En 1539, il publie un dictionnaire français-latin contenant pour la première fois tous les mots de la langue française. Il est le premier lexicographe français.
- ÉTIENNE DOLET, typographe, écrit *La punctuation de la langue francoyse* en 1540. Il y propose la ponctuation moderne et les accents diacritiques : a/à, la/là, du/dû.
- LE LIVRE. Jusqu'à 1529, le livre n'a pas de titre. Il est désigné par les premiers mots du texte (*incipit*). Le texte est dense, on va rarement à la ligne. Les pages ne sont pas numérotées, seule la feuille porte l'indication : FEUIL. L (feuille 50 recto). Les auteurs ne sont pas payés : ils écrivent pour la gloire.
- LE TYPOGRAPHE ne doit pas se marier pendant son apprentissage. Ensuite, il doit faire son tour de France dans différentes imprimeries. Il a le droit de porter l'épée et il a la réputation d'être un coureur de jupons.
- FRANÇOIS Ier, par l'ordonnance de Villers-Cotterêts en 1539, ordonne : «Tous les actes de justice doivent être rédigés en français et non en latin.» Le seizième siècle est considéré comme l'âge d'or de l'imprimerie.

Le dix-septième siècle

- LITTÉRATURE. C'est *le Grand Siècle,* le siècle de la langue classique. On admire les anciens et on met l'accent sur la pureté et la clarté du style.
- PREMIER JOURNAL. Le 30 mai 1631, Théophraste Renaudot crée le premier hebdomadaire en France : *La Gazette de France* (de l'italien *gazzetta,* monnaie vénitienne qui représente le prix au numéro du premier journal paru à Venise).
- ORTHOGRAPHE. L'Académie française est créée en 1635 par le cardinal de Richelieu. Elle sera l'organisme officiel de l'orthographe et fera paraitre un dictionnaire tous les cinquante ans environ. La première édition du dictionnaire sort en 1694.
- GUILLAUME, typographe, invente en 1670 les *crochets courbes,* qu'on appellera plus tard *guillemets.*

Le dix-huitième siècle

- LITTÉRATURE. C'est le siècle des philosophes ou *Siècle des Lumières.* On écrit sur les fondements du droit, sur la morale et sur le gouvernement des États.
- QUATRIÈME ÉDITION. En 1762, l'Académie fait entrer les lettres *j* et *v* dans son dictionnaire. Jacques Dubois avait proposé cela il y a 231 ans.
- FRANÇOIS-AMBROISE DIDOT invente le point typographique en 1775. Puis il crée le caractère Didot qui est à la base de la typographie française. En 1777 parait le premier quotidien français : *Le Journal de Paris.*
- FLEURY MESPLET, typographe à Lyon, arrive à Montréal en 1776. En 1778, il lance *La Gazette du commerce et littéraire,* le premier journal imprimé à Montréal.

Le dix-neuvième siècle

- LITTÉRATURE. Le romantisme triomphe. C'est la victoire du sentiment sur la raison. C'est l'expression de la sensibilité, l'évasion dans le rêve, l'exotisme et l'amour.
- KOENIG invente l'encrage par rouleaux et le cylindre en 1810. La fonderie William Caslon crée le premier caractère bâton en 1816.
- ORTHOGRAPHE. À partir de 1830, sous Louis-Philippe, l'orthographe devient alors obligatoire pour accéder aux fonctions publiques.
- SIXIÈME ÉDITION. En 1835 parait la sixième édition du dictionnaire de l'Académie. On remplace la graphie *oi* par *ai* partout où elle est prononcée *è* (*avoit = avait*). En 1856, Pierre Larousse écrit son premier dictionnaire, l'ancêtre du *Petit Larousse.*

Qui a été le premier colon en Amérique ? — Christophe.

Ansi

Définition

- Acronyme de **A**merican **N**ational **S**tandards **I**nstitute. Chaque caractère possède son propre numéro. Sur un PC, pour appeler sur l'écran un caractère qui n'est pas sur le clavier, il suffit de taper Alt 0 et le numéro du code Ansi au clavier numérique, en précisant la police désirée.
- On peut aussi appeler ces caractères en faisant {Insertion, Caractères spéciaux}, et on obtiendra un tableau quadrillé sur lequel on choisira le caractère désiré.
- Mais quand on sera en train de taper un message dans le courriel, on n'aura pas la possibilité d'appeler le tableau des caractères spéciaux.
- De même quand on aura à rechercher et remplacer un caractère spécial et qu'on aura devant soi la boite de dialogue, cela demandera du temps pour retourner au tableau des caractères spéciaux et revenir à la boite de dialogue.
- C'est alors que la table Ansi sera très utile. Cette table se trouve aux pages 12 et 13 de ce livre. On peut la photocopier et l'afficher près de son ordinateur.
- On pourra donc, dans un courriel, placer une espace insécable, Alt 0160, devant un deux-points (:) pour éviter que ce dernier ne se trouve au début de la ligne suivante.
- Le code Ascii comporte les 128 premiers caractères du code Ansi.

Comment se faire une liste Ansi

- Allumer le clavier numérique ;
- Faire un tableau de plusieurs colonnes (avec des tabulations ou des cellules) ;
- Dans la première colonne, inscrire le numéro, par exemple 33 pour le premier ;
- Faire la même commande pour chaque colonne, par exemple Alt 033 ;
- Ensuite, on sélectionnera chaque colonne séparément, et on lui choisira la police ;
- On pourra ainsi comparer les différents signes dans les différentes polices.

	Times	Garamond	Omega	Arial	Verdana	Symbol	Wingdings	
33	!	!	!	!	!	!	✒	
34	"	"	"	"	"	∀	✄	
35	#	#	#	#	#	#	✁	
36	$	$	$	$	$	∃	✆	
37	%	%	%	%	%	%	♤	
38	&	&	&	&	&	&	📖	
39	'	'	'	'	'		❼	
40	(	(	(	(	(	(	☎	
41	)	)	)	)	)	)	①	
42	*	*	*	*	*	*	✉	
43	+	+	+	+	+	+	▣	
44	,	,	,	,	,	,	▥	
45	-	-	-	-	-	—	▤	
46	.	.	.	.	.	.	▧	
47	/	/	/	/	/	/	▨	
48	0	0	0	0	0	0	▢	etc.

À vendre : un pupitre parfait pour un étudiant avec des pattes solides.

Ansi : signification des signes

Ce tableau facilitera la compréhension entre les différents intervenants d'un travail.

@	*a* commercial et arobas	Æ	ligature AE capitale
⌐	adresse aller	œ	ligature oe bas-de-casse
⊠	adresse retour	Œ	ligature OE capitale
↵	touche Entrée	♦	losange étroit
∠	angle	◆	losange large
≈	approximativement égal à	®	marque déposée, ou MD
#	carré (touche de téléphone)	′	minute d'angle
■	carré plein	📖	mise en page
□	carré vide	-	moins
¢	cent (monnaie)	×	multiplié par (chiffres)
✂	ciseaux	•	multiplié par (lettres)
✓	coche	⊄	n'est pas inclus dans
☑	coche encadrée	¬	négation ou trait d'union cond.
≡	congru à	‡	obèle double
∧	conjonction	†	obèle, pour marquer un décès
⊃	contient	⊙	option
©	copyright, droit d'auteur	✈	par avion
[	crochet ouvrant	∴	par conséquent
]	crochet fermant	§	paragraphe
☒	croix encadrée	π	pi (3,1416)
°	degré (cercle supérieur)	+	plus
∅	diamètre	±	plus ou moins
≠	différent de	%	pour cent
∨	disjonction	‰	pour mille
/	divisé par	⊗	produit tensoriel
÷	divisé par	∃	quantificateur existentiel
=	égal à	∀	quantificateur universel
⇔	équivaut à	√	racine ou radical
&	esperluette ou perluète	…	remplace *etc.*
⊂	est inclus dans	∪	réunion
★	étoile pleine	●	rond plein (gros)
☆	étoile vide	•	rond plein (petit)
"	guillemet anglais ouvrant	○	rond vide
"	guillemet anglais fermant	″	seconde d'angle
«	guillemet ou chevron ouvrant	⊕	somme directe
»	guillemet ou chevron fermant	<	strictement inférieur à
"	petits guillemets	>	strictement supérieur à
⇒	implique	→	tend vers la droite
∞	infini	←	tend vers la gauche
∩	intersection	↓	tend vers la limite du bas
✍	lettre manuscrite	↑	tend vers la limite du haut
o	lettre **o** supérieure	—	tiret long, sur cadratin
æ	ligature ae bas-de-casse	–	tiret court, sur demi-cadratin

Comme toujours, le peuple s'en est pris à un bouc et mystère.

Ansi : table des caractères

Faites Alt 0 (zéro) plus le nombre à gauche. Utilisez le clavier numérique qui est à droite. Les titres des colonnes sont : (T) Times New Roman — (S) Symbol — (W) Wingdings. La colonne Times New Roman est la même pour presque toutes les polices de texte.

	T	S	W		T	S	W		T	S	W
33	!	!	✎	68	D	Δ	☜	103	g	γ	♑
34	"	∀	✂	69	E	E	☞	104	h	η	♒
35	#	#	✄	70	F	Φ	☞	105	i	ι	♓
36	$	∃	✆	71	G	Γ	✌	106	j	φ	er
37	%	%	✄	72	H	H	☝	107	k	κ	&c
38	&	&	📖	73	I	I	✋	108	l	λ	●
39	'		❼	74	J	ϑ	☺	109	m	μ	○
40	(	(	☎	75	K	K	☺	110	n	ν	■
41	)	)	◑	76	L	Λ	☹	111	o	o	□
42	*	*	✉	77	M	M	💣	112	p	π	□
43	+	+	✉	78	N	N	☠	113	q	θ	□
44	,	,	✉	79	O	O	⚑	114	r	ρ	□
45	-	−	✉	80	P	Π	⚐	115	s	σ	◆
46	.	.	✉	81	Q	Θ	✈	116	t	τ	◆
47	/	/	✉	82	R	P	☼	117	u	υ	◆
48	0	0	📁	83	S	Σ	●	118	v	ϖ	❖
49	1	1	📂	84	T	T	❄	119	w	ω	◆
50	2	2	📄	85	U	Y	✞	120	x	ξ	⊠
51	3	3	📄	86	V	ς	✞	121	y	ψ	⊡
52	4	4	📄	87	W	Ω	✠	122	z	ζ	⌘
53	5	5	🖬	88	X	Ξ	✚	123	{	{	❀
54	6	6	🖾	89	Y	Ψ	✿	124	|	|	❁
55	7	7	🖘	90	Z	Z	☾	125	}	}	"
56	8	8	🖙	91	[	[	☽	126	~	~	"
57	9	9	🖚	92	\	∴	ॐ	127			▓
58	:	:	🖳	93	]	]	✸	128	€		⓪
59	;	;	🖷	94	^	⊥	♈	129	□		①
60	<	<	🖫	95	_	_	♉	130	,		②
61	=	=	🖬	96	`	‾	♊	131	ƒ		③
62	>	>	⊘	97	a	α	♋	132	„		④
63	?	?	✍	98	b	β	♌	133	…		⑤
64	@	≅	✐	99	c	χ	♍	134	†		⑥
65	A	A	✌	100	d	δ	♎	135	‡		⑦
66	B	B	✍	101	e	ε	♏	136	^		⑧
67	C	X	✎	102	f	φ	♐	137	‰		⑨

À l'aéroport, un va-et-vient continuel ne cesse pas d'arrêter.

138	Š	⑩		178	²	"	✧		218	Ú	∨	ⱽ

138	Š	⑩	178	²	"	✧	218	Ú	∨	ⱽ
139	‹	⓿	179	³	≥	¤	219	Û	⇔	ℭ
140	Œ	➊	180	´	×	◈	220	Ü	⇐	⊃
141	□	➋	181	µ	∝	✪	221	Ý	⇑	⋂
142	Ž	➌	182	¶	∂	☆	222	Þ	⇒	⋃
143	□	➍	183	·	•	◷	223	ß	⇓	←
144	□	➎	184	,	÷	◶	224	à	◊	→
145	'	➏	185	¹	≠	◵	225	á	⟨	↑
146	'	➐	186	º	≡	◔	226	â	®	↓
147	"	➑	187	»	≈	◓	227	ã	©	↖
148	"	➒	188	¼	…	◑	228	ä	™	↗
149	•	➓	189	½	|	◒	229	å	Σ	↙
150	–	☍	190	¾	—	◴	230	æ	⌠	↘
151	—	∞	191	¿	⌐	◷	231	ç	|	⭠
152	˜	℘	192	À	ℵ	◴	232	è	⌡	⭢
153	™	℘	193	Á	ℑ	◷	233	é	⌈	⭡
154	š	℘	194	Â	ℜ	◷	234	ê	|	⭣
155	›	℘	195	Ã	℘	✠	235	ë	⌊	⭦
156	œ	℘	196	Ä	⊗	✢	236	ì	⌈	⭧
157	□	℘	197	Å	⊕	✣	237	í	{	⭩
158	ž	·	198	Æ	∅	✤	238	î	⌊	⭨
159	Ÿ	•	199	Ç	∩	✥	239	ï	|	⇦
160	espace insécable		200	È	∪	✦	240	ð		⇨
161	¡	ϒ	○	201	É	⊃	✧	241	ñ	)	⇧
162	¢	′	●	202	Ê	⊇	✈	242	ò	⌡	⇩
163	£	≤	●	203	Ë	⊄	✻	243	ó	⌈	⇔
164	¤	⁄	⊙	204	Ì	⊂	✽	244	ô	|	⇕
165	¥	∞	◎	205	Í	⊆	✾	245	õ	⌡	↰
166	¦	ƒ	○	206	Î	∈	✿	246	ö	⌉	↱
167	§	♣	■	207	Ï	∉	❀	247	÷	|	↲
168	¨	♦	□	208	Ð	∠	❁	248	ø	)	↳
169	©	♥	▲	209	Ñ	∇	❂	249	ù	⌉	▫
170	ª	♠	✦	210	Ò	®	❃	250	ú	|	▫
171	«	↔	★	211	Ó	©	❄	251	û	⌋	✗
172	¬	←	✳	212	Ô	™	❅	252	ü	⌉	✓
173	-	↑	✲	213	Õ	∏	⊠	253	ý	}	☒
174	®	→	❋	214	Ö	√	⊠	254	þ	⌋	☑
175	¯	↓	✺	215	×	·	◀	255	ÿ		▦
176	°	°	✛	216	∅	¬	▶				
177	±	±	✢	217	Ù	∧	➤				

À la fin, les soldats en avaient assez d'être tués.

Glossaire de la typographie

Dans les sous-titres en caractères gras, quand deux termes sont unis par *ou,* le premier est celui utilisé par Word, le second est le terme traditionnel que l'on risque de trouver dans d'autres ouvrages d'imprimerie (par ex. : *police* dans Word, *fonte* parfois ailleurs).

Famille de caractères

Les caractères typographiques sont classés en plusieurs familles, selon la forme des lettres. Certaines familles ont des lettres qui se terminent par une patte au bout de leur jambage et les autres ont des jambages qui ressemblent à des bâtons. Il est inutile de connaitre tous les noms des familles. Il suffira d'en distinguer deux sortes :
— Caractères **avec empattements.** (Les termes *sérif* et *sansérif* sont des anglicismes.)
— Caractères **sans empattements,** appelés **bâtons** ou de la famille des **linéales.**

Police ou fonte

Une police est déterminée par le nom du caractère, la plupart du temps par le nom de son inventeur. Une police peut être composée dans tous les corps et fractions de corps (demi-point dans Word). Le Times New Roman est une police **avec empattements.** L'Arial, dont les lettres n'ont pas d'empattements, est une police **linéale.**

Times New Roman   Arial

Taille ou corps

En général, le corps est déterminé en points et en fractions de points (en demi-points en traitement de texte). C'est l'espace entre la partie la plus haute et la plus basse des lettres. Dans l'exemple, le corps (14 pt) est la distance entre le haut du **T** et le bas du **g** (plus un petit blanc appelé **talus** qui évitera que ces lettres ne se touchent si elles se trouvent l'une au-dessous de l'autre).

Typographie

Ligne de base

La ligne de base est le trait imaginaire qui suit la partie inférieure des lettres sans *jambage* (ou bien *hampe descendante*). Dans l'exemple ci-dessous, les lignes de base suivent le bas de toutes les lettres excepté celles comportant un jambage (**g, y, p, q**). Tous les caractères, dans n'importe quel corps, s'alignent toujours sur la ligne de base.

Règles
typographiques

Interligne

L'interligne (nom masculin) est la distance verticale entre les deux lignes de base (dans l'exemple ci-dessus : 16 pt). Il est déterminé en points et en fractions de point, comme le corps. Quand l'interligne est le même que le corps, on dit que la composition est *solide.* L'écriture 10/12,3 signifie un corps de 10 pt interligné 12,3 pt.
On règle l'interligne par {Format, Paragraphe}. L'interligne **simple** est toujours 20 % supérieur au corps employé. On n'a pas besoin de le régler. L'interligne **exactement** est le plus précis et se règle en points et en dixièmes de points. (Par exemple, ce texte est interligné à exactement 9,8 points.) Les autres choix sont moins utiles.

Conjugaison : «Il pleut», c'est quel temps ? — Un mauvais temps.

Style ou face

Une même police possède plusieurs styles. Le caractère peut être droit (romain), penché (italique), plus maigre ou plus gras. Dans Word, le maigre romain se nomme *normal.* Dans ce livre, j'utilise plutôt le mot *face,* car le mot *style* signifie également les styles de paragraphe. Voici les différentes faces :

MAIGRE ROMAIN   *MAIGRE ITALIQUE*   **GRAS ROMAIN**   ***GRAS ITALIQUE***

Œil du caractère

L'œil (pluriel : œils) est le dessin de la lettre qui apparait à l'impression. En typographie, l'œil reçoit l'encre, c'est l'élément imprimant. Les noms des deux polices dans l'exemple ci-dessous sont composés dans le même corps, soit en 10 points. Mais le Verdana semble plus gros que le Garamond. C'est que leur œil est différent.

Garamond   Verdana

Espacement ou approche

L'approche est l'espace entre les lettres d'un mot. Je conseille de ne pas trop modifier l'approche originale. Un texte comprenant des mots dont les lettres ont été écartées ou rapprochées est désagréable à lire. En cas de manque de place, il vaut mieux changer la **chasse** quand le logiciel le permet. L'approche peut aussi se changer pour une lettre seulement ; on l'appelle alors **approche de paire** ou **crénage,** souvent automatique.

Échelle ou chasse

L'échelle (ou chasse) est la largeur totale d'un caractère. Elle peut être condensée ou élargie par déformation horizontale de la lettre. Elle se définit en pourcentage {Format, Police, Espacement, Échelle}. En traitement de texte, elle est difficile d'emploi, car cela dépend du logiciel et aussi de l'imprimante utilisée. De toute façon, je ne conseille pas d'essayer de changer la chasse pour tout un texte, car le fait de déformer des lettres n'est pas toujours du meilleur effet.

Mesures typographiques

Le **pica** (abréviation **pi** invariable) est l'unité de mesure typographique utilisée en Amérique. Il est égal à 4,21 mm. On utilise le pica pour désigner la longueur des lignes, la hauteur des pages et les cellules d'un tableau. Il sert aussi à déterminer les retraits.

Le **point** (abréviation **pt** invariable) est la douzième partie du pica. On utilise le point pour désigner le corps et l'interligne. On l'utilise aussi pour ajouter du blanc avant ou après un paragraphe.

• Dans Word, on utilise le pica et le point en système décimal, avec la virgule décimale. Par exemple, un interligne de 10,4 signifie 10 points et 4 dixièmes de point. On peut même utiliser deux décimales pour plus de précision. Un blanc de 2 picas et 6 points devant un paragraphe s'écrit 2,5 picas (ou 30 points), car il y a 12 points dans un pica. Dans ce livre, j'ai choisi d'utiliser le pica plutôt que le pouce, le centimètre ou le point.

Justification

Ce terme a deux significations. On dit que les lignes sont justifiées quand elles sont pleines. On appelle aussi *justification* la longueur des lignes d'un paragraphe, y compris les retraits. Par exemple, ce paragraphe-ci est justifié sur 26 picas.

Victor Hugo est né à l'âge de deux ans.

Cadratin et demi-cadratin

Le cadratin est un carré imaginaire de surface non imprimée. Son côté est égal au corps employé. En traitement de texte, il est devenu inutile. Le demi-cadratin a généralement la même largeur qu'un chiffre, et on peut l'employer pour faire des alignements de chiffres de **début** de ligne. Ces espaces ne varient pas en largeur, même si la composition est justifiée. Pour savoir comment obtenir et employer le demi-cadratin, voir le paragraphe *Alignement des chiffres sur la droite,* page 37.

Espaces sécables et insécables

En typographie, le mot *espace* est féminin quand il désigne l'espace entre les mots. Il est masculin quand on l'emploie pour désigner un espace non imprimé. Par exemple, il y a **une** espace sécable entre les mots de cette ligne, et il y a **un** espace (ou un **blanc**) de 16 points après ce paragraphe.

Espace sécable

On obtient l'espace sécable (ou **justifiante**) en frappant sur la barre d'espacement. Comme ce texte est justifié, les espaces entre les mots du paragraphe n'ont pas toutes la même largeur. L'ordinateur **justifie** les lignes à une espace sécable ou à un trait d'union pour en faire des lignes **pleines,** excepté celle-ci, qui est une ligne **creuse.**

Espace insécable

Cette espace est appelée ainsi parce qu'elle ne peut pas être coupée en fin de ligne. Par exemple, on utilise une espace insécable entre un nombre et le symbole qui le suit pour éviter que ces deux éléments ne se trouvent sur deux lignes différentes. Exemple : 25 kg (ce qui n'est pas permis). Généralement, l'espace insécable garde la même largeur, même dans une ligne justifiée. Dans un texte en drapeau à gauche ou à droite, l'espace insécable a la même largeur qu'une espace sécable. Sur un PC, on obtient l'insécable avec Ctrl+Maj+Barre d'espacement. Sur Macintosh : Com+Barre d'espacement.

• **Dans un courriel,** pour ne pas avoir de séparations en fin de ligne, par exemple pour que le chevron fermant (») ne se trouve pas au début d'une ligne, il faut mettre devant lui une espace insécable. On l'obtient en tapant Alt 0160 ou Ctrl+barre d'espacement.

Espace fine

L'espace fine (insécable) est égale au quart du cadratin, mais cela dépend des polices. Elle doit se placer devant les signes **! ? ;** et les appels de note, quand il s'agit de typographie de qualité (voir *Espacements,* page 173).

Voici un moyen de faire une espace fine dans Word.

1. Nouveau fichier, style Normal. Mettez le zoom à 200 % et faites Ctrl+Maj+8.
2. Tapez une espace insécable : Crtl+Maj+Barre d'espacement. Sélectionnez-la.
3. {Format, Police, Espacement, Échelle 40 %}. OK.
4. {Outils, Correction automatique}. L'espace est à droite, on ne la voit pas.
5. Cochez {Texte mis en forme}. On voit l'espace.
6. Dans **Remplace**r, tapez deux fois # ou un autre signe inutilisé.
7. Cliquez sur Ajouter, puis sur OK.

Pour voir si le chiffre de 40 % est acceptable, vérifiez sur papier, non sur l'écran.
Avec l'échelle à environ 40 %, l'espace fine sera proportionnelle au corps employé.
Il vous faut donc taper deux fois sur # pour insérer la nouvelle espace fine.
Je conseille d'écrire d'abord **bonjour!** et insérer l'espace fine entre le **r** et le **!** ensuite.

Les ordres religieux les plus célèbres sont les bénédictins et les trapézistes.

Paragraphe

Un paragraphe est le texte qui est compris entre deux frappes de la touche Entrée. Cette touche est montrée sur l'écran par un **pied-de-mouche** (¶) dans les caractères masqués Ctrl+Maj+8. On peut faire un retour à la ligne à l'intérieur d'un paragraphe. On appelle cela un **saut de ligne** (Maj+Entrée). On s'en sert à l'intérieur d'un style de paragraphe, quand on veut aller à la ligne sans sortir du style. Ou bien dans un tri, pour que la ligne suivante reste solidaire et n'aille pas se placer à son rang alphabétique.

Mise en forme de caractères

{Format, Police}. Mettre en forme des caractères, c'est leur affecter :

La police	Arial, Omega, Verdana, Times, Garamond...
Le style ou face	normal (romain), italique, gras, gras italique
La taille ou corps	en points et fractions de points
Le soulignement	aucun, continu, mots, double, pointillés...
La couleur	automatique, noir, bleu, blanc...
Les attributs	barré, exposant, indice, majuscules...
L'espacement	échelle, espacement, position sur la ligne, crénage

Mise en forme de paragraphes

{Format, Paragraphe}. Mettre en forme des paragraphes, c'est leur affecter :

L'alignement	gauche, centré, droite, justifié
Le niveau hiérarchique	corps de texte, niveau 1, niveau 2...
Le retrait	à gauche, à droite, de première ligne
L'espacement	avant et après le paragraphe, en picas ou en points
L'interligne	en points et fractions de points

Pagination

La pagination est le fait de donner un numéro (folio) à chaque page. Généralement, on ne met pas de folio au début des **chapitres** ni aux pages **liminaires,** mais cela n'est pas une obligation absolue. La **repagination** consiste à remettre en ordre la mise en page après que l'on a réalisé des changements. Par exemple, si l'on ajoute du texte au milieu du document, la machine pousse le texte suivant. Les **sauts de page** automatiques sont ceux qui sont insérés quand la page est pleine. Les sauts de page manuels (Ctrl+Entrée) sont ceux qui sont insérés par l'opérateur à l'endroit de son choix.

Retrait ou renfoncement

Un retrait (ou renfoncement) est un espace blanc qu'on laisse à gauche, à droite ou des deux côtés pour détacher une certaine partie du texte par rapport à la justification.

> Par exemple, ce texte de trois lignes est en retrait (renfoncement) de deux picas à gauche et de deux picas à droite. Sur PC, le retrait se détermine par {Format, Paragraphe, Retrait}.

Soulignement

Le soulignement servait en dactylographie pour remplacer l'italique. En typographie, on a recours aux différentes faces pour faire ressortir des mots, et aux corps plus gros pour les titres. On utilise très rarement le soulignement, surtout parce que l'on ne peut pas éloigner le trait, et que ce trait coupe les jambages des lettres.

Un polygone est une figure qui a des côtés un peu partout.

Hiérarchie des titres

Corps

En général, il faut utiliser des corps différents par ordre décroissant pour établir la hiérarchie dans les niveaux de titres. Il ne faut pas exagérer le nombre de niveaux et se limiter à six niveaux au maximum pour un livre de taille moyenne. Ce livre comporte quatre niveaux, qui sont : titre 1 Garamond italique 60 pt ; titre 2 Verdana gras 13 pt ; titre 3 Verdana gras 10 pt ; titre 4 Verdana gras 8 pt.

Faces

En général, on utilise le gras pour les titres ; le romain maigre y est rarement utilisé. Le gras italique sert à mettre une partie en évidence dans un titre en gras. L'italique gras ou maigre peut aussi être utilisé comme subdivision d'un titre en gras.

Casse

On peut composer les titres de chapitres (à condition qu'ils soient très courts) tout en capitales. Mais il vaut mieux utiliser les bas-de-casse avec une capitale initiale. En effet, maintenant que les sigles en général se composent en capitales sans points abréviatifs, on risquerait de ne pas les reconnaitre dans un titre tout en capitales.

Alignements

L'ordre décroissant est le suivant : centré, à gauche, en alinéa renfoncé.

Base de données

Une base de données est un ensemble de renseignements classés par catégories. Par exemple, une base de données concernant une personne comporte ses nom, prénom, profession, adresse, numéros de téléphone et de télécopie, adresse de courriel, etc. Chaque élément se nomme une **donnée** et le tout est une **base de données.**

Cadre

Un cadre, ou *zone de texte* dans certaines versions, est le **filet** (bordure) que l'on place autour d'un texte sélectionné ou d'un dessin. Le cadre, même si l'on en cache les bordures, permet aussi de déplacer ce texte ou ce dessin à l'aide de la souris ou du clavier et de le positionner dans la page à l'endroit de son choix.

Champ

Un champ est un ensemble de codes permettant d'insérer dans un document certains éléments qui seront automatiquement mis à jour. Le champ Page donnera à chaque page son numéro (folio). Pour désactiver un champ (rompre la liaison), placez le curseur n'importe où à l'intérieur du texte et faites Ctrl+Maj+F9.

Macro

Quand il faut exécuter une série de commandes pour arriver à un résultat, il est utile de mettre toutes ces opérations en mémoire. On déclenche alors l'enregistrement de toutes ces opérations. L'enregistrement ainsi réalisé se nomme une **macro** à laquelle on donne un nom. Il suffit alors de la rappeler pour que toutes les commandes enregistrées s'effectuent automatiquement.

Les arguments de la Belgique s'effritent.

Coquille

Ce mot est entré dans le langage de l'imprimerie à partir de 1754. On n'a jamais trouvé de façon certaine son étymologie. Une coquille est une erreur typographique par laquelle des lettres ou des syllabes sont substituées à d'autres. On y englobe aussi toute erreur.

Inversion de lettres : quand on donne aux mots un ordre autre que l'ordre normal.

au lieu de : a) b) c) *on a écrit :* a) c) b)

Inversion de syllabes : contrepèterie amusante dans un groupe de mots.

au lieu de : Sonnez, trompettes! *on a écrit :* Trompez, sonnettes!

Wysiwyg

What you see is what you get. Ce que vous voyez sur l'écran est proche de ce que vous verrez sur le papier. En général, il faut que le zoom de l'affichage soit réglé à 100 %.

Bourdon

Un bourdon est l'omission d'un mot ou d'un passage entier. Sur l'épreuve, le correcteur marque par **voir copie ✗** (encerclé) l'endroit où l'omission s'est produite. Sur la copie, il entoure le texte omis en le désignant d'une croix encerclée. Si une deuxième omission se produit, il utilise deux croix, etc.

Doublon

Un doublon désigne un texte qui a été, par erreur, composé deux fois. Le correcteur entoure la seconde partie en la marquant du signe de correction *déléatur* (enlever).

Chapeau

Courte introduction en tête d'un article de journal ou de revue. Souvent, le chapeau est sur deux colonnes ou sur trois colonnes.

Exergue

Texte que l'on met en évidence au début d'un ouvrage pour expliquer ce qui suit. Ce texte peut être renfoncé, ou en italique, afin de le faire ressortir.

Colophon

Texte situé à la fin d'un ouvrage, dans lequel sont mentionnés l'imprimeur, son adresse et la date de l'impression du livre. Le colophon se nomme aussi *achevé d'imprimer.*

Titre de colonne

On appelle ainsi la ligne au-dessus de la colonne dans un tableau. Elle se compose généralement en gras. Une ligne en *tête de colonne* est la première ligne de la colonne.

Gouttière

Espace blanc séparant les colonnes de journal. La gouttière peut comprendre une *ligne séparatrice,* qu'on appelle aussi *filet vertical.* (Voir comment on détermine la gouttière dans la section *Word facile.*)

Adriano était à moitié napolitain, moitié grec, moitié libanais.

Correction d'épreuves

Corrections à l'encre noire ou rouge

On marque à l'encre noire les fautes commises par rapport à la copie originale. Ces corrections ne sont pas facturées au client. On marque à l'encre rouge les changements que l'auteur effectue par rapport au texte original. Ces corrections sont facturées.

Corrections au crayon

Quand un correcteur a un doute sur l'orthographe d'un mot ou sur la construction d'une phrase, il attire l'attention de l'auteur en marquant au crayon le mot ou le passage en question et en inscrivant dans la marge un point d'interrogation **encerclé.** Si l'auteur considère que la correction se justifie, il la marque à l'encre rouge ; sinon, il efface l'annotation du correcteur.

Place des signes de correction

Les signes de correction se mettent dans la marge, du côté le plus rapproché de la faute. Quand il y a plusieurs fautes dans la même ligne, on marque les signes successivement, en s'éloignant du texte. Cette méthode est la méthode internationale.
• Mais, si les textes à corriger sont généralement peu chargés de fautes, on peut utiliser la méthode suivante. Par exemple, si l'on veut un **o** à la place d'un **a,** on barre le **a** et, sans lever le crayon, on marque un **o** dans la marge, sans autre signe.

Nombre de lectures en correction

Il faut faire deux lectures : la première consiste à découvrir les fautes d'orthographe et de typographie. Il faut lire les numéros de téléphone en les prononçant à voix basse. La seconde lecture consiste à relire le texte sans s'occuper des fautes qu'on a déjà mentionnées. Cette seconde lecture permet de s'attacher au fond et non plus à la forme, et elle dure environ le quart du temps de la première. Il ne faut pas se contenter de la lecture sur l'écran, il faut lire sur les épreuves.

Relecture des passages corrigés

Quand la correction d'un mot n'a pas fait changer la fin de la ligne, le **corrigeur** (la personne qui exécute les corrections) ne marque aucune indication. Mais si la correction a fait changer la fin de la ligne, il doit marquer d'une accolade le pavé de texte jusqu'à la fin du paragraphe. Cela signifiera au correcteur qu'il doit relire les nouvelles lignes pour en vérifier les coupures.

Indications à l'auteur

Quand le correcteur veut transmettre une indication à l'auteur ou à l'opérateur, il doit s'assurer que cette indication ne sera pas interprétée comme un texte à composer. Toutes ces indications sont donc encerclées. Par exemple, quand il veut que l'opérateur compose le signe **?** dans le texte, il marque le signe **?** non encerclé dans la marge. S'il veut attirer l'attention de l'auteur, il écrit le signe **? encerclé.**

Vérification des dates

Le correcteur doit prendre garde aux transpositions dans les dates (1897 au lieu de 1987). Il doit aussi vérifier si la date est correcte. Par exemple, la date *mardi 28 décembre 1994* comporte une erreur. Si le mot *mardi* est correct, il faudra mettre *27 décembre.* Mais si c'est *28 décembre* qui est correct, il faudra mettre *mercredi.* Cette vérification des dates très éloignées est possible avec l'aide du logiciel Antidote Prisme.

Ma grand-mère dit que mon grand-père est un continent.

Vérification des pages et des notes

Il faut vérifier si la pagination est correcte, si l'index et la table des matières renvoient aux bonnes pages, et si les notes correspondent bien aux appels de notes.

Vérification des énumérations

Dans les énumérations horizontales ou verticales, le correcteur doit vérifier si les chiffres ou les lettres d'énumération se suivent correctement. Dans les énumérations 1. 2. 4. ou a) b) d), il y a des erreurs, car 3. et c) ont été sautés. Il doit aussi vérifier la ponctuation, ainsi que la syntaxe de l'énumération.

Vérification des clichés

On doit vérifier si tous les hors-textes (photos, dessins, etc.) sont bien marqués de leur lettre d'identification et si cette dernière correspond à celle de la maquette.

Uniformité des abréviations

Si les abréviations reviennent très souvent, le correcteur doit s'assurer que le même mot est abrégé de la même façon tout au long de l'ouvrage.

Les noms propres

Puisqu'il n'y a pas de règle d'orthographe qui s'applique aux noms propres, il faut que ces derniers soient bien transcrits la première fois qu'ils figurent dans le texte. Le correcteur surveillera leur uniformité.

Les capitales

Le correcteur doit s'assurer qu'un style d'emploi des capitales est suivi tout le long de l'ouvrage. Les capitales sont une source d'ennuis pour un opérateur, car leur emploi dépend souvent des circonstances.

Soulignement

Casse : on souligne de deux traits les mots que l'on veut en petites capitales, et de trois traits les mots que l'on veut en capitales. **Face** : un trait pour italique et romain, un trait ondulé pour gras et maigre.

Éviter de deviner le texte

Souvent, nous parcourons un texte en ne lisant qu'une partie du mot et en devinant le reste. C'est le défaut qu'un correcteur doit éviter : il doit lire toutes les lettres. Il ne doit jamais changer la copie s'il n'est pas absolument sûr de son initiative. Il doit enfin faire approuver par l'auteur tout changement proposé.

Corriger un mot

Après avoir corrigé ou changé un mot dans une phrase (par exemple avoir choisi un synonyme), il faut relire la phrase entière, car ce changement peut avoir changé les accords dans cette phrase.

Doute et humilité

Ce sont les deux qualités que doit posséder un bon correcteur (ou correctrice, évidemment). Il doit constamment mettre en doute ses connaissances afin de toujours s'améliorer. Il ne doit surtout pas se vanter de ne jamais faire de fautes.

Comme un coq, il se dressa sur ses ergots et montra ses dents.

Correction d'épreuves : signes

cadratin	demi-cadratin	espace fine	espace sécable
espace insécable	trait d'union	trait d'union insécable	trait d'union conditionnel
changer une lettre	changer un mot	insérer une lettre	insérer un mot
enlever une lettre	enlever un mot	enlever et espacer	point
virgule	apostrophe	exposant	indice
joindre	rapprocher sans joindre	transposer des mots	transposer des lettres
tiret long	tiret court	faire suivre	faire un alinéa
réduire le blanc de 6 pt	annuler le blanc	augmenter le blanc de 6 pt	nettoyer

---

Mon fils va suivre un cours de pilotage d'avion. Est-il couvert contre le vol ?

Correction d'épreuves : signes

pousser à droite	pousser à gauche	centrer	justifier
retrait à gauche	retrait à droite	retrait des deux côtés	supprimer les retraits
sur ligne précédente	sur ligne suivante	sur page précédente	sur page suivante
aligner verticalement	aligner horizontalement	aligner sur la gauche	aligner sur la droite
voir copie	ne rien changer	questionner l'auteur	ligaturer
capitales	bas-de-casse	petites capitales	capitales et bas-de-casse
romain	italique	maigre	gras
augmenter l'approche	diminuer l'approche	lettrine	signature du correcteur

J'ai cassé mon phare et j'ignore si je suis couvert. Pouvez-vous m'éclairer ?

Correction : texte à corriger

6 pt

RECETTES DE CUISINE

6 pt

Choux d'Espagne à la sauce Picador   gr.

Achetez un kilogramme de choux d'Espagne en vous   bon
les faisant envoyer franco. Arrosez-les de rhum en «céro»
après les avoir coupés en quatre dans un boléro. Faites   é/
chauffer sur flamenco quelques pesetas bien mûres que
vous aurez réduites en poudre à l'aide de trois bonnes et   deux
solides casse-tagnettes.

Lorsque la cuisson des choux vous siéra, mélangez
le tout, passez à travers une mantille et d'une arrosez
sauce PICADOR. Vous pouvez accompagner d'un nid
d'hirondelle d'Halgo.   v. copie x

Recette féminine   gr. ital.

Il s'agit là d'une recette venant de Virginie. Préparez
avec clémence une julienne bien claire dans une sauce
blanche, avant d'y faire fondre une rose.

Laissez bien chauffer au bain-marie en y ajoutant des
pétales de marguerite, des crêpes Suzette, madeleine et
une clémentine. Tournez avec constance.

MENUISERIE

Si vous avez une commode avec quatre tiroirs, voici une
méthode pour pour en obtenir de multiples avantages.

18 pt

1. Enlevez les tiroirs ;
2. Placez-les à côté de la commode ;
3. Superposez les tiroirs les uns sur les autres ;

cap.

4. mettez une cale de bois de 10 cm entre eux.

Vous avez ainsi la disponibilité de vos tiroirs et aussi de
la commode dont vous pouvez faire un très beau coffre en
défonçant le dessus, ou un meuble à étagères,
celles-ci se trouvant aux endroits des tiroirs.

Docteur, chaque fois que je mange du cheval, j'ai l'étalon dans l'estomac.

Correction : texte corrigé (en nouvelle orthographe : *pésétas* et *mures*)

RECETTES DE CUISINE

Choux d'Espagne à la sauce Picador

Achetez un kilogramme de choux d'Espagne en vous les faisant envoyer franco. Arrosez-les de rhum en «céro» après les avoir coupés en quatre dans un boléro. Faites chauffer sur flamenco quelques pesetas bien mûres que vous aurez réduites en poudre à l'aide de deux bonnes et solides castagnettes.

Lorsque la cuisson des choux vous siéra, mélangez le tout, passez à travers une mantille et arrosez d'une sauce Picador. Vous pouvez accompagner d'un nid d'hirondelle ou d'un nid d'Halgo.

Recette féminine

Il s'agit là d'une recette venant de Virginie. Préparez avec clémence une julienne bien claire dans une sauce blanche, avant d'y faire fondre une rose.

Laissez bien chauffer au bain-marie en y ajoutant des pétales de marguerite, des crêpes Suzette, une madeleine et une clémentine.

Tournez avec constance.

MENUISERIE

Si vous avez une commode avec quatre tiroirs, voici une méthode pour en obtenir de multiples avantages :

1. Enlevez les tiroirs ;
2. Placez-les à côté de la commode ;
3. Superposez les tiroirs les uns sur les autres ;
4. Mettez une cale de bois de 10 cm entre eux.

Vous avez ainsi la disponibilité de vos tiroirs et aussi de la commode dont vous pouvez faire un très beau coffre en défonçant le dessus, ou un meuble à étagères, celles-ci se trouvant aux endroits des tiroirs.

Croisant un chien tenu en laisse par son maitre, j'ai été mordu par ce dernier.

Alignement des paragraphes

en alinéa

    Paragraphe zzzz zzz zzzz zzz zzz zzzz zzzz zzz zzzz zz zzzz zzzzz zzzzzzz zzzz zzz zzzz z zzzz zzzzz zzzzzzzz zzzz zzz zzz.

    Paragraphe zzzz zzz zzzzz zzz zzzz zzzz zzz zzzz zz zzzz zzzzz zzzzzzz zzzz zzz zzzz z zzzz zzzzz zzz zzzz zzz zzz.

    Paragraphe zzzz zzz zzzz zzz zzzz zzzz zzz zzzz zz zzzz zzzzz zzzzzzz zzzz zzz zzzz zz zzzzz zzzzz zzzzz zzzz zzz zzz.

au carré

Paragraphe zzzz zzz zzzz zzz zzz zzzz zzzz zzz zzzz zz zzzz zzzzz zzzzzzz zzzz zzz zzzz z zzzz zzzzz zzzzzzzz zzzz zzz zzz.

Paragraphe zzzz zzz zzzzz zzz zzzz zzzz zzz zzzz zz zzzz zzzzz zzzzzzz zzzz zzz zzzzz z zzzz zzzzz zzz zzzz zzz zzz.

Paragraphe zzzz zzz zzzz zzz zzzz zzzz zzz zzzz zz zzzz zzzzz zzzzzzz zzzz zzz zzzz zz zzzz zzzzz zzzzz zzzz zzz zzz.

en drapeau à gauche

Paragraphe zzzz zzz zzzz zzz zzz zzzz zzz zzz zzzz zz zzzz zzzzz zzzzzzz zzzz zzz zzzz zzzz zzzzz zzzzzzzz zzzz zzz zzz.

Paragraphe zzzz zzz zzzzz zzz zzzz zzzz zzz zzzz zz zzzz zzzzz zzzzzzz zzzz zzz zzz zzzz zzzzz zzz zzzz zzz zzz.

Paragraphe zzzz zzz zzzz zzz zzzz zzzz zzz zzzz zz zzzz zzzzz zzzzzzz zzzz zzz zzzzz z zzzz zzzzz zzzzz zzzz zzz zzz.

centré

Paragraphe zzzz zzz zzzz zzz zzz zzzz zzz zzzzzzz zzzzz zzzzzzz zzzz zzz zzzz zzzzzzzzzz zzzzz zzzzzzzz zzzz zzz zzz.

Paragraphe zzzz zzz zzzzz zzz zzzz zzzz zzz zzz zz zz zzzz zzzzz zzzzzzz zzzz zzz zzzz z zzzzzzzz zzz zzzz zzz zzz.

Paragraphe zzzz zzz zzzz zzz zzzz zzzz zzzzzzzzzz zzzzz zzzzz zzz zzzzz z zzzz zzzzz zzzzz zzzz zzz zzz.

en sommaire simple

Paragraphe zzzz zzz zzzz zzz zzz zzzzzz zzzz zzzz zz zzzz zzzzz zzzzzzz zz zzzzzz zzz zzzz z zzzz zzzzz zzzzzzzz zzzz.

Paragraphe zzzz zzz zzz zzz zzzz zzzzz zzz zzzz zz zzzz zzzzz zzzzzzz zzzzz zzzzz zzzz zzzz zzzzz zzz zzzz zzz zzz.

Paragraphe zzzz zzz zzzzz zzz zzzz zzzz zzzz zzzz zz zzzz zzzzz zzzzzzz zzzz zzz zz zzzz zzzzz zzzzz zzzz zzz zzz.

au carré avec rentrée

Paragraphe zzzz zzz zzzz zzz zzz zzzz zzzz zzz zzzz zz zzzz zzzzz zzzzzzz zzzz zzz zzzz zz zzzz zzzzz zzzzzzzz zzzz zzz zzz.

    Paragraphe zzzz zzz zzzzz zzz zzzz zzzzz zzzz zz zzzz zzzzz zzzzzzz zzzz zzz zzzz zz zzzz zzzzz zzz zzzz zzz zzz.

    Paragraphe zzzz zzz zzzz zzz zzzz zzzz zzzz zzzz zz zzzz zzzzz zzzzzzz zzzz zzz zzzzzzzz zz z zzzz zzzzz zzzzz zzzz zzz zzz.

en drapeau à droite

    Paragraphe zzzz zzz zzzz zzz zzz zzz zzz zzzz zz zzzz zzzzz zzzz zzzz zzz zzzz z zzzz zzzzz zzzzzzzz zzzz zzz zzz.

Paragraphe zzzz zzz zzzz zzz zzzz zzzz zzz zzzz zz zzzz zzzzz zzzzzzz zzzz zzz zzzz z zzzz zzzzz zzz zzzz zzz zzz.

Paragraphe zzzz zzz zzzzz zz zzzz zzz zzzz zzzz zzz zzzz zz zzzz zzzzz zzzzzzz zzzzzz zzzzz zzzz zzzzz zzzzz zzzz zzz zzz.

en pavé

Paragraphe zzzz zzz zzzz zzz zzz zzzz zzzz zzz zzzz zz zzzz zzzzz zzzzzzz zzzz zzz zzzz z zzzz zzzzz zzzzzz zzz zzz zzzzz zz.

Paragraphe zzzz zzz zzzzz zzz zzzz zzzz zzz zzzz zz zzzz zzzzz zzzzzz zzzz zzz zzzz zz zzzz zzz zzz zzzz zzz zz zzzz zzz zzz zzzz.

Paragraphe zzzz zzz zzzz zzz zzzz zzzz zzz zzzz zz zzzz zzzzz zzzzzzz zzzz zzz zzzz z zzzz zzzzz zzzzz zzzz zzz zzz zzz z zz zzz zz.

Dans toutes ces compositions, on peut utiliser les divisions de mots (césures) ou non. On appelle ici *paragraphe* le fait de retourner à la ligne par la touche Entrée (¶).

Un nombre réel est un nombre qu'on peut toucher du doigt.

Détails des alignements

en alinéa

On fait un retrait de première ligne **positif** par {Format, Paragraphe} de un pica. On peut le faire aussi par la règle en déplaçant le ▽ de un pica vers la droite. L'exemple est avec un texte justifié. On peut aussi le faire avec un texte en drapeau à gauche, mais ce sera moins beau dans ce cas.

en sommaire simple

On fait un retrait de première ligne **négatif** par {Format, Paragraphe} de un pica. On peut le faire aussi par la règle en déplaçant le △ de un pica vers la droite. L'exemple est avec un texte justifié. On peut aussi le faire avec un texte en drapeau à gauche. On appelle cet alignement *sommaire simple,* et il ne comporte généralement pas de signes d'énumérations. Pour un *sommaire multiple,* voir page 39.

au carré

Il n'y a aucun retrait de première ligne. Le texte est justifié, mais on peut aussi le faire en drapeau à gauche. Dans cet alignement au carré, il est conseillé de mettre un blanc avant ou après les paragraphes, afin d'en distinguer le commencement au cas où la dernière ligne du paragraphe précédent serait pleine.

au carré avec rentrée

Le premier paragraphe est sans retrait de première ligne. Les paragraphes suivants sont en retrait positif de un pica. Après chaque sous-titre, le premier paragraphe est sans retrait de première ligne. Le texte peut être justifié ou en drapeau à gauche. De façon générale, quand on a un retrait positif de première ligne, il est préférable de choisir un alignement justifié.

en drapeau à gauche

On obtient cet alignement en cliquant sur l'icône *aligner à gauche* de la barre de mise en forme. Le texte n'est donc pas justifié. On peut faire un retrait positif de première ligne à tous les paragraphes, mais c'est moins beau. Il est préférable de mettre un blanc avant ou après chaque paragraphe.

en drapeau à droite

On obtient cet alignement en cliquant sur l'icône *aligner à droite* de la barre de mise en forme. Le texte n'est donc pas justifié. On ne fait pas de retrait positif de première ligne. Il est préférable de ne pas faire de coupure de mots, mais on peut mettre un blanc avant ou après chaque paragraphe.

centré

On obtient cet alignement en cliquant sur l'icône *centré* de la barre de mise en forme. Le texte n'est donc pas justifié. On ne fait aucun retrait de première ligne. Il est préférable de ne pas faire de coupure de mots.

en pavé

Toutes les lignes sont pleines. Cet alignement est très rarement utilisé. Par exemple, un employeur peut vous demander de faire un pavé, quelle que soit la longueur des lignes. Il faut alors faire des essais. Un exemple de texte en pavé est la première de couverture du livre *Lexique des règles typographiques en usage à l'Imprimerie nationale.*

Les hommes sont de plus en plus intéressés par leur arbre gynécologique.

Énumérations verticales

Ponctuation des énumérations

Capitale initiale aux parties

Si l'on considère que la phrase est interrompue entre la proposition d'introduction et le début de l'énumération, on met une capitale à chaque partie. On utilise de préférence les signes comportant un point (**I. A. 1.**). On met un point-virgule à la fin de chaque partie, quelle que soit la ponctuation interne, et un point final à la fin. Les subdivisions d'une partie prennent un bas-de-casse initial et une virgule à la fin de chacune d'elles.

Instructions aux élèves le jour de l'examen :

1. Présentez votre lettre de convocation ;
2. Préparez le matériel nécessaire :
    — papier,
    — crayon,
    — gomme à effacer ;
3. Rassemblez-vous dans la cour. Les numéros des classes
    vous seront donnés sur place ;
4. Ne fumez pas.

Bas-de-casse initial aux parties

Si l'on considère que la phrase n'est pas interrompue entre la proposition d'introduction et le début de l'énumération, on met un bas-de-casse au début de chaque partie. On utilise surtout les signes sans point : *a)* 1º —. La lettre est en italique ou en romain, la parenthèse est toujours en romain. On peut supprimer le deux-points du titre.

Le jour de l'examen, les élèves devront

a) présenter leur lettre de convocation ;
b) préparer le matériel nécessaire :
    — papier,
    — crayon,
    — gomme à effacer ;
c) se rassembler dans la cour. Les numéros des classes
    seront donnés sur place ;
d) ne pas fumer.

Syntaxe des énumérations

Toutes les parties doivent rester dans la même catégorie grammaticale.

Impératifs	Infinitifs	Noms
Présentez la lettre	Présenter la lettre	Présentation de la lettre
Rassemblez-vous	Se rassembler	Rassemblement
Ne fumez pas	Ne pas fumer	Interdiction de fumer

Commentaires

L'idée de l'emploi du point-virgule est de montrer que, quand l'énumération s'étale sur plusieurs pages, elle n'est pas finie tant que l'on ne rencontre pas le point final. Mais si l'énumération s'étale sur une seule page, on peut utiliser un point à la fin de chaque partie. Dans une annonce en gros caractères dans un journal, un magazine ou une revue, on peut ne rien mettre du tout.

Le carré est un rectangle un peu plus court d'un côté.

Notes et appels de note

Définitions

On appelle **note** la partie qui se met au bas de la page pour expliquer un mot ou une phrase du texte. Elle se compose dans un corps plus petit et elle est généralement séparée du texte par un petit trait, à gauche, d'une longueur d'environ un huitième de la justification. Les notes peuvent aussi se placer en fin de chapitre ou à la fin de l'ouvrage. On désigne par **appel de note** le signe, la lettre ou le chiffre qui se place dans le texte après la partie à expliquer.

Formes de l'appel de note

L'appel de note pourra être : un astérisque, un chiffre supérieur sans parenthèses, un chiffre supérieur entre parenthèses supérieures, un chiffre normal entre parenthèses ou une lettre en italique entre parenthèses en romain.

texte*   texte^2 texte$^{(3)}$ texte(4)   texte(*a*)

Formes de la note

Le signe, le chiffre ou la lettre qui se place au début de la note est suivi d'une espace insécable ou mieux d'un tabulateur, et il doit être le même que celui de l'appel de note correspondant. Toutefois, quand l'appel de note est un chiffre supérieur sans parenthèses, on peut utiliser dans la note un chiffre normal suivi d'un point, ce qui rendra la lecture plus facile.

Choix des appels de note

Travaux scientifiques

On utilise les **astérisques** (à raison de trois par page au maximum) dans les travaux scientifiques parce que les chiffres supérieurs risqueraient d'être confondus avec des exposants. Mais il faut alors éviter, dans ce même ouvrage, de donner à l'astérisque la signification de «voir ce mot».

Travaux ordinaires

Dans les travaux ordinaires, on utilisera de préférence les **chiffres supérieurs sans parenthèses.** En effet, une lettre en italique pourrait se confondre avec une lettre d'énumération. Enfin, dans le cas de notes qui sont placées à la fin de l'ouvrage, on ne peut se rendre qu'à 26 avec les lettres de l'alphabet.

Place et face de l'appel de note

L'appel de note se place toujours avant la ponctuation, qu'il se rapporte au mot qui précède ou à la phrase. Le point abréviatif reste toujours collé à l'abréviation (voir le dernier exemple). L'appel de note est détaché du mot qui le précède par une espace fine si le logiciel le permet, sinon il est collé au mot. Il reste toujours en romain maigre, alors que la face de la ponctuation qui suit dépend s'il s'agit d'une ponctuation haute ou basse (voir page 172).

exemple^2.	exemple^2 :	exemple^2 ?	exemple^2)
exemple*,	exemple^2 ;	exemple^2 »	exemple^2/
exemple^2...	exemple^2 !	exemple^2 —	exemple, etc.^{2}.

Antoine avait 80 ans mais, par suite des chagrins, il en paraissait le double.

Livre

Ordre classique de subdivisions

Voici l'ordre classique pour un livre comportant six subdivisions. Toutes ces subdivisions portent un nom qui est donné en face du signe d'énumération. Bien noter le point après les trois premiers signes.

      I. Chapitre
        A. Section
           1. Article
             a) Paragraphe
                1° Alinéa
                  — Sous-alinéa

Ordre numérique international

1.	Chapitre
1.1.	Section
1.1.1.	Article
1.1.1.1.	Paragraphe
1.1.1.1.1.	Alinéa
1.1.1.1.1.1.	Sous-alinéa

Papiers

Formats internationaux des papiers

Largeur sur longueur :

A1	594 × 841 mm		A4	210 × 297 mm
A2	420 × 594 mm		A5	148 × 210 mm
A3	297 × 420 mm		A6	105 × 148 mm

Qualités des papiers d'impression

Bouffant	Papier sans apprêt, granuleux. Augmente le volume du livre.
Couché	Très lisse et destiné aux impressions fines.
Offset	Destiné à l'impression offset. Il est lisse, mais non brillant.
Frictionné	Comme l'offset, mais lisse sur une seule face, pour affiches.
Satiné	Papier demi-brillant, doux et lisse sur les deux faces.

Cahiers

Un cahier est une grande feuille de papier qui est imprimée, pliée, découpée au format et assemblée, constituant une partie d'un livre. Ce livre a 7 cahiers de 32 pages.

Plis	Feuillets	Pages	Désignation		Dimensions
1	2	4	in-folio	in-f°	de 355 à 500 mm de haut
2	4	8	in-quarto	in-4	de 255 à 350 mm de haut
3	6	12	in-six	in-6	de 230 à 250 mm de haut
3	8	16	in-octavo	in-8	de 200 à 225 mm de haut
4	12	24	in-douze	in-12	de 120 à 195 mm de haut
4	16	32	in-seize	in-16	moins de 100 mm de haut

Pour Noël, je veux un joliciel, pour jouer avec mon ordinateur.

Livre : terminologie

Blanc de grand fond ou marge extérieure

On appelle ainsi la marge qui se trouve du côté opposé à la reliure du livre.

Blanc de petit fond ou marge intérieure

On appelle ainsi la marge qui se trouve du côté de la reliure.

Blanc de pied

C'est la marge du bas, c'est-à-dire la distance entre le bord du papier et la matière imprimée quand la page est pleine, incluant éventuellement le folio.

Blanc de tête

C'est la marge du haut, soit la distance entre le bord du papier et la matière imprimée quand la page est pleine, y compris le folio et le titre courant.

Hauteur de page

La hauteur de page est la distance entre la première et la dernière ligne d'une page pleine (excluant le folio et le titre courant).

Hauteur du rectangle d'empagement

La hauteur du rectangle d'empagement est la distance entre la première et la dernière ligne d'une page pleine (incluant le folio et le titre courant).

Titres courants ou entêtes [en-tête]

Texte qui est répété au haut des pages, souvent sur la même ligne que le folio. Il peut comporter le titre du livre sur toutes les pages. Il peut aussi comporter le titre du livre sur les pages paires et celui du chapitre sur les pages impaires. En général, on ne met pas de titre courant ni de folio sur la première page d'un chapitre.

Couverture

Une couverture comporte quatre pages qu'on nomme ainsi : «page 1 de couverture», «page 2 de couverture», etc. La plupart du temps, les pages 2 et 3 ne sont pas imprimées. La partie qui contient la ligne verticale quand le livre est debout se nomme le *dos.* Dans les livres en français, cette ligne se lit de bas en haut.

Folios

On appelle ainsi les numéros de pages du livre. Les pages de droite portent des numéros impairs et se nomment *belles pages.* Les pages de gauche portent des numéros pairs et se nomment *fausses pages.*

Gloses

Les gloses sont des notes qu'on imprime dans la marge intérieure ou la marge extérieure, en petits caractères, afin de commenter ou d'expliquer le texte vis-à-vis.

Tranche

Quand le livre est imprimé et relié, il faut le couper en épaisseur sur trois côtés. Chaque côté coupé est une tranche : la *tranche de tête* (en haut), la *tranche de queue* (en bas) et la *tranche de gouttière,* celle qui est opposée au dos. Dans les éditions de luxe, ces tranches sont parfois colorées en or. On dit d'un tel livre : «livre doré sur tranches».

Un kilo de mercure pèse pratiquement une tonne.

Mise en page

La maquette de l'imprimé

Le maquettiste fait d'abord un croquis pour indiquer la position des titres, des textes et des photos. Pour cela, il met un chiffre arabe encerclé sur le croquis afin d'indiquer la position d'un texte, et il met le même chiffre arabe encerclé sur l'épreuve du texte en question. Puis il met une lettre capitale encerclée sur le croquis, et il met la même lettre capitale encerclée à l'arrière de la photo.

Choix de la famille de caractères

Il existe des caractères avec empattements et des caractères sans empattements. On pourra mélanger les deux familles dans une page, mais on doit éviter de les mélanger dans la même ligne. Les caractères sans empattements servent surtout à des textes administratifs et ils sont à l'abri des modes changeantes. Les caractères avec empattements sont plus variés.

Choix de la police

Il y a peu de différence entre les polices de caractères bâtons. Parmi les polices avec empattements, le choix est une question de gout personnel. En général, on utilise un caractère bâton pour les titres et un caractère avec empattements pour le texte.

Choix de l'œil de la police

Même si elles sont composées dans le même corps, certaines polices paraissent plus grosses que d'autres. Une police d'un œil plus petit n'aura pas besoin d'un interlignage plus grand que le corps, alors qu'une police d'un œil plus gros aura besoin d'un supplément d'interlignage pour faciliter la lecture. Ce paragraphe est composé en Verdana 7 points, mais comme l'œil du Verdana est très gros, j'ai dû adopter un interligne de 9,8 points pour rendre le texte très lisible.

Choix du corps

Le corps minimal doit être de 10 points pour un livre et de 8 points pour un journal. Plus les lignes sont longues, plus on augmente l'interligne.

Texte dans la mise en page

Ne pas accepter à la fin des lignes trop de lettres semblables, de mots semblables ou de traits d'union à la suite, ni de mot seul ou coupé à la fin d'un paragraphe. Le retrait des alinéas doit être proportionnel à la justification (longueur des lignes). Il sera de 10 % environ de la justification, soit un retrait d'environ 2 picas pour des lignes de 20 picas.

Colonnes dans un magazine

Quand une colonne sort de la surface qui est couverte par le titre, elle ne doit pas commencer à une place plus haute que le titre. Ne pas accepter une ligne creuse en tête d'une colonne. Ne pas accepter un début de paragraphe sur la dernière ligne d'une colonne ni d'une page. On doit parfois éviter de finir une colonne par une ligne creuse, pour que le lecteur ne pense pas que l'article est fini. Si la gouttière est étroite, on peut y placer un filet vertical. On appelle **filet** un trait d'une épaisseur (ou **graisse**) variable.

Annonces encadrées

Les annonces encadrées se placent de préférence dans le bas des pages. Les filets (bordures) encadrant une annonce doivent être gras si les caractères à l'intérieur du cadre sont gras.

Les mots commençant par **af** prennent deux **f.** Exemples : affaire, affiche, Affrique.

Alignement des sous-titres

Si l'on choisit un alignement justifié pour le texte, les sous-titres pourront être soit centrés, soit à gauche. Si l'on choisit un alignement du texte en drapeau à gauche, les sous-titres devront être à gauche. En général, l'alignement du texte que l'on aura choisi devra rester le même tout le long de l'imprimé ou du livre.

Alignement des tabulations

Quand il y a plusieurs tabulations dans la même page, il faut essayer d'aligner verticalement les taquets de tabulations. C'est le cas dans ce livre et je m'y suis efforcé (voir par exemple la page 92).

Titres dans la mise en page

Dans un journal ou un magazine, il faut éviter de placer des titres de la même police, de la même taille et de la même face à côté l'un de l'autre, surtout s'il n'y a pas de filet vertical qui les sépare. Dans un titre centré, la longueur des lignes doit aller en diminuant. Les mots courts (**à, car, de, en, et, il, le, la, ni, or, ou, par, si, sur, un...**) se placent si possible au début d'une ligne plutôt qu'à la fin de la ligne précédente. Un sous-titre doit être plus près du texte qui le suit que de celui qui le précède. On ne met pas de point final dans un titre, même s'il y a une ponctuation à l'intérieur. On peut finir un titre par un point d'interrogation ou d'exclamation.

Répartition des blancs

Il est très important d'aérer les différents pavés de textes en prévoyant des espaces blancs entre eux. En fait, il vaut mieux réduire au besoin le corps du caractère afin d'augmenter les blancs. Un texte en petits caractères au milieu d'un grand espace blanc attirera davantage l'attention.

Graphiques et photos

Utiliser de préférence un format rectangulaire pour les photos. Les visages seront dirigés vers l'intérieur de la page, mais ce n'est pas une obligation. Un graphique doit être placé le plus près possible du texte auquel il se rapporte.

Aspect visuel des pages

Comparer deux pages en vis-à-vis afin d'en vérifier l'aspect visuel. Vérifier les lézardes, les rues, les cheminées : ce sont des lignes blanches (causées par les espaces entre les mots) qui semblent séparer une portion de texte en deux ou plusieurs morceaux. Les **lézardes** sont zigzagantes, les **rues** sont obliques et les **cheminées** sont verticales.

Texte en fin de chapitre

La dernière page d'un chapitre doit comporter au moins six lignes de texte.

Sous-titre en fin de page

Quand un titre ou un sous-titre se trouve vers la fin d'une page, il faut au moins trois lignes de texte au-dessous de lui.

Blanc entre les paragraphes

Quand le texte est composé en alinéas renfoncés, c'est-à-dire que la première ligne est en retrait de un ou plusieurs picas, comme dans un roman, il est inutile d'ajouter du blanc entre les paragraphes. Mais si la première ligne n'est pas en retrait, il faudra mettre du blanc avant ou après le paragraphe, afin d'en reconnaitre le début.

Le Vatican est la capitale de l'oxydant chrétien.

Word facile

J'ai composé cette édition entièrement avec Word 97. La terminologie ayant très peu changé, ces conseils peuvent s'appliquer si vous possédez une version plus récente. Le signe + indique qu'il faut garder le doigt sur les touches, exemple : Ctrl+Maj+b.

Barres

Barre d'espacement. C'est la longue touche au bas du clavier qui produit une espace sécable que l'on met entre les mots. Elle n'a pas toujours la même largeur et il ne faut donc pas l'utiliser pour faire des tabulations.

Barre de titre. C'est la barre tout en haut de l'écran qui indique le titre du fichier.

Barre d'état. {Outils, Options, Affichage, Barre d'état}. C'est la barre en bas de l'écran qui indique la Page, la Section, etc. Quand les deux chiffres indiquant la page sont différents, c'est que l'on a fait dans le document deux paginations commençant à 1.

Barres d'outils. {Affichage, Barres d'outils} et choisir parmi la liste les outils utiles au travail prévu. La plus importante est probablement {Mise en forme} qui donne le Style, la Police, la Taille, le Gras, l'Italique, l'Alignement, etc.

Barres de défilement. {Outils, Options, Affichage} et cocher la Barre de défilement que l'on désire. La barre verticale est indispensable et sert à faire avancer ou reculer le texte. Elle sert aussi à parcourir par Page, par Section, par Titre, etc.

Barre des menus. C'est la barre en haut de l'écran qui comprend l'icône de la version de Word, puis Fichier, Édition, Affichage, Insertion, etc. On ne peut pas supprimer cette barre de menus. En faisant {Alt+la lettre soulignée}, on peut ouvrir le menu désiré.

Barre des tâches. C'est la barre qui apparait à la droite de {Démarrer}. On l'obtient quand on appuie sur la touche située à gauche, entre les touches Ctrl et Alt.

Choisir les picas

{Outils, Options, Unité de mesure : picas}. En effet, votre imprimeur travaille probable-ment en picas et vos relations avec lui seront plus faciles. Le pica est divisé en 12 points typographiques. Or, le corps, l'interligne et les blancs *avant* ou *après* les paragraphes sont toujours donnés en points, quelle que soit l'unité de mesure choisie. Il existe des règles en picas dans le commerce. Sinon, vous pouvez vous en fabriquer une de cette façon : {Format, Tabulations, cochez Barre, puis 0, Définir, 1, Définir, 2, Définir...}.

Choisir les marges

Au Canada, c'est le format Lettre US qui est utilisé. En picas, le papier fait 51 x 66 picas. {Fichier, Mise en page, Marges}. Désignez les marges que vous désirez des quatre côtés. Si vous avez choisi 6 picas pour la marge du haut, votre texte débutera à 6 picas. Si vous désirez utiliser un entête en petits caractères, mettez un chiffre inférieur dans la case Entête, par exemple 4 picas. Il en est de même pour le Pied de page.

La touche Alt de gauche

Vous avez remarqué que dans la barre des menus tous les mots ont une lettre soulignée (Fichier, Format, etc.). Il en est ainsi dans toutes les fenêtres. C'est avec la commande {Alt+la lettre soulignée} qu'on peut utiliser le clavier plutôt que la souris. Il faudra éviter de créer des raccourcis ou des macros comportant les mêmes combinaisons de touches que celles de la barre des menus.

Un corps lâché d'une certaine hauteur finit toujours par tomber.

Modifier un menu

Pour ajouter : {Outils, Personnaliser, onglet Commandes}, la fenêtre reste ouverte. Allez dans la barre de menus et cliquez sur le menu dans lequel vous voulez ajouter la commande, par exemple le menu Affichage. Revenez dans la fenêtre Personnaliser, à droite, et choisissez Affichage, à gauche, puis cliquez par exemple sur la commande {Afficher tout} et glissez-la dans le menu Affichage, puis {Fermer}. **Pour enlever** : Comme pour ajouter (voir la première ligne ci-dessus) puis, dans le menu Affichage, cliquez sur la commande à enlever et glissez-la hors de la fenêtre.

Modifier une barre d'outils

Pour ajouter : {Affichage, Barres d'outils} et choisissez la barre d'outils concernée. Puis {Outils, Personnaliser, Commandes}. Supposons que vous vouliez mettre le bouton Afficher tout (¶) dans la barre d'outils. Dans Catégories, choisissez Affichage, cliquez sur le bouton Afficher tout (¶) et glissez-le dans la barre d'outils. Pour trouver le bouton, vous pouvez aller dans Catégories et choisir Toutes les commandes. **Pour enlever** : cliquez sur la commande à enlever et glissez-la hors de la fenêtre.

Combinaisons des raccourcis

Les touches de raccourcis et de macros se composent avec l'une de ces combinaisons : Alt, Alt+Ctrl, Alt+Maj, Alt+Ctrl+Maj, Ctrl, Ctrl+Maj, auxquelles on ajoute une lettre. La touche Maj employée seule avec une lettre ne peut pas servir de raccourci.

Raccourci pour une police, un style

{Outils, Personnaliser, onglet Commandes, Clavier, Catégories : déroulez à Polices}. À droite, sélectionnez une police (Verdana, par exemple), dans Nouvelle touche, essayez par exemple Alt+v, et si elle n'est pas attribuée, cliquez sur Attribuer. Pour un style, vous déroulerez à Styles, et pour une macro vous déroulerez à Macros.

Raccourci pour un caractère

Par exemple, vous voulez un raccourci pour la ligature æ. Faites {Insertion, Caractères spéciaux, onglet Symboles, Police texte normal, Sous-ensemble Latin de base}. Trouvez la ligature dans le tableau. Elle a déjà un raccourci qui est Ctrl+&,a. Si vous n'aimez pas ce raccourci, cliquez sur Touches de raccourci et proposez une autre combinaison, par exemple Alt+a et si elle n'est pas attribuée, cliquez sur Attribuer. Une autre façon d'obtenir la ligature æ est par la correction automatique. À l'étape où vous avez choisi la ligature dans les Caractères spéciaux, cliquez sur Correction automatique. Vous verrez que la ligature est là, cochez Texte brut, et choisissez quelque chose qui n'est pas une lettre du clavier. Par exemple, vous n'aurez jamais à taper ; deux fois de suite dans un texte, alors tapez deux fois ; dans la case Remplacer. Voici une troisième façon : {Outils, Correction automatique}. Dans la case Par, entrez la ligature, que vous trouverez dans le tableau Ansi au début de ce livre, soit Alt 0230, cochez Texte brut, et dans la case Remplacer, tapez deux fois ; et c'est fini. (Chaque fois que vous aurez changé la mise en forme du caractère, vous cocherez Texte mis en forme.)

Sous-titres sur une seule ligne

Dans un texte en colonnes composé 10/10 (2 lignes = 20), le sous-titre sera composé en 12/12 avec 5 points dessus et 3 points dessous (12 + 5 + 3 = 20). Cette méthode facilitera l'alignement horizontal des lignes des différentes colonnes.

Toute sa vie, Montaigne a voulu écrire, mais il n'a pu faire que des essais.

Comment séparer les paragraphes

N'appuyez pas deux fois sur la touche Entrée à la fin d'un paragraphe, mais une seule fois pour un retour à la ligne. Sélectionnez tout le document, puis {Format, Paragraphe, Espacement, Après} et choisissez par exemple 6 pt. Vous pouvez choisir de mettre le blanc *avant* au lieu d'*après.* Dans ce cas, la dernière ligne n'aura pas de blanc après elle.

Sélections verticales

Pour faire des sélections verticales de textes dont vous voulez additionner les chiffres, placez le curseur à l'endroit voulu, maintenez la touche Alt enfoncée et descendez à droite ou à gauche avec la souris.

Insertion automatique

Tapez un texte, court ou long, et sélectionnez-le, par exemple *c'est-à-dire,* qui est toujours difficile à écrire. Faites Alt+F3 et tapez un nom très court ou une lettre, à la place du mot qui est sélectionné dans la fenêtre, par exemple **c** puis OK. Pour le rappeler, vous taperez **c** puis F3. Attention, il faut qu'il n'y ait rien ou bien une espace devant l'endroit où vous voulez placer l'insertion automatique.

Ligne de rappel

La ligne de rappel est une ligne en petits caractères que l'on place dans l'entête ou le pied de page pour identifier le fichier. {Insertion, Champ, Tous} et à droite cliquez sur chacun des champs suivants (en faisant OK entre chacun d'eux).

> {NomFichier} {NumRév} {DateEnreg} {Page} {NbPages}

On peut mettre la ponctuation que l'on veut entre les champs. Par exemple, entre les deux derniers champs, on peut taper **de.** De cette façon, au moment de la correction d'épreuves, on pourra être certain (en vérifiant le numéro de révision) que l'épreuve qu'on lit est bien celle qui est dans l'ordinateur. On peut mettre aussi dans la ligne de rappel d'autres champs que l'on choisira dans la liste. Une fois la ligne composée, on lui donne la police et un corps très petit, et on fait d'elle une *insertion automatique* (voir cette entrée ci-dessus). Pour activer la ligne, sélectionnez-la et appuyez sur F9.

Tri

Par exemple, si l'on désire trier la quatrième colonne d'une tabulation, on signalera le champ 4. Si l'on n'obtient pas les champs, on fait {Options, Langue} ou simplement {Options, OK}. Il faut que {Options, Tabulations} soit coché. Pour changer une colonne de place, il est plus rapide de convertir la tabulation en {Tableau}, faire le changement et reconvertir en texte, en cochant l'option Tabulations. Si l'on entre le champ 3 dans la clé 2, la machine mettra l'ordre alphabétique aussi dans la colonne 3.

Table des matières et index

Dans une **table,** ce sont d'abord les styles de Titre qui feront les Niveaux. Mais on peut accepter tout autre style et lui donner un niveau. Dans Options, faites {Rétablir} et donnez un niveau à un style. Si vous lui donnez le niveau 3, il sera au même niveau que le Titre 3. On peut changer la mise en forme des TM1, TM2, TM3 qui, dans la table finie, correspondent aux niveaux. Dans un **index,** mettez le curseur le plus près possible du mot à indexer, faites Alt+Maj+x et écrivez en romain dans la case Entrée. Si vous voulez un mot en italique, faites Ctrl+i sur ce mot.

On dit que l'eau est potable quand on ne meurt pas en la buvant.

Centrage vertical

Il est possible de centrer verticalement tout le texte d'une page. Pour cela, à l'aide de {Insertion, Saut}, placez un saut de section {Page suivante} au début du texte et un à la fin. Le texte doit avoir une section à lui. Placez le curseur à l'intérieur de la section, puis {Fichier, Mise en page, Disposition, Alignement vertical} et choisissez Centré.

Touches importantes à retenir

Maj+F9	affiche champ seul	F2	déplacer vers ou ?
Alt+F9	affiche tous les champs	Ctrl+Maj+F9	désactiver champ
Maj+F3	casse, appuyer plusieurs fois	Ctrl+barre d'esp.	rétablir caractère
Maj+F2	copier vers où ?	Maj+Entrée	saut de ligne

Alignement des chiffres sur la droite

mauvaise présentation		bonne présentation	
1.	texte	1.	texte
23.	texte	23.	texte
101.	texte	101.	texte

Numérotation automatique. On peut la faire par {Format, Puces et Numéros}, mais les réglages sont compliqués. Il est plus facile de la faire soi-même. Faites un retrait négatif de deux picas environ. Placez le curseur au début de la liste à numéroter, puis faites {Insertion, Champ, Numérotation, NumAuto}, en déterminant le format et le séparateur, par exemple avec un point (**1.**). Appuyez sur la touche Tab une fois. Sélectionnez le tout et copiez par Ctrl+c. On le collera par Ctrl+v à chaque nouveau paragraphe. Pour avoir l'alignement des numéros sur la droite, si la liste contient moins de 100 numéros, mettez un demi-cadratin devant les chiffres de 1 à 9 inclus. (Pour faire cela, il vaut mieux attendre d'avoir fini votre travail.) **Pour obtenir le demi-cadratin,** faites {Insertion, Caractères spéciaux, onglet Caractères spéciaux}, sélectionnez le demi-cadratin et cliquez sur Touches de raccourci, essayez Alt+q et si elle n'est pas attribuée, cliquez sur Attribuer. Ne vous servez pas du cadratin, car il n'est pas le double du demi-cadratin. Si la liste a plus de 100 numéros, utilisez un tableau avec des cellules.

Liste des commandes

{Outils, Personnaliser, onglet Commandes, Clavier, dans Catégories : Toutes les commandes, dans Commandes, cherchez ListerCommandes}. Dans Nouvelles touches de raccourcis, essayez Ctrl+x et si elle n'est pas attribuée, cliquez sur Attribuer.

Créer des tabulations

On clique sur la petite Icône à gauche de la règle pour choisir l'alignement de la colonne. Puis on clique sur la règle pour installer le tabulateur. On appuie ensuite sur Tab pour passer d'un tabulateur à l'autre. *Barre* se trouve dans {Format, Tabulations}.

début	gauche	droit	centré	décimal	barre
texte	autre texte	25,05	texte	25,3	
texte	texte	3,12	texte aussi	3,12	
texte	texte aussi	123,45	encore	123,456 8	

Début n'a pas de tabulateur. *Gauche* sert pour du texte. *Droit* sert pour des chiffres qui ont le même nombre de décimales ou qui n'en ont aucune. *Centré* sert pour du texte. *Décimal* aligne tout sur la virgule décimale. *Barre* donne une barre verticale.

Les rivières partent de Lamon et s'arrêtent à Laval.

Créer un signet

Mettez le curseur au début du titre que vous désirez atteindre, par exemple le titre *Abréviations*. Puis faites Ctrl+Maj+F5, tapez par exemple **abr** et cliquez Ajouter. Pour appeler le signet, faites Ctrl+Maj+F5, tapez **abr** et cliquez Atteindre ou Entrée.

Créer un renvoi

Par exemple, un renvoi vers la page contenant le signet **abr** que l'on vient de créer. Tapez les mots (voir page) entre parenthèses et laissez le curseur juste avant la parenthèse fermante. {Insertion, Renvoi, Catégories : Signet, Insérer un renvoi à : Numéro de page, Pour le signet **abr** et Insérer). La page apparait où se trouvait le curseur (c'est un champ). Si l'on fait un changement dans l'ordre des pages, le renvoi changera le chiffre. Pour activer les champs, on sélectionne tout, et on fait F9. Dans la fenêtre Renvoi, si vous cochez {Insérer comme lien}, le fait de cliquer sur le chiffre vous renverra à la page. Soyez cependant prudent quand vous déplacez la ligne comprenant le signet, car il arrive que le signet ne suive pas.

Calculer

{Outils, Personnaliser, onglet Commandes, Clavier, Catégories : déroulez à Toutes les commandes}. À droite, sélectionnez OutilsCalculer. Dans Nouvelle touche, essayez par exemple Alt+c et si elle n'est pas attribuée, cliquez sur Attribuer. Pour faire une addition, vous écrirez des nombres, séparés par une touche de la barre d'espacement. Sélectionnez le tout, taper Alt+c et le résultat apparaitra dans la barre d'état. Vous pourrez coller ce nombre où vous voudrez avec Ctrl+v. Pour les grands nombres, mettez une espace insécable entre les tranches de trois chiffres. Pour diviser, la barre oblique. Pour multiplier, l'astérisque. Pour soustraire, le trait d'union.

Points de conduite

Pour obtenir l'alignement des points de conduite à leur extrémité droite, il faut mettre un tabulateur droit à la fin des points, et un autre à la fin des chiffres. Dans une table des matières ou un index avec les chiffres à droite, la machine ne met qu'une Tab. Donc il faudra sélectionner la table ou l'index et faire un remplacement de ^t par ^t^t. On trouve cela dans la fenêtre de remplacement Ctrl+h à Spécial, Tabulation.

texte 35
conjugaisons 132
tableaux........................... 8

Sections

Par défaut, un document est composé sur une seule colonne. Si l'on désire composer sur plusieurs colonnes dans une page, on met un saut avant et après {Insertion, Saut, Page suivante}. Si le texte en colonnes n'est qu'une partie de la page, on met un saut avant et après {Insertion, Saut, Continu}. Les colonnes seront ainsi équilibrées.

Modèles

Quand vous avez fait un travail incluant plusieurs styles, vous voulez en faire un modèle. Mettez le travail sur l'écran, faites {Fichier, Enregistrer sous} et donnez-lui un nom. Dans la boite Type de fichier, mettez Modèle de document. Vous pourrez modifier ce modèle. Par exemple, vous pourrez effacer tout le texte qu'il contient. {Démarrer, Rechercher, Fichiers, Nommé : *modèles*, dans lecteur C}, ouvrez-le par un clic droit.

L'oiseau migrateur est un oiseau qui ne peut se gratter que la moitié du dos.

Styles

Un style ne peut s'appliquer qu'à un seul paragraphe, c'est-à-dire le texte compris entre deux frappes de la touche Entrée. Mettez en forme un paragraphe, soit celui-ci, par exemple. {Format, Police, Verdana, face Normal, taille 7 pt}. Puis {Format, Paragraphe, Justifié, Retrait 0, de première ligne "aucun", Interligne exactement 9,8 pt}. Laissez le curseur à l'intérieur du présent texte, faites {Format, Style, Nouveau] et donnez-lui un nom assez court, par exemple **ram**. Cochez la case {Ajouter au modèle], mais ne cochez jamais la case {Mettre à jour automatiquement]. Pour le rappeler, vous déroulerez la boite Style jusqu'à **ram**. Vous pouvez faire {Outils, Options, Affichage, Largeur de la zone de style, et mettre un petit chiffre}, vous verrez alors à gauche le nom du style en regard du texte que vous êtes en train de composer.

Titres

Si l'on déroule la boite Style, en haut à gauche, on trouve des styles prédéfinis pour les titres : Titre 1, Titre 2, etc. Par exemple, pour ce livre, j'ai changé la mise en forme du style Titre 3, qui est le style du mot *Titres* au dessus de ce paragraphe. J'ai mis le curseur sur le mot *Titres*, puis {Format, Styles, Modifier}. À l'aide du menu {Format, Police}, j'ai choisi Verdana, gras, 10 pt, puis avec {Format, Paragraphe}, j'ai choisi Alignement gauche, Interligne Exactement 12 pt, Espacement Avant 16 pt, Espacement Après 2 pt. Voilà pourquoi il y a un blanc au-dessus du mot *Titres,* et un petit blanc au-dessous de lui. Les styles de titres serviront à la table des matières.

Sommaire multiple

Un sommaire simple est expliqué dans la section *Alignement de paragraphes.* Voici un sommaire multiple, qui sert surtout pour les énumérations verticales.

A. Dans la règle, laissez le triangle supérieur ∇ à zéro. Déplacez le triangle inférieur ∆ de un pica vers la droite. Frappez une fois la touche Tab après le **A.**

   1. Dans la règle, placez le triangle supérieur ∇ à un pica. Puis placez le triangle inférieur ∆ à deux picas. Frappez une fois la touche Tab après le **1.**

      a) Dans la règle, placez le triangle supérieur ∇ à deux picas. Placez le triangle inférieur ∆ à trois picas. Frappez une fois la touche Tab après le **a)**.

Gouttière

La gouttière est le blanc entre les colonnes de journal. Isolez la section en mettant un saut de section continu (menu Insertion) avant et après l'endroit où se situeront les colonnes. Puis {Format, Colonnes}, choisissez le nombre de colonnes. La gouttière, c'est-à-dire l'espacement, est fixée par défaut à 3 picas. Choisissez vous-même un autre chiffre, cliquez légèrement sur la fenêtre à gauche, la machine aura fait le calcul. Si vous trouvez que la ligne séparatrice est trop près du texte, augmentez la gouttière d'un dixième à la fois. Vous pouvez essayer d'augmenter jusqu'à satisfaction.

Rechercher ou remplacer

Quand on est dans cette fenêtre, au lieu d'aller dans Format pour donner des attributs, on utilise les touches ci-après. Elles sont *à bascule,* c'est-à-dire qu'on les annule en frappant une nouvelle fois. Pour le corps, si l'on garde les doigts sur Ctrl+Maj, on peut augmenter la valeur du corps en tapant plusieurs fois sur la lettre **e.**

gauche : Ctrl+Maj+g	centré : Ctrl+e	gras : Ctrl+g	souligné : Ctrl+u
droit : Ctrl+Maj+d	justifié : Ctrl+j	italique : Ctrl+i	corps : Ctrl+Maj+e

---

L'homme s'écria, en roulant les **r** : «Ah! que c'est beau!»

Prépresse

Ensemble des opérations nécessaires pour la préparation et la fabrication des formes imprimantes, comportant la saisie, le traitement de texte et la mise en page.

Angle de trame (*screen angle*)

Orientation de la ligne de points de trame. Une orientation correcte permet d'éviter le moirage lorsque deux demi-tons sont superposés.

Antémémoire ou mémoire cache (*cache memory*)

Mémoire tampon de faible quantité qui sert à réduire le temps de traitement.

Assombrissement ou surexposition (*burning in*)

Durée d'exposition supérieure à celle requise par la sensibilité du support. Peut être voulue pour faire ressortir des détails dans les zones foncées.

Bleus ou tierce (*final proof*)

On appelle ainsi un jeu d'épreuves que l'imprimeur envoie au client pour que celui-ci en fasse la dernière lecture, vérifie l'ordre des pages et la mise en page. Si le client est satisfait, il signe les bleus en y indiquant le tirage désiré.

Code-barres (*bar code*)

Code utilisant des barres verticales, imprimé sur l'emballage d'un article et qui permet l'identification de l'article, l'affichage de son prix et la gestion du stock.

Contraste (*contrast*)

Évaluation de la différence de tons des images (lumineux, moyens, ombrés).

Dégradé (*graduated surface*)

Surface dont la densité des couleurs s'estompe ou se renforce progressivement.

Demi-ton ou simili (*halftone*)

Image composée de points de dimensions très différentes créant l'illusion d'une variation de tonalité.

Dessin au trait (*line work*)

Document prêt à reproduire sans devoir être tramé.

Détourage (*outlining*)

Délimitation du contour d'un objet ou d'un sujet par élimination du fond.

Fond perdu ou marge perdue (*bleed*)

Illustration ou matière imprimée qui excède les repères de coupe du papier.

Habillage (*wrap around*)

Habiller un hors-texte, c'est permettre au texte de l'entourer. S'il s'agit d'un petit texte qui est habillé, ce dernier s'appelle une *mortaise*.

Jadis, les tracteurs s'appelaient des bœufs.

Image vectorielle (*vector graphics*)

Traitement graphique de l'image par segments de lignes ou de courbes par opposition aux points (droites, cercles, rectangles ou courbes).

Imposition (*imposition*)

L'imposition consiste à disposer les pages d'un livre ou d'un imprimé selon un ordre qui permettra d'imprimer les différents cahiers.

Moirage (*moire*)

Surimpression incorrecte des angles de trames des demi-tons.

Numérisation (*scanning*)

Balayage d'un document en deux dimensions et conversion en image par points afin de permettre la manipulation électronique.

Octet (*byte*)

L'octet est l'unité de base en informatique. Son symbole est la lettre **o** minuscule, sans point abréviatif. Ce livre contient environ 421 000 caractères, soit 1 240 000 octets.

Pages de garde (*blank pages*)

Feuilles non imprimées qu'on peut placer au début et à la fin d'un livre.

Pantone ou PMS (*Pantone matching system*)

Marque déposée d'un échantillon de couleurs étalonnées couramment utilisé.

Quadrichromie (*four color process*)

Pour imprimer des images en quatre couleurs, il faut préparer quatre plaques (cyan, magenta, jaune et noir) qui sont ensuite imprimées en surimpression.

Recouvrement (*trapping*)

Technique pour prévoir le chevauchement des couleurs contigües, les plus claires et les plus foncées, pour compenser les variations de repérage.

Repérage (*register*)

Superposition parfaite des différents films ou plaques d'impression monochromes pour la reproduction d'une image couleur.

Scanner (*scanner*)

Appareil servant à numériser un document (texte ou image).

Sélection des couleurs (*color separation*)

Division des couleurs d'une image en cyan, magenta, jaune et noir pour son impression. Chacun des films correspondant à une seule couleur d'impression.

Trame (*screen*)

Structure de points de taille variable utilisée pour simuler une photographie à tons continus, en couleur ou en noir et blanc.

L'eau est d'une couleur inodore.

Saisie

De plus en plus, les auteurs qui ne connaissent pas la typographie[1] composent leur texte sur une disquette (ou un CD-RW) qu'ils donnent à l'imprimeur pour que ce dernier en fasse la mise en page. Cette disquette se nomme la **saisie** ou la **copie.** On dénomme aussi cette étape la *frappe au kilomètre.*

Barre d'espacement en saisie

Ne jamais utiliser la barre d'espacement pour déplacer le point d'insertion. Pour cela, il faut utiliser les touches de direction ou cliquer dans le texte. En dactylographie, la barre d'espacement donnait un espace blanc fixe ; en traitement de texte, elle donne un blanc qui peut varier de largeur quand on compose en texte justifié. Il ne faut donc jamais essayer d'aligner du texte en utilisant la barre d'espacement ; il est préférable d'utiliser une tabulation.

Clavier et accents en saisie

Fournir à l'imprimeur une épreuve du clavier au complet afin qu'il localise les accents. Taper en majuscules, en gras ou en italique tout ce qui doit être imprimé ainsi. Ne pas utiliser la lettre **l** pour le chiffre **1.** Utiliser les ligatures **œ** et **æ.** Les lettres **o** et **e** s'écrivent **œ,** sauf dans les mots suivants et leur famille : *groenlandais, moelle* et *moellon,* plus tous les mots commençant par le préfixe **co** suivi d'un **e** : *coefficient, coentraineur, coentreprise, coercition, coexistence,* etc. Pour les lettres **a** et **e,** l'usage est flottant : *curriculum vitae* ou *vitæ,* etc. Les ligatures **fi, fl, ffi, ffl** n'existent pas dans toutes les polices en traitement de texte. (Il n'y a pas de règles pour les noms propres.)

Fins de lignes en saisie

Composer le texte en drapeau à gauche (non justifié). Ne pas appuyer sur la touche Entrée à la fin de chaque ligne, car c'est la machine qui s'en charge. N'appuyer sur la touche Entrée que pour commencer un nouveau paragraphe. Ne pas couper les mots en fin de ligne par un trait d'union.

Insertion de texte dans une saisie

Pour insérer du nouveau texte, mettre le point d'insertion (curseur) à l'endroit désiré et taper le nouveau texte en s'assurant que la touche Insér. est active.

Notes en saisie

Composer toutes les notes en fin de volume. Elles seront placées correctement et au bon endroit par l'imprimeur.

Ponctuation en saisie

Ne pas utiliser la barre d'espacement avant **? ! ;** sinon chacun de ces signes risque de se trouver au début de la ligne suivante. Il faut coller ces signes au mot qui les précède. Devant **»** et **:** on met une espace insécable. Les règles d'espacement de la ponctuation en typographie se trouvent à la page 173.

---

1. Je souligne que cette page ne concerne que les personnes qui désirent ne pas s'occuper de typographie et qui comptent sur leur imprimeur pour le faire.

Internet

Ce mot est considéré comme un nom propre. Il s'écrit en romain, avec une capitale initiale et n'est pas précédé de l'article défini.

Je navigue sur Internet.   J'aime les possibilités d'Internet.

Accès POP (*POP access, Post Office Protocol*)

Un compte avec un accès POP est un compte auquel on peut accéder grâce à un client courrier externe, comme Outlook Express, Eudora ou Netscape Courrier.

Domaine (*domain*)

C'est ce qui est écrit après l'arobas dans une adresse de courriel. Par exemple dans untel@videotron.ca, c'est *videotron.ca* qui est le domaine.

Favori ou signet (*bookmark*)

Quand on a découvert un site intéressant, on fait {Favoris, Ajouter un favori}. On peut en passant changer son nom, afin de le retrouver plus facilement dans notre liste.

Fournisseur d'accès à Internet (*Internet service provider*)

Entreprise reliée en permanence au réseau Internet et qui, moyennant une mensualité, nous permet de nous servir d'Internet. Exemples : Vidéotron et Sympatico.

Hébergement (*hosting*)

Action d'héberger un site Web ou une page personnelle sur un serveur, afin de les rendre accessibles sur Internet. L'hébergement est un service offert par un fournisseur d'accès à Internet ou un hébergeur, qui permet de disposer d'un espace disque sur son serveur pour diffuser un site sur le Web.

Lien hypertexte (*hypertext link*)

Dans un site, texte souligné qui permet, en cliquant dessus, d'aller dans un autre site ou dans un nouveau message de courriel.

Moteur de recherche ou chercheur (*search engine*)

Programme qui permet de rechercher un site en se servant de mots clés. Exemples de moteurs de recherche : Alta Vista, Copernic, Excite, Infoseek, Google, InfiniT, Yahoo.

Navigateur ou fureteur (*browser*)

Les navigateurs Web qui sont les plus connus actuellement sont : Netscape, Internet Explorer, Communicator et Mosaic.

Serveur (*server*)

Composante d'un modèle client/serveur constituée des logiciels permettant de gérer l'utilisation d'une ressource, et à laquelle peuvent faire appel, à distance, les utilisateurs du réseau, à partir de leur propre ordinateur (appelé *le client*).

Quand ils ont gagné un match, les Japonais chantent la *Marseillaise* en chinois.

Marche

La marche (qu'on appelle aussi *protocole de composition*) est la feuille d'instructions typographiques que le maquettiste donne au compositeur. Par exemple, cette marche est celle du présent ouvrage.

Mesures de la page

Horizontalement .... 26 picas
Hauteur de page.......................... 46 picas (excluant le folio)

Titres

Titre 1 .... Hors-textes des chapitres
Titre 2 .... Verdana 13 pt gras centré
Titre 3 .... Verdana 10 pt gras à gauche
Titre 4 .... Verdana   8 pt gras à gauche

Texte

Police .... Verdana
Corps .... 7,0 pt
Interligne.................................... 9,8 pt
Supérieures .... 5,5 pt, décalage haut 2 pt
Exemples................................... 7,0 pt, retrait (renfoncement) de 2 picas à gauche
Notes .... 6,5 pt
Perles d'écoliers........................... 7 pt dans un cadre en bas de page
Alignement .... au carré
Pages justifiées verticalement........ non

Commandes

Accents sur les capitales .... oui, sauf sur les sigles
Divisions successives.................... deux au maximum
Mots semblables .... deux au maximum en fin de ligne
Lettres semblables........................ trois au maximum en fin de ligne
Veuves et orphelines .... aucune
Paragraphes............................... aucun paragraphe ne s'étend sur deux pages
Toponymie.................................. selon la Commission de toponymie du Québec
Féminisation............................... selon l'Office québécois de la langue française
Orthographe............................... selon *Le français au bureau* et le *Multidictionnaire*
Noms propres.............................. selon *Le Petit Larousse illustré* 2005

Préparation de copie

La marche a aujourd'hui remplacé la préparation de copie. Cette dernière consistait à donner à l'opérateur des instructions précises concernant la police, le corps, l'interligne, les titres, etc. Il fallait aussi faire le calibrage du texte dactylographié, pour savoir combien de place prendrait une composition en telle police de tel corps. Avec l'arrivée des ordinateurs, il est actuellement très facile de changer chacune de ces instructions. Comme les auteurs donnent de plus en plus une disquette, l'imprimeur fait la révision et la mise en forme, et non plus la préparation de copie.

Toto, avec quelle main tu écris? — Avec la mienne.

Abréviations

Règles des abréviations

Définition de l'abréviation

Il convient de faire une distinction entre les trois termes suivants.

Symbole. Un symbole est une abréviation d'unité du système international ou d'unité monétaire, chimique, etc. Un symbole s'écrit sans point abréviatif et il est invariable.

Sigle. Un sigle est composé des initiales de plusieurs mots. Il s'écrit en capitales, sans accents, sans espaces et sans points abréviatifs.

Abréviation. Une abréviation est un ou plusieurs mots abrégés dont les règles sont données ci-dessous.

Emplois des abréviations

On peut employer les abréviations courantes dans les petites annonces, les notes, les adresses et les dictionnaires, c'est-à-dire partout où la place est très limitée. Dans un texte courant, il faut garder en mémoire qu'un mot abrégé est en quelque sorte une impolitesse (minime, je l'avoue) envers le lecteur.

Formation des abréviations

Par la lettre initiale seule

L'abréviation s'écrit avec un point abréviatif quand elle n'est pas un symbole du système international d'unités. Elle s'écrit parfois en capitale, parfois en bas-de-casse.

    M. (monsieur)   v. (voir)   t. (tome)   t (symbole de tonne)

Par suppression des lettres finales

On utilise un point abréviatif, car la dernière lettre de l'abréviation n'est pas celle du mot entier. On place ce point abréviatif avant une voyelle, le plus souvent la première voyelle rencontrée. Il faut éviter si possible d'avoir dans le même ouvrage deux abréviations identiques pour deux mots différents.

    hab. (habitant)   ord. (ordinaire)   ordonn. (ordonnance)

Par suppression des lettres intérieures

On supprime des lettres à l'intérieur du mot, surtout des voyelles. Il n'y a pas de point abréviatif si la dernière lettre de l'abréviation est celle du mot entier. Sinon, il faut un point abréviatif.

    tjs (toujours)   qqn (quelqu'un)   qqch. (quelque chose)

Accents sur les capitales

On met les accents sur les capitales des abréviations.

    Éts (Établissements)   É.-U. (États-Unis)

Casse des abréviations

La casse des abréviations suit la même règle que celle des capitales.

    Antiq. (Antiquité, l'époque)   antiq. (antiquité, un objet)

Le cachet de la Poste faisant mal au foie.

Espacement des abréviations

1. Les abréviations dont les éléments n'ont **qu'une lettre** (qu'ils soient écrits en capitales ou en bas-de-casse) ne prennent pas d'espace entre les éléments.

C.P.	(case postale)	n.m.	(nom masculin)
N.D.É.	(note de l'éditeur)	c.o.d.	(complément d'objet direct)
E.V.	(en ville)	s.l.n.d.	(sans lieu ni date)

La méthode qui consiste à mettre une espace insécable entre les éléments de une lettre tend à disparaitre. En effet, si l'on utilise par erreur une espace normale, l'abréviation risque de se trouver sur deux lignes.

Exception : On met une espace insécable entre deux prénoms distincts abrégés.

P. E. Trudeau (Pierre Elliott Trudeau)

2. Les abréviations dont tous les éléments n'ont **pas qu'une lettre** (qu'ils soient écrits en capitales ou en bas-de-casse) prennent une espace entre les éléments.

C. pén.	(Code pénal)	dr. pén.	(droit pénal)
S. Ém.	(Son Éminence)	p. ex.	(par exemple)
LL. AA.	(Leurs Altesses)	hist. litt.	(histoire littéraire)

Points abréviatifs

Quand les abréviations sont écrites entièrement ou en partie en bas-de-casse, on met un point abréviatif seulement si la dernière lettre de l'abréviation n'est pas celle du mot entier (à gauche). Quand elles sont écrites entièrement en capitales, on peut les écrire avec ou sans points abréviatifs (à droite).

qqf. (quelquefois), Sté (société)   S.V.P. ou SVP

Pluriel et féminin des abréviations

Généralement, les abréviations sont invariables.

bull. (bulletins)   mod. (modernes)   art. (articles)   lat. (latin, latine)

Certaines abréviations prennent la marque du pluriel. Les abréviations de fonctions au pluriel (Drs, Dres, Prs, Pres) sont peu utilisées. Il est préférable d'écrire le mot au long, avec un bas-de-casse initial : *J'ai rencontré les docteurs Dubé et Duc.* On peut aussi écrire les terminaisons en lettres supérieures : D^r, D^{rs}, D^{re}, D^{res} p^r, p^{rs}, p^{re}, p^{res}.

1er	1ers	1re	1res	2^e	2^{es}	n^o	n^{os}
Dr	Drs	Dre	Dres	Pr	Prs	Pre	Pres
M^e	M^{es}	Cde	Cdes	Ms	Mss		

Les parties ci-dessus qui sont en bas-de-casse, supérieures ou non, restent toujours en bas-de-casse, même dans un texte tout en capitales.

LE 1er COUREUR   LE Dr DUPONT   LES BILLETS N°s 7 ET 8

Ponctuation des abréviations

Le point abréviatif disparait devant le point final et les points de suspension, mais il reste devant les autres ponctuations. On n'a jamais deux ni quatre points de suite.

Nous notons le lieu, la date, etc.   L'abréviation *hab...* (cas rare).
Voulez-vous noter le lieu, la date, etc. ?

Watt est l'inventeur du coton hydrophile.

Abréviations courantes

Sans être une faute, l'écriture des sigles avec des points disparait lentement.

à PerCeVoir	PCV	contre remboursement	CR
à reporter	à/r.	copie conforme	c.c.
à vue	à/v.	cout et assurance	C&A
accusé de réception	A/R	cout, assurance, fret	CAF
acompte, acomptes	ac.	date	d.
adjectif, adjectifs	adj.	densité	dens.
adresse, adresses	adr.	département, départements	dép.
adverbe, adverbes	adv.	deuxième, deuxièmes	2e, 2es
ancien, ancienne	anc.	diplômé par le gouvern.	DPLG
anglais, anglaise	angl.	directeur, direction	dir.
annexe, annexes	ann.	dito	do
annuel, annuelle	ann.	divers	div.
appartement, appartements	app.	document, documents	doc.
après Jésus-Christ	apr. J.-C.	douzaine, douzaines	dz.
archives	arch.	droit pénal	dr. pén.
article, articles	art.	édifice, édifices	édif.
association, associations	assoc.	éditeur, éditrice	édit.
assurance, assurances	ass.	édition, éditions	éd.
aujourd'hui	auj.	en ville	EV
auteur, auteure, auteurs	aut.	entièrement	ent.
aux soins de, au soin de	a/s de	environ	env.
avant Jésus-Christ	av. J.-C.	équivalent	équiv.
avenue	av.	espèce, espèces	esp.
avis d'inscription	AI	établissements	Éts
avis de paiement	AP	étage, étages	ét.
bande dessinée	BD	exception, exceptions	exc.
billet de banque	B/B	exclusif, exclusifs	excl.
bon chic bon genre	BCBG	exemple, exemples	ex.
bon pour euros	BP€	expéditeur, expéditeurs	exp.
boulevard	boul., bd	facture, factures	fact.
bulletin, bulletins	bull.	faire suivre	FS
canton	cant.	fascicule, fascicules	fasc.
caractère, caractères	car.	fax	fax
ce qu'il fallait démontrer	CQFD	figure, figures	fig.
c'est-à-dire	c.-à-d.	finance	fin.
chapitre, chapitres	chap.	folio, folios	fol.
chef-lieu, chefs-lieux	ch.-l.	frais généraux	FG
chemin	ch.	français (adjectif)	fr.
circulaire, circulaires	circ.	franco	fco
Code civil	C. civ.	franco à bord	FAB
Code pénal	C. pén.	général, généraux	gén.
collection, collections	coll.	géographie	géogr.
colonne, colonnes	col.	gouvernement	gouv.
commande, commandes	Cde, Cdes	habitant, habitants	h. ou hab.
compagnie	Cie ou Cie	histoire littéraire	hist. litt.
comptabilité	compt.	hors commerce	h.c.
comptable agréé, agréée	CA, c.a.	hors service	HS
compte courant	c/c	hors texte	h.t.
compte nouveau	c/n	hors-texte, hors-textes	h.-t.
compte ouvert	c/o	immeuble, immeubles	imm.
contre (*et non* : versus)	c.	inclusivement	incl.

À vendre : chaise haute pour petite fille chromée.

indirect, indirects	ind.
individuel, individuels	indiv.
information	inf. ou info
informatique	inform.
intérêt, intérêts	int.
international, internationaux	intern.
introduction, introductions	introd.
invariable, invariables	inv.
italique	ital.
judiciaire, judiciaires	jud.
juridique, juridiques	jur.
largeur, largeurs	larg.
latin, latine	lat.
lettre de crédit	LC
lettre de transport aérien	LTA
lettre de voiture	LV
linguistique	ling.
livraison, livraisons	livr.
livre, livres	liv.
locution, locutions	loc.
longueur	long.
manquant	mq.
manuscrit, manuscrits	ms, mss
mathématiques	maths
maximal, maximum	max.
mémoire	mém.
mensuel, mensuelle	mens.
message, messages	mess.
métrique, métriques	métr.
minimal, minimum	min.
mois	m.
nom féminin	n.f.
non déterminé	n.d.
nota bene	*NB, N.B.*
note de l'auteure, auteur	NDA
note de la rédaction	NDLR
notre référence	N/Réf.
nouveau, nouvelle	nouv.
ordonnance	ordonn.
page, pages	p.
par exemple	p. ex.
par extension	p. ext.
par intérim	p.i.
par ordre	p.o.
par procuration	p.p.
paragraphe, paragraphes	paragr., §
parce que	p.c.q.
pièce jointe, pièces jointes	p.j.
place (toponyme)	pl.
port dû	PD
port payé	PP
possible, possibles	poss.
postscriptum, postscriptums	P.S., PS
poste restante	PR

premier, premiers	1er, 1ers
première, premières	1re, 1res
président-dir. général	pdg, p.d.g.
président-dir. général	PDG
prix fixe	PF
procès-verbal (amende)	PV
programme	progr.
quelqu'un	qqn
quelque chose	qqch.
quelquefois	qqf.
quelques	qq.
question	Q.
quotient intellectuel	QI
recommandé, recommandée	R/
référence, références	réf.
répondez, s'il vous plaît	RSVP
réponse	R.
résumé, résumés	rés.
rez-de-chaussée	RC
route	rte
route nationale	RN
sans date	s.d.
sans lieu ni date	s.l.n.d.
sans nom	s.n.
sans objet	s.o.
sans valeur	s.v.
sauf erreur ou omission	s.e.o.
second, seconde	2^{d}, 2^{de}
seconds, secondes	2^{ds}, 2des
section, sections	sect.
semaine, semaines	sem.
semestre, semestres	sem.
siècle, siècles	s.
s'il vous plaît	s.v.p. SVP
société (raison sociale)	Sté
succursale, succursales	succ.
suivant, suivante	suiv.
tarif spécial	TS
taxe de vente du Québec	TVQ
taxe sur produits et services	TPS
télécopie, télécopieur	téléc.
téléphone	tél.
téléphone cellulaire	tél. cell.
tome, tomes	t.
tournez, s'il vous plaît	TSVP
toutes taxes comprises	TTC
train à grande vitesse	TGV
trimestre, trimestres	trim.
version originale	VO
verso	v^{o}
voir	v. ou V.
voir aussi	v.a.
volume, volumes	vol.
votre ordre	V/O

Dates

Date écrite en lettres

L'article **le** se place avant le nom du **jour**. On ne met pas de 0 devant un chiffre seul. L'article **le** se place après le nom du **lieu** et il est précédé d'une virgule.

> La réunion a eu lieu le lundi 5 avril 2004 à Magog (*non pas : lundi 05 avril*).
> La réunion a eu lieu à Beauceville, le lundi 5 avril 2004.

Date écrite en chiffres

Domaine d'application

En principe, une date écrite en chiffres est réservée aux tableaux. Un moment précis à une seconde près est constitué des éléments suivants, dans cet ordre :

> année, mois, jour, heure, minute, seconde

Nombre de chiffres

L'année est représentée par quatre chiffres et les autres éléments ont deux chiffres. En cas d'un chiffre inférieur à 10, on met un 0 (zéro) devant lui. On peut aussi utiliser deux chiffres pour l'année. Dans les deux cas, si l'on utilise les traits d'union comme séparateurs (voir ci-dessous), Word reconnaitra le groupe comme une *date* et, sur une liste verticale de dates, il fera le tri croissant ou décroissant. Les dates avant et après 2000 seront triées correctement, que l'année soit écrite à quatre ou à deux chiffres.

Secondes décimales

Après les secondes, on utilise les dixièmes, les centièmes ou les millièmes de seconde, précédés de la virgule décimale. Les dixièmes sont désignés par un seul chiffre, les centièmes par deux chiffres et les millièmes par trois chiffres.

Numérotage des heures

Les heures sont numérotées de 00 à 24. Celles de 00 à 11 désignent le matin et celles de 12 à 24 désignent l'après-midi et la soirée. La journée débute à 00:00 (minuit) et elle finit à 24:00 (soit 00:00 du jour suivant).

Séparateurs

Entre les éléments des années, mois, jours et heures, on met un trait d'union. Entre les éléments des heures, minutes et secondes, on met un deux-points. On peut remplacer les traits d'union par des espaces insécables, ou ne pas mettre d'espaces. Je pense que l'écriture avec les traits d'union est la plus lisible, la plus rapide et la plus universelle.

> Le 31 mars 1999   1999-03-31   ou   99-03-31
> Le 12 juin 2006   2006-06-12   ou   06-06-12

> 24 avril 2005 à quinze heures deux minutes neuf secondes trois centièmes :
> 2005-04-24-15:02:09,03   ou   05-04-24-15:02:09,03

Ainsi, toute date postérieure (ne serait-ce que de **un** jour ou de **une** seconde) est représentée par un nombre plus grand, et toute date antérieure est représentée par un nombre plus petit (ce ne serait pas le cas si l'on écrivait dans l'ordre jour-mois-année : 31-03-1999 et 12-06-2006).

Quelle est la sainte qui ne portait pas de jarretelles ? — Sainte Sébastienne.

Heures

Heure pour un moment précis

On utilise le symbole **h** dans un texte courant, c'est-à-dire chaque fois que la date est écrite en lettres. On applique le système des 24 heures, avec un zéro devant les minutes quand le chiffre est inférieur à 10 (BNQ 252). Si l'heure ne comporte pas de minutes, on peut écrire le mot *heures* en toutes lettres.

> La réunion a eu lieu le jeudi 4 mars 2004 à 18 heures précises.
> Les réunions ont eu lieu le jeudi 4 mars 2004 à 9 h et à 16 h précises.
> Les réunions ont eu lieu le jeudi 4 mars 2004 à 9 h 05 et à 16 h 05 précises.

On utilise le deux-points (:), qui est la marque des **soixantièmes,** quand la date est elle-même écrite en chiffres, et dans les tableaux. On peut aussi ne mettre aucune espace. Les heures et les minutes ont deux chiffres. Le symbole **h** n'est pas utilisé.

> Bruxelles   06:00 ou 0600   Porte 3
> Alger   15:04 ou 1504   Porte 5

Heure pour une durée

Si le nombre est entier et entre *un* et *neuf* inclus, on l'écrit en lettres ; on l'écrit en chiffres à partir de 10. Le mot *heures* ne s'abrège pas.

> La course a duré six heures en tout.   La course a duré 18 heures en tout.

Si le nombre est complexe, on l'écrit tout en chiffres et on utilise les symboles de temps, sans mettre de zéro devant les unités ni de virgules.

> La course a duré 6 h 5 min en tout.   La course a duré 18 h 4 min en tout.

Il faut constater que la tendance actuelle est d'écrire les durées de la même façon que les moments précis, c'est-à-dire dans les formes avec les deux-points. C'est plus facile à écrire et on gagne de la place.

> *Au lieu d'écrire :*   1. Canada ....   2 h 3 min 12 s 6/100
>
> *on écrit :*   1. Canada 02:03:12,06

Heure exprimée avec des mots

Quand l'heure est exprimée avec les mots *demi, quart, trois quarts, midi* et *minuit,* les nombres s'écrivent en lettres. Le mot *heure* ne s'abrège pas.

> La réunion a commencé à dix heures moins le quart et s'est terminée vers onze heures et demie. Elle a donc duré une heure trois quarts. La prochaine réunion commencera à midi trente.

Heure décimale

On utilise la virgule dans la division décimale de l'heure dans une durée.

> 10,25 = 10 heures 25 centièmes (soit une durée de 10 h 15 min)

Pour les calculs de durée, 1/10 d'heure égale 6 minutes.

> Le prix d'un travail de 8 h 24 min à 29,95 $/h se calculera en multipliant
> 29,95 × 8,4 = 251,58 $.

Mon chien est très attachant. C'est pour ça que je l'attache.

Madame, mademoiselle, monsieur

Ces titres s'appellent **titres de civilité.** On utilise le titre de *madame* pour toute femme, mariée ou non. Le titre de *mademoiselle* est réservé aux dames qui le demandent, ainsi qu'aux très jeunes filles. On ne peut utiliser ces abréviations que si elles sont suivies du **nom** ou de la **fonction** de la personne. On utilise de préférence les lettres supérieures (Mme, Mlle) quand c'est possible. Sinon (dans un courriel), on peut utiliser ces formes :

M.	monsieur	Mme	madame	Mlle	mademoiselle
MM.	messieurs	Mmes	mesdames	Mlles	mesdemoiselles

Méthode Ramat

On écrit.............................. **Madame – Monsieur – Mademoiselle**

dans une adresse — Monsieur Raoul Beauchamp, 23, rue Dupont
dans un fairepart — Madame Ève Blais et Monsieur Luc Dubé...
au début d'un titre d'œuvre — J'ai lu *Madame Bovary.*
s'il s'agit d'un personnage célèbre — C'est un film sur Madame de Pompadour.

On écrit.............................. **madame – monsieur – mademoiselle**

quand on parle de la personne — J'ai vu madame Blais (travaux soignés).
quand on s'adresse à la personne — Je vous prie d'agréer, madame, mes...
dans les constructions de politesse — Non, monsieur, je n'ai pas vu madame.
quand monsieur *est un nom commun* — Ce monsieur est mon oncle.

On écrit.............................. **Mme – M. – Mlle**

quand on parle de la personne — J'ai vu Mme (ou Mme) Duc (travaux ordinaires).
à l'intérieur d'un titre d'œuvre — J'ai vu le film *Les palmes de M. Schutz.*

On écrit la fonction toujours avec un bas-de-casse initial

qu'elle soit placée avant le nom — J'ai vu la présidente Annie Gagnon.
qu'elle soit placée après le nom — Paul Simard, vice-président, était présent.
que l'on parle de la personne — J'ai rencontré madame la directrice.
que l'on s'adresse à la personne — Veuillez agréer, madame la directrice, nos...

Méthode traditionnelle

Cette méthode fait l'exception suivante : quand il s'agit de **correspondance** et que l'on **s'adresse** à la personne, on met une capitale au titre de civilité. Quant à la fonction, certains auteurs prônent la capitale, d'autres préfèrent le bas-de-casse. Dans une lettre, on doit reprendre la même formule dans l'*appel*, le *corps de la lettre* et la *salutation*.

> Madame la Présidente,
> Je vous informe, Madame la Présidente, que j'en ai parlé à Mme Dupont.
> Je vous prie d'agréer, Madame la Présidente, mes respectueuses salutations.

> *ou* Madame la présidente,
> Je vous informe, Madame la présidente, que j'en ai parlé à Mme Dupont.
> Je vous prie d'agréer, Madame la présidente, mes respectueuses salutations.

À mon avis, ces règles de la méthode traditionnelle sont trop compliquées. Écrire le titre de civilité *madame* ou *monsieur* au long est déjà un signe de politesse. Il est donc inutile d'y ajouter une capitale. De plus, je ne vois pas pourquoi on devrait être poli si l'on s'adresse à la personne, et moins poli si l'on parle d'elle.

Plus le train ralentit, moins sa vitesse est plus grande.

Avantages de la méthode Ramat

La méthode Ramat ne fait pas d'exception pour la correspondance. Qu'il s'agisse d'une lettre, d'une lettre à l'éditeur, d'un courriel, d'une note de service, d'un discours, d'un dialogue dans un roman ou dans une pièce de théâtre, la règle est la même partout quand on s'adresse à la personne. Cette méthode évite toute discrimination quant au rang des personnes à qui l'on s'adresse. Elle uniformise aussi l'écriture des fonctions. Enfin, cette méthode est semblable à celle du *Lexique des règles typographiques en usage à l'Imprimerie nationale,* ouvrage qui fait autorité dans les pays francophones[1].

Voici un texte écrit selon la méthode traditionnelle

Quand on s'adresse à la personne : au long avec capitale initiale partout.
Quand on parle de la personne : abréviation du titre, et bas-de-casse à la fonction.
Les capitales «basculent» selon que l'on s'adresse à la personne ou que l'on parle d'elle.

> Je vous informe, Monsieur le Premier Ministre du Canada, que j'ai rencontré M. le premier ministre de Belgique.
> Je lui ai dit : «Je vous assure, Monsieur le Premier Ministre de Belgique, que M. le premier ministre du Canada vous estime beaucoup.»

> Je vous informe, Monsieur, que madame est sortie.

> Veuillez agréer, Monsieur le Directeur, les salutations de Mme la présidente.

Voici le même texte écrit selon la méthode Ramat

Dans un travail soigné, le titre de civilité et la fonction s'écrivent au long, avec des bas-de-casse partout, que l'on s'adresse à la personne ou que l'on parle d'elle.

> Je vous informe, monsieur le premier ministre du Canada, que j'ai rencontré monsieur le premier ministre de Belgique.
> Je lui ai dit : «Je vous assure, monsieur le premier ministre de Belgique, que monsieur le premier ministre du Canada vous estime beaucoup.»

> Je vous informe, monsieur, que madame est sortie.

> Veuillez agréer, monsieur le directeur, les salutations de madame la présidente.

Dialogues

Dans les dialogues d'un roman, les deux méthodes sont les mêmes : bas-de-casse initial aux titres de civilité et aux fonctions quand on s'adresse à la personne.

> — Veuillez entrer, madame la directrice, dit-il poliment.
> — Merci, monsieur, vous êtes bien aimable, répondit-elle.

---

1. **Imprimerie nationale** (imprimerie officielle du gouvernement français), *Lexique des règles typographiques,* page 119 :

    Les termes *monsieur, madame, mademoiselle* s'écrivent au long avec une initiale bas-de-casse quand on s'adresse à la personne (dialogues, discours et lettres).

    Bonjour, monsieur le maire.
    Je vous écoute, madame.
    Qu'en pensez-vous, mesdemoiselles?
    Je voudrais en terminant, mesdames et messieurs, vous dire...
    Veuillez agréer, monsieur, l'expression...

Je me suis fait mal en tombant. Le médecin m'a fait des points de futur.

Sigles et acronymes

Définition

Un sigle est un groupe de lettres initiales de plusieurs mots. On doit prononcer séparément toutes les lettres d'un sigle. Un acronyme est un sigle qui peut être prononcé comme un mot ordinaire.

Sigles : OQLF, BNQ, HEC, RRQ   Acronymes : OPEP, NASA, AFEAS, ONU

Écriture des sigles français ou étrangers

Casse	tout en capitales (ou en petites capitales)
Points abréviatifs	non
Espace entre les lettres	non
Traits d'union	non
Accents	non

AFP   Agence France-Presse   CEI   Communauté d'États indépendants

Écriture des acronymes français ou étrangers

Acronyme tout en capitales

Dans ce cas, les acronymes suivent les mêmes règles que les sigles, règles qui sont données ci-dessus (pas d'accents, pas de traits d'union).

ACFAS	Association canadienne-française pour l'avancement des sciences
AFEAS	Association féminine d'éducation et d'action sociale
CNES	Centre national d'études spatiales
ZLEA	Zone de libre-échange des Amériques

Acronyme en bas-de-casse avec capitale initiale

Quand l'acronyme est très connu et qu'il n'apparait pas dans une liste avec des sigles, on peut l'écrire en bas-de-casse avec une capitale initiale, sans traits d'union. Dans ce cas, on met les accents sur cet acronyme (même sur la capitale initiale) afin qu'il soit prononcé selon les règles d'accentuation françaises, sans tenir compte des accents des mots quand ces derniers sont écrits au long.

Écrire :	*et non :*	
Cédex	Cedex	Courrier d'entreprise à distribution exceptionnelle
Cégep	Cegep	Collège d'enseignement général et professionnel
Modem	Modém	Modulateur démodulateur
Sacem	Sacém	Société des auteurs, compositeurs et éditeurs de musique
Éna	Ena	École nationale d'administration

Conseils sur l'emploi des sigles et des acronymes

- Pas de marque du pluriel : les PDG, les REER, les FERR, les PME.
- Même genre que la dénomination : une PME, un REER, la STM, le SPVM.
- La première fois qu'on emploie un sigle, il faut donner sa signification.
- Il est conseillé de faire une entrée du sigle dans l'index de l'ouvrage.
- Si les sigles sont très nombreux, il faut en dresser la liste au début de l'ouvrage.

Hitler était un dictateur parce qu'il dictait beaucoup de lettres.

Exemples de sigles

AAGQ	Association des arts graphiques du Québec
AELE	Association européenne de libre-échange
AIEA	Agence internationale de l'énergie atomique
BNQ	Bureau de normalisation du Québec
CLF	Conseil de la langue française
CLSC	Centre local de services communautaires
CRF	Croix-Rouge française
CRTC	Conseil de la radiodiffusion et des télécommunications canadiennes
EEE	Espace économique européen
FAB	franco à bord
FBI	Federal Bureau of Investigation
FMI	Fonds monétaire international
HEC	École des Hautes Études Commerciales (*raison sociale exacte*)
IBM	International Business Machines
MLF	Mouvement de libération des femmes
NAS	Numéro d'assurance sociale
OCDE	Organisation de coopération et de développement économique
OEA	Organisation des États américains
OQLF	Office québécois de la langue française
PMR	Personne à mobilité réduite
RRQ	Régie des rentes du Québec
SPVM	Service de police de la Ville de Montréal
VDFR	Virage à droite au feu rouge

Exemples d'acronymes

ACDI	Agence canadienne de développement international
ACFAS	Association canadienne-française pour l'avancement des sciences
AFEAS	Association féminine d'éducation et d'action sociale
ALENA	Accord de libre-échange nord-américain
CEDEX	Courrier d'entreprise à distribution exceptionnelle
CILF	Conseil international de la langue française
CNES	Centre national d'études spatiales
FERR	Fonds enregistré de revenu de retraite
INSEE	Institut national de la statistique et des études économiques
ISO	Organisation internationale de normalisation
LICRA	Ligue internationale contre le racisme et l'antisémitisme
NIP	Numéro d'identification personnel
ONU	Organisation des Nations Unies (*raison sociale exacte*)
REA	Régime enregistré d'épargne-actions
REER	Régime enregistré d'épargne-retraite
UNESCO	Organis. des Nations Unies pour l'éducation, la science et la culture
UNICEF	Fonds des Nations Unies pour l'enfance
UQAM	Université du Québec à Montréal
ZLEA	Zone de libre-échange des Amériques

Acronymes devenus noms communs

cégep	collège d'enseignement général et professionnel	pluriel : cégeps
cofi	centre d'orientation et de formation des immigrants	pluriel : cofis
modem	modulateur démodulateur	pluriel : modems
ovni	objet volant non identifié	pluriel : ovnis
sida	syndrome immunodéficitaire acquis	pluriel : sidas

Étudiant cherche blanchisseuse pour repasser ses leçons.

Système international d'unités

Définition

La dénomination **système international d'unités** et son sigle **(SI)** ont été adoptés par la 11e Conférence générale des poids et mesures pour désigner le système d'unités défini et reconnu par ce même organisme. (Bureau de normalisation du Québec, norme NQ 9990-901, 92-10-10.)

Symboles d'unités

On appelle **symboles** les abréviations du système international d'unités (SI) ainsi que les abréviations d'unités hors SI admises.

m (mètre)   g (gramme)   l ou L (litre)   min (minute)

Noms d'unités écrits au long

Bas-de-casse initial. Le pluriel se forme normalement.

des grammes   des centimètres   des litres   des kilomètres
des becquerels   des newtons   des henrys   des ohms

Place des symboles

Si l'unité appartient au système décimal, on doit placer le symbole après le nombre complet (exemple de gauche). Si l'unité n'appartient pas au système décimal, on place le symbole à l'intérieur des chiffres (exemple de droite).

2,75 m   3 h 20 min 40 s

Point abréviatif dans les symboles

On ne met pas de point abréviatif à la fin d'un symbole. On met un point final si le symbole est à la fin de la phrase.

Ce tissu mesure 1,75 m en tout.   Ce tissu mesure 1,75 m.

Pluriel des symboles

Les symboles ne prennent jamais la marque du pluriel.

17 m   100 kg   350 ml   14 °C

Casse des symboles

Les symboles s'écrivent généralement avec un bas-de-casse initial, sauf si le symbole tire son origine d'un nom propre.

s (seconde)   g (gramme)   N (newton)   A (ampère)

Face des symboles

Certains symboles sont en romain (caractère droit); d'autres sont en italique. La face du symbole ne doit pas changer, quelle que soit la face du contexte. (S'il n'y a pas de risque de confusion, on peut ne pas appliquer cette règle.)

m   mètre   *m*   masse (en mécanique)

C'est la goutte d'eau qui a mis le feu aux poudres.

Espacement des symboles

On met une espace insécable entre le nombre et le symbole.

25 cm   10 kg

Emploi des symboles

On ne peut employer un symbole que s'il est précédé d'un nombre écrit en chiffres. Si le nombre est écrit en lettres, on écrit l'unité au long.

10 km (*et non :* dix km)   dix kilomètres, une dizaine de kilomètres

Si le nombre est entier, on peut utiliser le symbole ou bien écrire l'unité au long. Si le nombre n'est pas entier, il est préférable d'utiliser le symbole.

20 kg   ou   20 kilogrammes   20,5 kg

Universalité des symboles

Les symboles des sept unités de base du système international d'unités (mètre, kilo-gramme, seconde, ampère, kelvin, mole et candéla) ainsi que leurs multiples et sous-multiples sont les mêmes dans toutes les langues.

Multiples et sous-multiples décimaux

Le préfixe		*signifie*	*par rapport à l'unité, il est*	
exa	E	trillion	1 000 000 000 000 000 000	de fois plus grand
péta	P	mille-billions	1 000 000 000 000 000	de fois plus grand
téra	T	billion	1 000 000 000 000	de fois plus grand
giga	G	milliard	1 000 000 000	de fois plus grand
méga	M	million	1 000 000	de fois plus grand
kilo	k	mille	1 000	fois plus grand
hecto	h	cent	100	fois plus grand
déca	da	dix	10	fois plus grand
			1	unité
déci	d	dixième	10	fois plus petit
centi	c	centième	100	fois plus petit
milli	m	millième	1 000	fois plus petit
micro	µ	millionième	1 000 000	de fois plus petit
nano	n	milliardième	1 000 000 000	de fois plus petit
pico	p	billionième	1 000 000 000 000	de fois plus petit
femto	f	millibillionième	1 000 000 000 000 000	de fois plus petit
atto	a	trillionième	1 000 000 000 000 000 000	de fois plus petit

Préfixes des symboles

Les préfixes sont énumérés dans le tableau ci-dessus. On les place **devant** les symboles d'unité, sans espace, pour former les multiples et les sous-multiples. On ne peut **jamais** employer un préfixe seul. La première colonne est le préfixe, la deuxième est l'unité.

k	g	=	kg	=	1000 grammes	=	1 kilogramme
c	l	=	cl	=	1/100 de litre	=	1 centilitre
M	o	=	Mo	=	1 000 000 d'octets	=	1 mégaoctet
M	$	=	M$	=	1 000 000 de dollars	=	1 mégadollar
G	o	=	Go	=	1 000 000 000 d'octets	=	1 gigaoctet
G	$	=	G$	=	1 000 000 000 de dollars	=	1 gigadollar

Avant de traire, le fermier se lave les mains, le pis et le seau.

Symboles du système international

Tous ces symboles s'écrivent sans point abréviatif et sans marque du pluriel.

ampère	A		kilopascal	kPa
ampère par mètre	A/m		kilovolt	kV
ampèreheure	Ah		kilowatt	kW
année	a		kilowattheure	kWh
are	a		litre	l ou L
bar (pluriel : bars)	bar		lux	lx
becquerel	Bq		mégahertz	MHz
calorie	cal		mégajoule	MJ
candéla	cd		mégaoctet	Mo
candéla par mètre carré	cd/m²		mètre	m
centigramme	cg		mètre carré	m²
centilitre	cl		mètre carré par seconde	m²/s
centimètre	cm		mètre cube	m³
coulomb	C		mètre cube par kilogramme	m³/kg
coulomb par kilogramme	C/kg		mètre par seconde	m/s
décagramme	dag		milliampère	mA
décalitre	dal		milligramme	mg
décamètre	dam		millilitre	ml
décibel	dB		millimètre	mm
décigramme	dg		millivolt	mV
décilitre	dl		minute d'angle	'
décimètre	dm		minute de temps	min
degré Celsius	°C		mole	mol
degré d'angle	°		newton	N
électronvolt	eV		newton par mètre	N/m
farad	F		newton-mètre	N·m
gal	Gal		octet	o
gigaoctet	Go		ohm	Ω
grade (*ou* gon)	gon		pascal	Pa
gramme	g		pascal-seconde	Pa·s
gray	Gy		radian	rad
hectare	ha		radian par seconde	rad/s
hectogramme	hg		radian par seconde carrée	rad/s²
hectolitre	hl		seconde d'angle	″
hectomètre	hm		seconde de temps	s
hectowatt	hW		siemens	S
henry	H		sievert	Sv
hertz	Hz		stéradian	sr
heure	h		stère	st
joule	J		tesla	T
joule par kelvin	J/K		tex	tex
jour	d ou j		tonne	t
kelvin	K		tour	tr
kiloampère	kA		tour par minute	tr/min
kilogramme	kg		tour par seconde	tr/s
kilogramme par mètre	kg/m		unité de masse atomique	u
kilogramme par mètre carré	kg/m²		volt	V
kilogramme par mètre cube	kg/m³		volt par mètre	V/m
kilohertz	kHz		voltampère	VA
kilojoule	kJ		watt	W
kilomètre	km		watt par mètre carré	W/m²
kilomètre par heure	km/h		wattheure	Wh
kilooctet	ko		weber	Wb

Tous les 11 novembre, le président décore les parents du soldat inconnu.

Symboles du système impérial

Cette page n'a pour but que de donner une idée approximative des mesures impériales. L'emploi de ces mesures est maintenant déconseillé par le Bureau de normalisation du Québec. Tous ces symboles ne prennent pas de point abréviatif et sont invariables.

Mesures de longueur

pouce	po	1 po	=	2,54 cm	1 cm	=	0,39 po
pied	pi	1 pi	=	30,48 cm	1 cm	=	3,28 pi
verge	vg	1 vg	=	0,91 m	1 m	=	1,10 vg
mille	mi	1 mi	=	1,61 km	1 km	=	0,62 mi

Mesures de superficie

pouce carré	po²	1 po²	=	6,45 cm²	1 cm²	=	0,15 po²
pied carré	pi²	1 pi²	=	0,09 m²	1 m²	=	10,76 pi²
verge carrée	vg²	1 vg²	=	0,84 m²	1 m²	=	1,20 vg²

Mesures de volume

pouce cube	po³	1 po³	=	16,39 cm³	1 cm³	=	0,06 po³
pied cube	pi³	1 pi³	=	28,58 cm³	1 dm³	=	0,03 pi³
verge cube	vg³	1 vg³	=	0,77 m³	1 m³	=	1,31 vg³

Mesures de poids

once	oz	1 oz	=	28,35 g	1 g	=	0,04 oz
livre	lb	1 lb	=	0,45 kg	1 kg	=	2,20 lb

Mesures de liquide

once	oz	1 oz	=	28,41 ml	1 ml	=	0,04 oz
pinte	pt	1 pt	=	1,14 l	1 l	=	0,88 pt
gallon	gal	1 gal	=	4,55 l	1 l	=	0,22 gal

Mesures de température

Pour convertir des degrés Fahrenheit en degrés Celsius, on retranche 32, puis on multiplie le résultat par 5 et on divise par 9. Exemple 125 °F :

125 °F - 32 = 93   puis   93 * 5 / 9 = 51,67 °C
32 °F - 32 = 0 °C (l'eau gèle donc à 32 °F, soit 0 °C)

Exemples de conversion

longueur	15	po	=	2,54	multiplié par	15	=	38,10 cm
	15	cm	=	0,39	multiplié par	15	=	5,85 po
superficie	15	po²	=	6,45	multiplié par	15	=	96,75 cm²
	15	cm²	=	0,15	multiplié par	15	=	2,25 po²
volume	15	po³	=	16,39	multiplié par	15	=	245,85 cm³
	15	cm³	=	0,06	multiplié par	15	=	0,90 po³
poids	15	lb	=	0,45	multiplié par	15	−	6,75 kg
	15	kg	=	2,20	multiplié par	15	=	33,00 lb
liquide	15	oz	=	28,41	multiplié par	15	=	426,15 ml
	15	ml	=	0,04	multiplié par	15	=	0,60 oz

Les filles ne doivent pas faire trop de sport, car elles peuvent se faire sauter les seins.

Symboles des livres bibliques

Les noms de livres bibliques se composent en romain, avec une capitale initiale : «Elle a lu la Bible.» Les symboles ont une capitale initiale. Le mot *bible* peut être un nom commun : «On dit que ce livre est la bible des typographes.»

Tous ces symboles s'écrivent sans point abréviatif et sans marque du pluriel.

Abdias	Ab	Juges	Jg
Actes des Apôtres	Ac	Lamentations	Lm
Aggée	Ag	Lévitique	Lv
Amos	Am	Luc (évangile selon)	Lc
Apocalypse	Ap	Maccabées (1er livre des)	1 M
Baruch	Ba	Maccabées (2e livre des)	2 M
Cantique des Cantiques	Ct	Malachie	Ml
Chroniques (1er livre)	1 Ch	Marc (évangile selon)	Mc
Chroniques (2e livre)	2 Ch	Matthieu (évangile selon)	Mt
Colossiens (épitre aux)	Col	Michée	Mi
Corinthiens (1re épitre aux)	1 Co	Nahum	Na
Corinthiens (2e épitre aux)	2 Co	Néhémie	Ne
Daniel	Dn	Nombres	Nb
Deutéronome	Dt	Osée	Os
Ecclésiastique (ou Siracide)	Si	Philémon (épitre à)	Phm
Éphésiens (épitre aux)	Ép	Philippiens (épitre aux)	Ph
Esther	Est	Pierre (1re épitre de)	1 P
Exode	Ex	Pierre (2e épitre de)	2 P
Ezéchiel	Ez	Proverbes	Pr
Galates (épitre aux)	Ga	Psaumes	Ps
Genèse	Gn	Qohéleth	Qo
Habaquq	Ha	Rois (1er livre des)	1 R
Hébreux (épitre aux)	He	Rois (2e livre des)	2 R
Isaïe	Is	Romains (épitre aux)	Rm
Jacques (épitre de)	Jc	Ruth	Rt
Jean (1re épitre de)	1 Jn	Sagesse	Sg
Jean (2e épitre de)	2 Jn	Samuel (1er livre de)	1 S
Jean (3e épitre de)	3 Jn	Samuel (2e livre de)	2 S
Jean (évangile selon)	Jn	Sophonie	So
Jérémie	Jr	Thessaloniciens (1re épitre)	1 Th
Job	Jb	Thessaloniciens (2e épitre)	2 Th
Joël	Jl	Timothée (1re épitre à)	1 Tm
Jonas	Jon	Timothée (2e épitre à)	2 Tm
Josué	Jos	Tite (épitre à)	Tt
Jude (épitre de)	Jude	Tobie	Tb
Judith	Jdt	Zacharie	Za

Manière de citer les livres bibliques

La virgule (,) sépare les chapitres et les versets. Le trait d'union (-) réunit des versets. Le tiret long (—) réunit des chapitres. Le point (.) sépare des versets.

Gn 24,25	renvoie à Genèse, chapitre 24, verset 25.
Gn 24,28-32	renvoie à Genèse, chapitre 24, versets 28 à 32.
Gn 24,25.32	renvoie à Genèse, chapitre 24, versets 25 et 32.
Gn 29—32	renvoie aux chapitres 29, 30, 31 et 32 de la Genèse.
Is 8,23—9,6	renvoie à Isaïe du verset 23 (chap. 8) au verset 6 (chap. 9).
Ex 19	renvoie à tout le chapitre 19 de l'Exode.

Les ambidextres sont des gens qui ont dix doigts à chaque main.

Symboles de chimie

Les symboles sont invariables. **N°** est le numéro atomique. **Masse** est la masse atomique. Les nombres de masse sans virgule indiquent que l'élément n'est pas stable.

	Symbole	N°	Masse
actinium	Ac	89	227,027 8
aluminium	Al	13	26,981 54
américium	Am	95	243
antimoine	Sb	51	121,75
argent	Ag	47	107,868 2
argon	Ar	18	39,948
arsenic	As	33	74,921 6
astate	At	85	210
azote	N	7	14,006 7
baryum	Ba	56	137,33
berkélium	Bk	97	247
béryllium	Be	4	9,012 18
bismuth	Bi	83	208,980 4
bore	B	5	10,81
brome	Br	35	79,904
cadmium	Cd	48	112,41
calcium	Ca	20	40,08
californium	Cf	98	252
carbone	C	6	12,011
cérium	Ce	58	140,12
césium	Cs	55	132,905 4
chlore	Cl	17	35,453
chrome	Cr	24	52,996
cobalt	Co	27	58,933 2
cuivre	Cu	29	63,546
curium	Cm	96	247
dysprosium	Dy	66	162,50
einsteinium	Es	99	254
erbium	Er	68	167,26
étain	Sn	50	118,69
europium	Eu	63	151,96
fer	Fe	26	55,847
fermium	Fm	100	257
fluor	F	9	18,998 403
francium	Fr	87	223
gadolinium	Gd	64	157,25
gallium	Ga	31	69,72
germanium	Ge	32	72,59
hafnium	Hf	72	178,49
hélium	He	2	4,002 60
holmium	Ho	67	164,930 4
hydrogène	H	1	1,007 94
indium	In	49	114,82
iode	I	53	126,904 5
iridium	Ir	77	192,2
krypton	Kr	36	83,80
lanthane	La	57	138,905 5
lawrencium	Lr	103	260
lithium	Li	3	6,941
lutécium	Lu	71	174,967
magnésium	Mg	12	24,305
manganèse	Mn	25	54,938 0
mendélévium	Md	101	258
mercure	Hg	80	200,59
molybdène	Mo	42	95,94
néodyme	Nd	60	144,24
néon	Ne	10	20,179
neptunium	Np	93	237,048 2
nickel	Ni	28	58,69
niobium	Nb	41	92,906 4
nobélium	No	102	259
or	Au	79	196,966 5
osmium	Os	76	190,2
oxygène	O	8	15,999 4
palladium	Pd	46	106,42
phosphore	P	15	30,9737 6
platine	Pt	78	195,08
plomb	Pb	82	207,2
plutonium	Pu	94	224
polonium	Po	84	209
potassium	K	19	39,098 3
praséodyme	Pr	59	140,907 7
prométhéum	Pm	61	145
protactinium	Pa	91	231,035 9
radium	Ra	88	226,025 4
radon	Rn	86	222
rhénium	Re	75	186,207
rhodium	Rh	45	102,905 5
rubidium	Rb	37	85,467 8
ruthénium	Ru	44	101,07
samarium	Sm	62	150,36
scandium	Sc	21	44,955 9
sélénium	Se	34	78,96
silicium	Si	14	28,085 5
sodium	Na	11	22,989 77
soufre	S	16	32,06
strontium	Sr	38	87,62
tantale	Ta	73	180,947 9
technétium	Tc	43	98
tellure	Te	52	127,60
terbium	Tb	65	158,925 4
thallium	Tl	81	204,383
thorium	Th	90	232,038 1
thulium	Tm	69	168,934 2
titane	Ti	22	47,88
tungstène	W	74	183,35
uranium	U	92	238,028 9
vanadium	V	23	50,941 5
xénon	Xe	54	131,29
ytterbium	Yb	70	173,04
yttrium	Y	39	88,905 9
zinc	Zn	30	65,38
zirconium	Zr	40	91,22

Les fables de La Fontaine sont si anciennes qu'on ignore le nom de l'auteur.

Symboles des pays et des monnaies

En général : colonne 3 = colonne 2 + initiale de la colonne 4 (sauf exceptions).

(1)	(2)	(3)	(4)	(5)	(6)	(7)
Afghanistan	AF	AFA	afghani	Kaboul	afghan	22 474
Afrique du Sud	ZA	ZAR	rand	Pretoria	sud-africain	43 792
Albanie	AL	ALL	lek	Tirana	albanais	3 145
Algérie	DZ	DZD	dinar	Alger	algérien	30 841
Allemagne	DE	EUR	euro	Berlin	allemand	82 007
Andorre	AD	EUR	euro	Andorre-la-V.	andorran	66
Angola	AO	AOK	kwanza	Luanda	angolais	13 527
Antigua-et-Barbuda	AG	XCD	dollar	Saint John's	antiguais	66
Arabie saoudite	SA	SAR	riyal	Riyad	saoudien	21 028
Argentine	AR	ARP	péso	Buenos Aires	argentin	36 027
Arménie	AM	AMD	dram	Erevan	arménien	3 788
Australie	AU	AUD	dollar	Canberra	australien	19 338
Autriche	AT	EUR	euro	Vienne	autrichien	8 075
Azerbaïdjan	AZ	AZM	manat	Bakou	azerbaïdjanais	8 096
Bahamas	BS	BSD	dollar	Nassau	bahamien	308
Bahreïn	BH	BHD	dinar	Manama	bahreïnite	652
Bangladesh	BD	BDT	taka	Dacca	bangladais	130 000
Barbade	BB	BBD	dollar	Bridgetown	barbadien	268
Belgique	BE	EUR	euro	Bruxelles	belge	10 263
Belize	BZ	BZD	dollar	Belmopan	bélizien	231
Bénin	BJ	XOF	fr. cfa	Porto-Novo	béninois	6 446
Bhoutan	BT	BTN	ngultrum	Thimbu	bhoutanais	2 141
Biélorussie	BY	BYR	rouble	Minsk	biélorusse	10 147
Birmanie	MM	MMK	kyat	Rangoon	birman	48 364
Bolivie	BO	BOB	boliviano	La Paz	bolivien	8 516
Bosnie-Herzégovine	BA	BAM	mark	Sarajevo	bosnien	4 067
Botswana	BW	BWP	pula	Gaborone	botswanais	1 554
Brésil	BR	BRL	real	Brasilia	brésilien	172 559
Brunei	BN	BND	dollar	Bandar Seri	brunéien	335
Bulgarie	BG	BGL	lev	Sofia	bulgare	7 867
Burkina	BF	XOF	fr. cfa	Ouagadougou	burkinabé	11 856
Burundi	BI	BIF	franc	Bujumbura	burundais	6 502
Cambodge	KH	KHR	riel	Phnom Penh	cambodgien	13 441
Cameroun	CM	XAF	fr. cfa	Yaoundé	camerounais	15 203
Canada	CA	CAD	dollar	Ottawa	canadien	31 082
Cap-Vert	CV	CVE	escudo	Praia	capverdien	437
Centrafricaine (R.)	CF	XAF	fr. cfa	Bangui	centrafricain	3 782
Chili	CL	CLP	péso	Santiago	chilien	15 402
Chine	CN	CNY	yuan	Pékin	chinois	1 284 972
Chypre	CY	CYP	livre	Nicosie	chypriote	790
Colombie	CO	COP	péso	Bogotá	colombien	42 803
Comores	KM	KMF	franc	Moroni	comorien	727
Congo	CG	XAF	fr. cfa	Brazzaville	congolais	3 110
Congo (R. dém.)	CD	CDF	franc	Kinshasa	congolais	47 069
Corée du Nord	KP	KPW	won n.	Pyongyang	nord-coréen	22 428
Corée du Sud	KR	KRW	won	Séoul	sud-coréen	47 202
Costa Rica	CR	CRC	colon	San José	costaricain	4 112
Côte d'Ivoire	CI	XOF	fr. cfa	Yamoussoukro	ivoirien	16 349
Croatie	HR	HRK	kuna	Zagreb	croate	4 665
Cuba	CU	CUP	péso	La Havane	cubain	11 237

Le zéro est très utile, surtout si on le met derrière les autres nombres.

Danemark	DK	DKK	krone	Copenhague	danois	5 333
Djibouti	DJ	DJF	franc	Djibouti	djiboutien	644
Dominicaine (R.)	DO	DOP	péso	St-Domingue	dominicain	8 507
Dominique	DM	DMD	dollar	Roseau	dominiquais	71
Égypte	EG	EGP	livre	Le Caire	égyptien	69 080
Émirats ar. unis	AE	AED	dirham	Abu Dhabi	émirien	2 654
Équateur	EC	USD	dollar	Quito	équatorien	12 880
Érythrée	ER	ERN	nafka	Asmara	érythréen	3 816
Espagne	ES	EUR	euro	Madrid	espagnol	40 500
Estonie	EE	EEK	kroon	Tallinn	estonien	1 377
États-Unis	US	USD	dollar	Washington	américain	285 753
Éthiopie	ET	ETB	birr	Addis-Abeba	éthiopien	64 459
Fidji (îles)	FJ	FJD	dollar	Suva	fidjien	823
Finlande	FI	EUR	euro	Helsinki	finlandais	5 181
France	FR	EUR	euro	Paris	français	61 700
Gabon	GA	XAF	fr. cfa	Libreville	gabonais	1 262
Gambie	GM	GMD	dalasie	Banjul	gambien	1 337
Géorgie	GE	GEL	lari	Tbilissi	géorgien	5 239
Ghana	GH	GHC	cedi	Accra	ghanéen	19 734
Grande-Bretagne	GB	GBP	livre	Londres	britannique	59 542
Grèce	GR	EUR	euro	Athènes	grec, grecque	10 940
Grenade	GD	XCD	dollar	Saint George's	grenadien	94
Guatemala	GT	GTQ	quetzal	Guatemala	guatémaltèque	11 687
Guinée	GN	GNF	franc	Conakry	guinéen	8 274
Guinée équatoriale	GQ	XAF	fr. cfa	Malabo	équato-guinéen	470
Guinée-Bissau	GW	XOF	fr. cfa	Bissau	bissau-guinéen	1 227
Guyana	GY	GYD	dollar	Georgetown	guyanien	763
Haïti	HT	HTG	gourde	Port-au-Prince	haïtien	8 270
Honduras	HN	HNL	lempira	Tegucigalpa	hondurien	6 575
Hongrie	HU	HUF	forint	Budapest	hongrois	9 917
Inde	IN	INR	roupie	New Delhi	indien	1 027 015
Indonésie	ID	IDR	rupiah	Jakarta	indonésien	214 811
Iran	IR	IRR	rial	Téhéran	iranien	71 369
Iraq ou Irak	IQ	IQD	dinar	Bagdad	irakien	23 584
Irlande	IE	EUR	euro	Dublin	irlandais	3 841
Islande	IS	ISK	krona	Reykjavik	islandais	281
Israël	IL	ILS	shekel	Jérusalem	israélien	6 172
Italie	IT	EUR	euro	Rome	italien	57 844
Jamaïque	JM	JMD	dollar	Kingston	jamaïcain	2 598
Japon	JP	JPY	yen	Tokyo	japonais	127 335
Jordanie	JO	JOD	dinar	Amman	jordanien	5 051
Kazakhstan	KZ	KZT	tenge	Astana	kazakh	16 095
Kenya	KE	KES	shilling	Nairobi	kényan	31 293
Kirghizistan	KG	KGS	som	Bichkek	kirghiz	4 986
Kiribati	KI	AUD	dollar	Tarawa	kiribatien	84
Koweït	KW	KWD	dinar	Koweït	koweïtien	1 971
Laos	LA	LAK	kip	Vientiane	laotien	5 403
Lesotho	LS	LSL	loti	Maseru	lesothan	2 057
Lettonie	LV	LVL	lats	Riga	letton	2 406
Liban	LB	LBP	livre	Beyrouth	libanais	3 556
Liberia	LR	LRD	dollar	Monrovia	libérien	3 108
Libye	LY	LYD	dinar	Tripoli	libyen	5 408
Liechtenstein	LI	CHF	fr. suisse	Vaduz	liechtensteinois	33
Lituanie	LT	LTL	litas	Vilnius	lituanien	3 689
Luxembourg	LU	EUR	euro	Luxembourg	luxembourgeois	442

Le zéro est le seul chiffre qui permet de compter jusqu'à un.

(1)	(2)	(3)	(4)	(5)	(6)	(7)
Macédoine	MK	MKD	denar	Skopje	macédonien	2 044
Madagascar	MG	MGF	franc	Antananarivo	malgache	16 437
Malaisie	MY	MYR	ringgit	Kuala Lumpur	malaisien	22 633
Malawi	MW	MWK	kwacha	Lilongwe	malawite	11 572
Maldives (îles)	MV	MVR	rufiyaa	Malé	maldivien	300
Mali	ML	XOF	fr. cfa	Bamako	malien	11 677
Malte	MT	MTP	livre	La Valette	maltais	392
Maroc	MA	MAD	dirham	Rabat	marocain	30 430
Marshall (îles)	MH	USD	dollar	Majuro	marshallais	52
Maurice (île)	MU	MUR	roupie	Port Louis	mauricien	1 171
Mauritanie	MR	MRO	ouguiya	Nouakchott	mauritanien	2 747
Mexique	MX	MXN	péso	Mexico	mexicain	100 368
Micronésie	FM	USD	dollar	Palikir	micronésien	126
Moldavie	MD	MDL	leu	Chisinau	moldave	4 285
Monaco	MC	EUR	euro	Monaco	monégasque	34
Mongolie	MN	MNT	tugrik	Oulan-Bator	mongol	2 559
Mozambique	MZ	MZM	metical	Maputo	mozambicain	18 644
Namibie	NA	NAD	dollar	Windhoek	namibien	1 788
Nauru	NR	AUD	dollar	Yaren	nauruan	13
Népal	NP	NPR	roupie	Katmandou	népalais	23 593
Nicaragua	NI	NIC	cordoba	Managua	nicaraguayen	5 208
Niger	NE	XOF	fr. cfa	Niamey	nigérien	11 227
Nigeria	NG	NGN	naira	Abuja	nigérian	116 929
Norvège	NO	NOK	krone	Oslo	norvégien	4 503
Nouvelle-Zélande	NZ	NZD	dollar	Wellington	néo-zélandais	3 808
Oman	OM	OMR	rial	Mascate	omanais	2 622
Ouganda	UG	UGS	shilling	Kampala	ougandais	24 023
Ouzbékistan	UZ	UZS	soum	Tachkent	ouzbek, èke	25 257
Pakistan	PK	PKR	roupie	Islamabad	pakistanais	144 971
Palaos	PW	USD	dollar	Koror	palauan	20
Panama	PA	PAB	balboa	Panama	panaméen	2 899
Papouasie-N.-G.	PG	PGK	kina	Port Moresby	papouan	4 902
Paraguay	PY	PYG	guarani	Asunción	paraguayen	5 636
Pays-Bas	NL	EUR	euro	Amsterdam	néerlandais	15 987
Pérou	PE	PEN	sol	Lima	péruvien	26 093
Philippines	PH	PHP	péso	Manille	philippin	77 131
Pologne	PL	PLZ	zloty	Varsovie	polonais	38 577
Portugal	PT	EUR	euro	Lisbonne	portugais	10 356
Qatar	QA	QAR	rial	al-Dawha	qatarien	575
Roumanie	RO	ROL	leu	Bucarest	roumain	22 388
Russie	RU	RUR	rouble	Moscou	russe	144 664
Rwanda	RW	RWF	franc	Kigali	rwandais	7 949
Sainte-Lucie	LC	XCD	dollar	Castries	saint-lucien	149
Saint-Kitts-et-Nevis	KN	XCD	dollar	Basseterre	kittitien	38
Saint-Marin	SM	EUR	euro	Saint-Marin	saint-marinais	27
Saint-Vincent	VC	XCD	dollar	Kingstown	saint-vincentais	114
Salomon (îles)	SB	SBD	dollar	Honiara	salomonais	463
Salvador	SV	SVC	colon	San Salvador	salvadorien	6 400
Samoa	WS	WST	tala	Apia	samoan	159
São Tomé	ST	STD	dobra	São Tomé	santoméen	140
Sénégal	SN	XOF	fr. cfa	Dakar	sénégalais	9 662
Serbie	YU	YUM	dinar	Belgrade	serbe	10 400
Seychelles	SC	SCR	roupie	Victoria	seychellois	81
Sierra Leone	SL	SLL	leone	Freetown	sierraléonais	4 587

Louis XV était l'arrière-petit-fils de son oncle Louis XIV.

Singapour	SG	SGD	dollar	Singapour	singapourien	4 108
Slovaquie	SK	SKK	koruna	Bratislava	slovaque	5 403
Slovénie	SI	SIT	tolar	Ljubljana	slovène	1 985
Somalie	SO	SOS	shilling	Mogadiscio	somalien	9 157
Soudan	SD	SDD	dinar	Khartoum	soudanais	31 809
Sri Lanka	LK	LKR	roupie	Colombo	srilankais	19 104
Suède	SE	SEK	krona	Stockholm	suédois	8 911
Suisse	CH	CHF	franc	Berne	suisse	7 170
Suriname	SR	SRG	florin	Paramaribo	surinamien	419
Swaziland	SZ	SZL	lilangeni	Mbabane	swazi	938
Syrie	SY	SYP	livre	Damas	syrien	16 610
Tadjikistan	TJ	TJS	somoni	Douchanbe	tadjik	6 135
Taïwan	TW	TWD	dollar	Taipei	taïwanais	22 500
Tanzanie	TZ	TZS	shilling	Dodoma	tanzanien	35 965
Tchad	TD	XAF	fr. cfa	N'Djamena	tchadien	8 135
Tchèque (Rép.)	CZ	CZK	koruna	Prague	tchèque	10 260
Thaïlande	TH	THB	baht	Bangkok	thaïlandais	63 584
Timor-Oriental	TP	TPE	escudo	Dili	est-timorais	779
Togo	TG	XOF	fr. cfa	Lomé	togolais	4 657
Tonga	TO	TOP	pa'anga	Nukualofa	tonguien	99
Trinité-et-Tobago	TT	TTD	dollar	Port of Spain	trinidadien	1 300
Tunisie	TN	TND	dinar	Tunis	tunisien	9 562
Turkménistan	TM	TMM	manat	Achgabat	turkmène	4 835
Turquie	TR	TRL	livre	Ankara	turc, turque	67 632
Tuvalu	TV	AUD	dollar	Funafuti	tuvaluan	10
Ukraine	UA	UAH	hryvna	Kiev	ukrainien	49 112
Uruguay	UY	UYP	péso	Montevideo	uruguayen	3 361
Vanuatu	VU	VUV	vatu	Port-Vila	vanuatuan	202
Vatican	VA	EUR	euro	Saint-Siège	du Vatican	0,7
Venezuela	VE	VEB	bolivar	Caracas	vénézuélien	24 632
Vietnam	VN	VND	dong	Hanoi	vietnamien	79 175
Yémen	YE	YER	rial	Sanaa	yéménite	19 114
Zambie	ZM	ZMK	kwacha	Lusaka	zambien	10 649
Zimbabwe	ZW	ZWD	dollar	Harare	zimbabwéen	12 852

Union européenne

Les pays suivants font partie de l'Union européenne en date du 1er mai 2004 :

Allemagne	Espagne	Grèce	Lituanie	Portugal
Autriche	Estonie	Hongrie	Luxembourg	Slovaquie
Belgique	Finlande	Irlande	Malte	Slovénie
Chypre	France	Italie	Pays-Bas	Suède
Danemark	Gde-Bretagne	Lettonie	Pologne	Tchèque (Rép.)

(1) Pays qui a le titre d'État.
(2) Symbole (parfois appelé Code) du pays. ISO 3166.
(3) Symbole (parfois appelé Code) de la monnaie. ISO 4217.
(4) Nom de la monnaie du pays.
(5) Capitale du pays.
(6) Adjectif du pays. Le nom des habitants (gentilé) prend une majuscule initiale.
(7) Population du pays. Les chiffres donnés sont en milliers. Il faut donc leur ajouter 000.

Un ver solitaire est un ver qui vit tout seul à la campagne.

Sommes d'argent

Place des symboles dans les sommes d'argent

Le symbole du dollar canadien ($) ne peut être utilisé qu'au Canada. À l'extérieur, on utilise le symbole **CAD** de l'ISO. Une somme d'argent suivie de son symbole s'écrit en chiffres. Le symbole se place après le nombre complet (décimales comprises) et il est détaché du nombre par une espace insécable. Les tranches de trois chiffres sont détachées par une espace fine ou une espace insécable. Les nombres de quatre chiffres s'écrivent avec ou sans espace. (Tous les signes graphiques du dollar ($) du monde s'écrivent de la même façon : un seul trait vertical.)

     22 250,50 $ 13 234,75 CAD   4 450 $ 4450 $

Nombre entier dans les sommes d'argent

Si le nombre est entier et qu'il n'y a pas comparaison, pas de virgule ni de zéros.
S'il y a comparaison, on peut utiliser la virgule suivie des deux zéros.

     Cet article coute 15 $ en magasin.   Cet article est passé de 15,00 $ à 15,50 $.

Sommes d'argent en tableaux

On doit aligner les dollars et les cents. On utilise la virgule et les deux zéros. En cas de chiffres inférieurs à l'unité, on met un zéro (0) avant la virgule.

     56 320,50
      3 528,00
         0,57

Préfixes dans les symboles de sommes d'argent

[Le texte entre crochets est en orthographe traditionnelle.]
k = préfixe **kilo** (mille) **M** = préfixe **méga** (million) **G** = préfixe **giga** (milliard)

6 k$ ou 6 kCAD six kilodollars	6 000 six-mille	[six mille]
6 M$ ou 6 MCAD six mégadollars	6 000 000 six-millions	[six millions]
6 G$ ou 6 GCAD six gigadollars	6 000 000 000 six-milliards	[six milliards]

Les symboles monétaires internationaux comportent tous trois lettres. Si l'on rencontre quatre lettres, c'est que la première est un préfixe : kUSD, kEUR, MUSD, MEUR, GUSD... Un préfixe précède toujours un symbole, collé à lui. Il ne peut jamais être utilisé seul.

     On ne peut jamais écrire : une invasion de 10 M de sauterelles.

Sommes d'argent avec *million* et *milliard*

La règle est la même pour *million* et *milliard*. On ne peut utiliser un symbole que s'il est précédé d'un nombre écrit en chiffres. Voici les écritures correctes :

6 000 000 000 $ - 6 G$	le symbole est précédé de chiffres
six-millions [six millions]	on élude *dollars,* si le contexte le permet
six-millions [six millions] de dollars	tout en lettres
6 millions de dollars	mélange chiffres/lettres, pas de trait d'union
16,5 millions de dollars	mélange chiffres/lettres, pas de trait d'union

On ne peut donc jamais écrire :

     six-millions [six millions] $ — $6 000 000 — $6 millions — six M$ — six M dollars

---

Dans cette statue, on ne sentait pas de vie. On aurait dit qu'elle était morte.

Cas particuliers d'abréviations

Compagnie

Quand il fait partie de la raison sociale, ce mot s'écrit au long avec une capitale s'il est au début. Il s'abrège en **Cie** ou **Cie** s'il est placé à la fin.

> la Compagnie nationale Air France   Dupont & Cie

S'il ne fait pas partie de la raison sociale, il s'écrit tout en bas-de-casse.

> la compagnie Radio-Canada (la raison sociale est : Société Radio-Canada)

Docteur

On écrit **Docteur - Docteure - Docteurs - Docteures**

> *dans une adresse*   Docteur Jean Guéry, 23, rue de la Santé

On écrit **docteur - docteure - docteurs - docteures**

> *quand on parle de la personne*   J'ai vu le docteur Roy (*travaux soignés*).
> *quand on s'adresse à la personne*   Je vous écoute, docteure.
> *quand il est en apposition*   Claude Durand, docteure.
> *quand c'est un nom commun*   Le docteur est arrivé.

On écrit **Dr - Dre - Drs - Dres** ou de préférence **D^r - D^re - D^rs - D^res**

> *quand on parle de la personne*   J'ai vu le Dr Roy (*travaux ordinaires*).

enr. – inc. – ltée

Ces mots sont en bas-de-casse et ils ne sont pas précédés d'une virgule.

> Plomberie Paul enr.   Coiffures Lafrise inc.
> Menuiserie Dubois ltée

etcétéra [et cætera]

L'abréviation **etc.** n'est pas suivie de points de suspension ; ne doit pas se trouver seule sur une ligne ; ne doit pas se répéter à la suite ; doit être précédée et suivie d'une virgule (sauf quand elle termine la phrase) ; n'a jamais de capitale initiale. Elle appartient à la phrase et se met en romain.

> Elle a parlé de littérature, de sciences, etc., et nous avons bien écouté.
> Certains mots se mettent en italique : *idem, ibidem,* etc.

Fuseaux horaires

Ces abréviations s'écrivent en capitales, sans points abréviatifs.

Français		*Anglais*	
Heure de Terre-Neuve	HTN	Newfoundland Time	NT
Heure de l'Atlantique	HA	Atlantic Time	AT
Heure de l'Est	HE	Eastern Time	ET
Heure du Centre	HC	Central Time	MT
Heure des Rocheuses	HR	Mountain Time	MT
Heure du Pacifique	HP	Pacific Time	PT

Les prêtres n'ont pas besoin d'automobile, car ils ont des habits sacerdotaux.

Mois et jours

Pour les mois et les jours, on se sert des abréviations ou des codes (qu'on nomme aussi *symboles*). Les codes servent surtout pour les dates d'expiration des produits.

Mois	Abréviation	Code	Code bilingue	*Jours*	Abréviation	Code
janvier	janv.	JAN	JA	lundi	lun.	LUN
février	févr.	FÉV	FE	mardi	mar.	MAR
mars	mars	MAR	MR	mercredi	mer.	MER
avril	avr.	AVR	AL	jeudi	jeu.	JEU
mai	mai	MAI	MA	vendredi	ven.	VEN
juin	juin	JUN	JN	samedi	sam.	SAM
juillet	juill.	JUL	JL	dimanche	dim.	DIM
aout	aout	AOU	AU			
septembre	sept.	SEP	SE			
octobre	oct.	OCT	OC			
novembre	nov.	NOV	NO			
décembre	déc.	DÉC	DE			

Recettes de cuisine

Mesures liquides				**Mesures linéaires**		**Mesures de poids**	
250 ml	1 tasse	8 oz		5 cm	2 po	1 kg	2 lb
175 ml	¾ tasse	6 oz		2,5 cm	1 po	500 g	1 lb
125 ml	½ tasse	4 oz		1,25 cm	½ po	250 g	½ lb
150 ml	¼ tasse	2 oz		5 mm	¼ po	125 g	¼ lb

Ustensiles

1 cuiller à thé (Canada)	c. à t.	5 ml	1 verre à eau	20 cl
1 cuiller à café (France)	c. à c.	5 ml	1 verre à bordeaux	13 cl
1 cuiller à soupe	c. à s.	15 ml	1 verre à porto	6 cl

Ingrédients liquides ou en poudre

Dé	Très petite quantité d'un liquide.
Filet	Très petite quantité d'un liquide versé en jet continu.
Goutte	Très petite quantité d'un liquide, souvent versé en petites sphères.
Grain	Très petite quantité d'un ingrédient en grains.
Nuage	Très petite quantité de lait ou de crème.
Pincée	Quantité d'un ingrédient que l'on peut tenir entre le pouce et l'index.
Pointe	Quantité d'un ingrédient pris avec la pointe d'une lame de couteau.
Soupçon	Très faible quantité d'un ingrédient.

Professeur

On écrit **Professeur - Professeure - Professeurs - Professeures**

dans une adresse	Professeur Jean Seigne, 23, rue du Savoir

On écrit **professeur - professeure - professeurs - professeures**

quand on parle de la personne	J'ai vu le professeur Roy (*travaux soignés*)
quand on s'adresse à la personne	Je vous écoute, professeure.
quand le mot est en apposition	Claude Durand, professeure.
quand c'est un nom commun	Le professeur est arrivé.

On écrit **Pr - Pre - Prs - Pres** ou de préférence **P^r - P^re - P^rs - P^res**

quand on parle de la personne	J'ai rencontré le Pr Roy (*travaux ordinaires*)

Archimède a été le premier à prouver qu'une baignoire peut flotter.

Nuages

Bas-de-casse initial. Les abréviations ont une capitale et n'ont pas de point abréviatif.

un altocumulus	Ac	un cumulonimbus	Cb
un altostratus	As	un cumulus	Cu
un cirrocumulus	Cc	un nimbostratus	Ns
un cirrostratus	Cs	un stratocumulus	Sc
un cirrus	Ci	un stratus	S

Numéro

S'il fait partie d'un titre en capitales, il prend aussi la capitale.

n^o n^{os} SORTIE N° 6

Précédé du nom qu'il qualifie et suivi d'un nombre en chiffres, il s'abrège.

L'entrée n° 6 est en bon état.   Les bulletins n°s 7 et 8 sont ici.

S'il ne remplit qu'une ou aucune de ces conditions, il ne s'abrège pas.

J'habite au numéro 6.   Les numéros 7 et 8 du bulletin sont ici.

Prénoms

Abréviation par l'initiale, suivie d'un point. Il est inutile d'utiliser plusieurs lettres, car on n'obtient pas ainsi la précision absolue. Mieux vaut s'efforcer de ne pas abréger.

P. (Philippe), T. (Théodore), F. (François ou Françoise), J.-P. (Jean-Paul)

Provinces et territoires du Canada

1re colonne : les noms des provinces prennent un trait d'union entre tous leurs éléments. Il n'y a pas de trait d'union après les mots *Territoire(s)*. 2e colonne : dans un texte, entre parenthèses. 3e colonne : codes, dans un tableau ou dans une adresse s'il s'agit d'envois massifs ; sans parenthèses, suivis de deux espaces avant le code postal.

Alberta	Alb.	AB	Ontario	Ont.	ON
Colombie-Britannique	C.-B.	BC	Québec	Québec	QC
Île-du-Prince-Édouard	Î.-P.-É.	PE	Saskatchewan	Sask.	SK
Manitoba	Man.	MB	Terre-Neuve	T.-N.	NF
Nouveau-Brunswick	N.-B.	NB	Territoire du Yukon	Yn	YT
Nouvelle-Écosse	N.-É.	NS	Terr. du Nord-Ouest	T.N.-O.	NT
Nunavut	—	NT			

Maitre [Maître]

On écrit **Maitre - Maitres**

dans une adresse   Maitre Claire Delune, avocate, 23, rue...

On écrit **maitre - maitres**

quand on parle de la personne   J'ai vu maitre Dupont (*travaux soignés*).
quand on s'adresse à la personne   Je vous écoute, maitre (*ou* maitre Dupont).

On écrit **M^e - M^{es}** (avec des supérieures, pour éviter la confusion avec d'autres mots)

quand on parle de la personne   J'ai vu Me Dupont (*travaux ordinaires*).

La vieillesse, c'est quand les bougies coutent plus cher que le gâteau.

Grades militaires canadiens

La liste des abréviations ci-après est tirée de l'*Avis d'uniformisation nº 4 sur les grades des Forces armées canadiennes,* publié par la Direction de la terminologie du Bureau de la traduction, le 7 janvier 1988. Le classement est décroissant par ordre d'importance. Les féminins sont donnés à l'entrée *Féminisation des fonctions.*

Armée de terre et armée de l'air		**Marine**	
gén	général	am	amiral
lgén	lieutenant général	vam	vice-amiral
mgén	major général	cam	contre-amiral
bgén	brigadier général	cmdre	commodore
col	colonel	capt	capitaine
lcol	lieutenant-colonel	cdr	commander
maj	major	lcdr	lieutenant-commander
capt	capitaine	lt	lieutenant
lt	lieutenant	slt	sous-lieutenant
slt	sous-lieutenant	o comm	officier commissionné
élof	élève officier	slt(int)	sous-lieutenant intérimaire
adjuc	adjudant-chef	asp	aspirant
adjm	adjudant-maitre	élof	élève officier
adj	adjudant	pm 1	premier maitre de 1re classe
sgt	sergent	pm 2	premier maitre de 2e classe
cplc	caporal-chef	m 1	maitre de 1re classe
capl	caporal	m 2	maitre de 2e classe
sdt	soldat	mat 1	matelot de 1re classe
		mat 2	matelot de 2e classe
		mat 3	matelot de 3e classe

Abréviations des féminins

Dans une liste où l'on veut indiquer le féminin d'un nom ou d'un adjectif, il est toujours préférable, dans la mesure du possible, d'indiquer le féminin au complet.

       paysan, paysanne   *et non :* paysan, anne

Troncations

Les troncations, ou apocopes, sont des mots dont la fin a été supprimée. Elles prennent le pluriel et gardent le même genre que le mot entier.

accrochés à qqch.	des accros	microphones	des micros
adolescents	des ados	motocyclettes	des motos
agglomérés	des agglos	négociations	des négos
amplificateurs	des amplis	photographies	des photos
cinématographes	des cinémas	pneumatiques	des pneus
colocataires	des colocs	pornographiques	des films pornos
expositions	des expos	professeurs	des profs
informations	des infos	radiographies	des radios
justifications	des justifs	restaurants	des restos
kinésithérapeutes	des kinés	stylographes	des stylos
manifestations	des manifs	sympathiques	des filles sympas
mémorandums	des mémos	synthétiseurs	des synthés

Il ne faut pas utiliser la même troncation pour deux noms différents. Par exemple, la troncation «info» signifie *information,* et non pas *informatique.*

Quand deux atomes s'accrochent, on dit qu'ils sont crochus.

Capitales

Introduction

« ... Donner aux mots une importance qu'ils n'ont pas, les monter en épingle
en les affublant avec emphase de lettres capitales imprévues,
c'est ignorer que la majuscule n'a d'effet que si on en
use discrètement ; l'employer sans distinction
revient à souligner tous les mots,
c'est-à-dire n'en souligner aucun. »

« L'abus des majuscules — dénommé par d'aucuns *majusculite* —
trahit le gout de l'hyperbole prétentieuse, un certain snobisme
de l'effet. Psychologiquement, on peut y voir une marque
d'obséquiosité ; le commerçant croit flatter le client
en le décorant d'une capitale, et le subalterne
s'humilie de la même manière
devant son supérieur. »

De l'emploi de la majuscule, Fichier français de Berne (Suisse)

Définitions

Bas-de-casse

Le bas-de-casse (abréviation : **bdc** invariable) désigne la minuscule. Quant au mot *bas de casse* sans traits d'union, il désigne le bas de la casse, sorte de tiroir qui servait à ranger les lettres en plomb. On y plaçait les lettres minuscules dans le bas. On peut donc en déduire qu'un bas-de-casse est une lettre minuscule, et qu'un bas de casse était la partie inférieure d'une casse en bois.

Capitale

En typographie, la capitale (abréviation : **cap.** invariable) désigne la majuscule. Je n'ai pas choisi les termes de *majuscule* et *minuscule* pour trois raisons. D'abord, leur prononciation est trop semblable et on risque de les confondre. D'autre part, l'abréviation de *minuscule* par *min.* est déjà prise par *minimum* et *minimal*. Enfin, le symbole *min* sans point abréviatif désigne la *minute de temps*.

Casse

Le mot *casse* englobe les deux notions de capitale et de bas-de-casse. On peut dire que, dans l'exemple ci-dessous, la casse du mot *Office* est une capitale initiale. La casse du mot *normalisation* est en bas-de-casse.

Dénomination

Une dénomination est un groupe de mots qui prend le statut de nom propre. Elle contient toujours au moins une capitale.

le Bureau de normalisation du Québec   l'Office québécois de la langue française

Générique

Le générique est le nom commun qui se trouve au début de la dénomination.

le ministère de l'Éducation   le mont Tremblant   la mer Rouge

Les noms communs *ministère, mont* et *mer* sont les génériques.

Spécifique

Le spécifique est le mot qui spécifie la dénomination. Il peut être un nom commun, un nom propre ou un adjectif.

le ministère de l'Éducation   le mont Tremblant   la mer Rouge

Les mots *Éducation, Tremblant* et *Rouge* sont les spécifiques.

Spécifique nouveau

Le générique *mont* à gauche est devenu un composant du spécifique à droite, alors que le nom commun *avenue* est le nouveau générique.

le mont Royal   l'avenue du Mont-Royal

Baudelaire a fait un scandale en écrivant son célèbre *Les fleurs du mâle*.

Règles des capitales

Absence de règles absolues

Il n'y a pas de règles absolues pour l'emploi des capitales, car cet emploi dépend des circonstances. C'est ce qui explique la discordance qui sévit parfois parmi les correcteurs. L'important est de rester cohérent tout le long de l'ouvrage quand on a choisi de mettre une capitale à un certain mot ou à une dénomination.

C'est aussi l'avis de Charles Gouriou, auteur du *Mémento typographique* :

«Il n'est pas de règle s'appliquant avec rigueur dans tous les cas, et si nulle loi générale ne s'est jamais dégagée, c'est que, hormis pour les noms propres, le choix des capitales ne relève pas du mot lui-même, mais des conditions de son emploi.»

Enseignes et couvertures de livres

Sur les couvertures des livres ou sur les enseignes au-dessus des commerces, le choix des capitales est laissé à la créativité de l'artiste.

Capitales accentuées

On doit mettre tous les accents et les signes diacritiques sur les capitales, excepté sur les sigles et les acronymes quand ils sont écrits en capitales. (Voir des exemples de contresens que l'on peut éviter grâce aux accents, page 104.)

Personne physique ou morale

Ces termes sont des termes de droit. Quand on pense au sens **physique** de la dénomination, on met un bas-de-casse initial au générique (palais) et une capitale au spécifique (Découverte), selon la règle concernant les *Bâtiments.*

> Le toit du palais de la Découverte a été réparé.

Quand on pense au sens **moral** de la dénomination, celle-ci n'est plus un bâtiment, mais elle devient une société. Elle doit donc en suivre la règle d'écriture. On met une capitale initiale au premier nom et à l'adjectif qui éventuellement le précède.

> Le Palais de la découverte a payé la facture de la réparation.

Adjectif placé avant

Si l'adjectif est placé avant le nom, il prend une capitale. S'il est placé après, il prend un bas-de-casse.

> la Belle Époque   les Temps modernes

Ponctuations finales

Dans un texte courant, on met une capitale après toute ponctuation qui termine la phrase. Une phrase est une idée entièrement exprimée.

Noms propres

Les noms propres prennent une capitale, sauf la particule nobiliaire **de** qui est en bas-de-casse si elle est précédée du prénom ou du titre de la personne. Les noms propres composés ont une capitale à chaque élément.

Il cria «Au feu !» d'une voix éteinte.

Titres et paragraphes en capitales

Il faut éviter de composer un titre ou un paragraphe entier en capitales, parce qu'il est parfois difficile d'y distinguer les sigles et les noms propres.

Raison sociale

La raison sociale est le libellé exact de la dénomination telle qu'elle a été enregistrée officiellement. On met une capitale au premier nom ainsi qu'à l'adjectif qui le précède. Dans ces exemples, l'article défini ne fait pas partie de la raison sociale.

la Société des amis des chats	la Nouvelle Société des amis des chats
l'Association des amis du vélo	le Restaurant de la bonne fourchette

Il faut éviter d'employer inutilement l'article défini **Le, La**, **Les** au début de la raison sociale. Cela facilitera l'ordre alphabétique.

Éditions Dupont   *et non pas :* Les Éditions Dupont

Dénomination elliptique

Quand la dénomination elliptique (dénomination qui est citée en partie) est précédée du même article défini que la dénomination complète, elle prend la capitale.

La Société des gens de lettres a étudié la question. Ensuite, **la** Société a pris une décision. Cette société est une société très active.

Si le contexte ne laisse aucun doute sur l'identité exacte de la dénomination elliptique, cette dernière s'écrit avec une capitale au nouveau spécifique (à droite).

le golfe Persique   la guerre du Golfe

Dénominations au pluriel

Une dénomination perd généralement son statut de nom propre, donc sa capitale, si elle est employée au *pluriel* ou *sans l'article défini* devant elle.

J'ai visité **le** Centre sportif de Saint-Yves. Tous les centre**s** sportifs s'occupent des jeunes. **Le** Centre sportif a organisé une fête. **Ce** centre sportif est très actif. Le président est fier de **son** centre sportif. C'est **un** centre sportif accueillant.

Dénomination qui n'en est pas une

Rappelons qu'une dénomination est un groupe de mots qui a pris le statut de nom propre. Pour cela, il faut qu'elle puisse se classer sous l'un des modèles, par exemple sous *Organismes.*

les Casques bleus	membres de la force militaire internationale de l'ONU
les Chemises brunes	membres du Parti national-socialiste allemand
les Chemises noires	groupements fascistes italiens

Mais on ne peut y classer les mots suivants, qui sont des noms communs :

la salle d'attente	le conseil d'administration
l'assemblée générale	

Ni les mots suivants qui ne sont pas des organismes, mais des **sobriquets** :

les cols bleus	les cols blancs	les bérets rouges

N'écoutant que son courage, il fit la sourde oreille.

Lettre d'affaires

Lieu et date

Le nom de la ville est suivi d'une virgule, puis la date avec le mois en lettres minuscules. On ne met pas de point après l'année. Le tout est composé à droite.

Vedette

On appelle ainsi le destinataire de la lettre. Le titre de civilité (Madame ou Monsieur) ne s'abrège pas. On met dans l'ordre, sans ponctuation de fin de ligne :

Titre de civilité, prénom et nom	Madame Geneviève Dupont
Fonction	Directrice
Entreprise	Éditions Durand
Rue	23, rue du Parchemin Est
Ville, province, code postal	Montréal (Québec) H2L 4S9

Appel

Si l'on connait le titre de civilité du destinataire, on l'écrit au long, avec une capitale initiale, et on le fait suivre d'une virgule.

Monsieur,	Madame,	Mademoiselle,
Messieurs,	Mesdames,	Mesdemoiselles,

Si l'on ne connait pas le titre de civilité, on écrit l'un sous l'autre :

Mesdames,	*ou*	Madame,
Messieurs,		Monsieur,

Si l'on veut utiliser la fonction du destinataire, on écrit la formule avec une seule capitale au début. Cette règle est cohérente avec la règle concernant *monsieur* et *madame*.

Madame la directrice,   Monsieur le maire,

La méthode traditionnelle préconise la capitale à la fonction :

Madame la Directrice,   Monsieur le Maire,

Si l'on désire utiliser le titre honorifique, on met une capitale initiale à tous les mots.

Altesse,	Excellence,
Altesse Royale,	Majesté,

Si l'on désire utiliser le titre religieux, on met une capitale initiale à tous les mots.

Éminence,	Mon Père,
Monseigneur,	Révérend Père,

Corps de la lettre

Je propose d'écrire le titre de civilité au long, avec un bas-de-casse, que l'on parle de la personne ou que l'on s'adresse à elle.

Je vous informe, monsieur le directeur, que j'ai rencontré madame Dubé.

La méthode traditionnelle préconise la capitale au titre de civilité et à la fonction :

Je vous informe, Monsieur le Directeur, que j'ai rencontré Mme Dubé.

Le Mexique était autrefois le pays des pastèques.

Salutation

Dans la salutation, on utilise l'apostrophe rhétorique, c'est-à-dire que la formule de l'appel est reprise, mais elle se place entre deux virgules, avec un bas-de-casse initial puisqu'on s'adresse à la personne. Cette règle est cohérente avec celle concernant *monsieur* et *madame*.

Veuillez accepter, madame, l'expression de mes sentiments distingués.
Je vous prie d'agréer, monsieur le ministre, mes respectueuses salutations.

La méthode traditionnelle préconise la capitale au titre de civilité et à la fonction :

Veuillez accepter, Madame, mes salutations distinguées.
Je vous prie d'agréer, Monsieur le Ministre, mes respectueuses salutations.

Initiales

Les initiales sont les mentions de la personne qui a rédigé la lettre et de celle qui l'a composée à la machine. Ces deux noms sont séparés par une barre oblique. On ne met pas de points abréviatifs, pas de traits d'union, pas de particule. On met les accents sur les majuscules. Supposons que la rédactrice se nomme Marie-Éva de Villers et que l'opératrice soit Anne-Marie Saint-Paul. Voici l'écriture des initiales :

MÉV/amsp

Taille typographique

L'interligne est de 12 pt pour une taille de 10 pt, et de 14 pt pour une taille de 12 pt. Mettre un blanc d'au moins 6 pt entre les paragraphes.

Téléphone, fax et télécopieur

Le mot *téléphone* s'abrège **tél.** Les mots *télécopie* ou *télécopieur* s'abrègent **téléc.** Le mot **fax** (nom commun masculin) signifie *télécopie* et ne s'abrège pas. Au Québec, on utilise *télécopie* ou *télécopieur*. L'indicatif d'un numéro s'écrit sans parenthèses et il est suivi d'une espace, ceci afin d'uniformiser avec les numéros 800 et 900. On peut l'écrire avec un trait d'union si l'on préfère, la ponctuation n'ayant pas d'influence (à droite).

Tél. : 514 499-1142　　　　Téléc. : 514 499-1142　　　　ou 514-499-1142

Les numéros 800 et 888 sont des numéros dits de **libre-appel** et ils sont gratuits. Les numéros 900 et 976 sont des numéros dits de **libre-service** et ils sont payants. Ces numéros ne sont pas entourés de parenthèses ni de traits d'union, mais d'une espace. On peut les écrire avec des traits d'union, si l'on préfère : 1-800-123-4567.

1 800 123-4567　　　1 888 234-5678　　　1 900 345-6789　　　1 976 456-7890

Courrier électronique

Le mot **courriel** s'impose de plus en plus. Sur une carte professionnelle, il est important de distinguer le numéro de téléphone de celui du télécopieur. Mais on peut ne pas mentionner *Courriel* devant l'adresse, car il ne peut pas y avoir de confusion, étant donné la présence de l'arobas @. Le mot *courriel* ne s'abrège pas.

Dans un texte courant, il vaut mieux composer les adresses de **site** ou de **courriel** sur une seule ligne, centrée ou à gauche selon que la composition est justifiée ou en drapeau à gauche. On peut mettre un point final. Ces adresses peuvent s'écrire en romain ou en italique.

Le losange est un carré tordu en biais.

Lettre d'affaires : enveloppe

A, B, C	En capitales, collés au numéro : 13B, rue Durand
Appartement	400, rue de la Liberté, app. 1600
	ou
	Appartement 1600 400, rue de la Liberté
Bis	En romain, bas-de-casse, avec espace après le numéro : 13 bis, rue...
Bureau	Abréviation : bur. Même règle que Appartement.
Canada	En capitales, sur la dernière ligne. À n'employer que dans les adresses d'expéditeurs canadiens écrivant à l'étranger.
Case postale	Abréviation : C.P. C.P. 120, succ. Centre-ville
Chambre	Ne s'utilise que dans l'hôtellerie. Même règle que Appartement, mais ne s'abrège pas.
Code postal	Même ligne que la province, détaché par deux espaces, ou sur la ligne suivante si la place manque.
Destinataire	Le nom de la personne doit être mentionné d'abord : Monsieur Roger Dubois Société générale de menuiserie
Est, Ouest	3, rue Sainte-Catherine Ouest
Étage	Abréviation : ét. Même règle que Appartement.
Madame	Au long avec capitale initiale, de même que : Monsieur, Mademoiselle, Docteur, Maitre.
Numéro	Jamais d'espace entre les chiffres. Suivi d'une virgule : 12345, rue Georges-Dupont
Porte	Ne s'abrège pas. Peut s'employer à la place de Bureau.
Québec	La province se met entre parenthèses et ne s'abrège pas dans la correspondance ni dans une adresse normale.
QC	Symbole admis lorsque la place est vraiment limitée ou dans les envois massifs. Sans virgule avant, sans parenthèses. Deux espaces insécables entre QC et le code postal.
Rue	23, rue Jean-Durand Ouest 23, 2e Rue ou 23, Deuxième Rue
Suite	Ne s'utilise que dans l'hôtellerie. Même règle que Appartement, mais ne s'abrège pas.
Ville	Son nom ne s'abrège pas. En bas-de-casse ou en capitales.
Virgule	On ne met pas de virgule à la fin des lignes.

Maman, une copine m'a giflée. — Tu aurais dû lui rendre. — J'avais rendu avant.

Toponymie

La toponymie est l'étude des noms de lieux. Un toponyme est un nom géographique. Il existe deux catégories de toponymes : les toponymes **naturels** et les toponymes **administratifs.** (Le générique est le nom commun au début de la dénomination ; le spécifique est le mot ou groupe de mots qui spécifie la dénomination.)

Toponyme naturel

Nom géographique désignant un espace façonné par la nature.

le lac Noir

est un toponyme naturel, car le lac a été délimité par la nature et non par l'homme. Le mot *lac* est le générique et le mot *Noir* est le spécifique.

Toponyme administratif

Nom géographique désignant un espace délimité par l'homme.

la rue Crémazie

est un toponyme administratif, car la rue a été délimitée par l'homme. Le mot *rue* est le générique et le mot *Crémazie* est le spécifique.

Génériques de toponymes naturels

aiguille	cap	crête	île	océan	rivière
anse	chaîne	dent	lac	péninsule	rocher
arête	chute	étang	massif	pic	ruisseau
baie	cime	fleuve	mer	pointe	val
bassin	col	glacier	mont	presqu'île	vallée
bois	côte	golfe	montagne	rive	vallon

Génériques de toponymes administratifs

allée	boulevard	côte	jardin	place	route
arrêt	canton	cours	municipalité	quai	rue
arrondissement	chemin	district	parc	quartier	square
autoroute	commune	hameau	paroisse	rang	village
avenue	comté	impasse	passage	rondpoint	ville

Distinction entre les toponymes

le bas Saint-Laurent	(le cours inférieur du fleuve)	toponyme naturel
le Bas-Saint-Laurent	(division de recensement)	toponyme administratif

Place (ensemble immobilier)

Un ensemble immobilier qui comporte erronément le nom de *place* est considéré comme un spécifique ; il prend des capitales et des traits d'union aux mots importants. On peut l'utiliser seul, le générique (*immeuble* ou *édifice*) étant sous-entendu.

la Place-des-Arts	la Place-Ville-Marie	station Place-des-Arts
la Place-Bonaventure	1, édifice Place-Ville-Marie	

L'église dédiée à sainte Barbe a été rasée.

Toponymie : règles

Abréviations des toponymes

Ne pas abréger le générique dans un texte. Mais on peut l'abréger dans une adresse ou en cartographie. Il faut toujours citer le générique. Ne pas abréger les spécifiques de tous les toponymes, sauf parfois le mot *Saint.*

J'habite au 24, avenue Dupont.	24, av. Dupont (*adresse*)
J'aime la rivière des Prairies.	Riv. des Prairies (*cartographie*)
Je vais au 24, rue Dupont.	*et non pas :* Je vais au 24, Dupont.
J'aime la ville de Montréal.	*et non pas :* J'aime la ville de Mtl.

Génériques de tous les toponymes

Bas-de-casse initial. Si un adjectif précède le générique, il prend une capitale.

la rue Viger   le square Victoria   le lac Clair   le Petit lac Clair

Spécifiques des toponymes administratifs

Capitale initiale à tous les mots, sauf aux *articles, prépositions* et *conjonctions.* Les mots sont reliés par un trait d'union, sauf les particules *De, Du, Des, Le, La* si elles font partie d'un nom propre et qu'elles se trouvent au **début** du spécifique.

Bois-des-Filion (*des* est préposition)	rue De Rigaud (*De* est particule)
rue Henri-IV	rue du 3-Mai
parc du Marmot-Qui-Rit	parc du Bois-et-des-Berges
boulevard René-Lévesque Est	Lac-à-la-Tortue (municipalité)

Si les particules sont à **l'intérieur,** elles prennent une capitale initiale, et on met un trait d'union entre la particule et le prénom (à gauche) ou la qualité (à droite). La particule *La* quand elle suit la particule *De* n'a pas de trait d'union avant ni après elle[1].

rue Jean-De La Fontaine   rue du Général-De Montcalm

On n'utilise pas de préposition devant un nom de personne, sauf si ce dernier est précédé d'un adjectif ou d'une qualité (à droite).

rue Gabrielle-Roy   rue du Général-Giraud

Spécifiques des toponymes naturels

Pas de traits d'union. Le toponyme naturel est à gauche**.**

le lac des Deux Montagnes   la ville de Deux-Montagnes

Mais traits d'union quand le spécifique est composé d'un des groupes suivants :

verbe-nom : le lac Brise-Culotte	prénom-prénom : la rivière Marie-Alice
nom-nom : le lac Matchi-Manitou	titre-nom : le mont du Général-Allard
prénom-nom : le ruisseau Jean-Guérin	

• Pour consulter la Commission de toponymie du Québec (www.toponymie.gouv.qc.ca), on clique en haut sur *Banque des noms de lieux.*

---

1.   En France, on ne fait pas de différence entre une préposition et une particule :
      rue Jean-de-la-Fontaine   rue du Général-de-Gaulle

Grand-maman, quand tu étais petite, est-ce qu'il y avait des dinosaures ?

Toponymie : odonymes

Les odonymes sont des noms de voies de communication. Voici des exemples tirés du *Répertoire des voies publiques,* de la ville de Montréal, officialisé par la Commission de toponymie du Québec. J'ai laissé les particules et les prépositions en début de ligne, pour bien les différencier. Les prépositions *de, du, des* sont en bas-de-casse, alors que les particules nobiliaires *De, Du, Des, Le, La* prennent une capitale.

1re Avenue, 2e Avenue	De La Dauversière, place	De Sillery, rue
Albert-LeSage, avenue	de la Friponne, rue	De Sorel, rue
Alexandre-DeSève, rue	De La Gauchetière E., rue	de Terrebonne, rue
Alfred-De Vigny, avenue	de La Minerve, place	De Tonty, rue
Charles-De Gaulle, place	de la Miséricorde, avenue	de Valcartier, rue
Charles-De La Tour, rue	De La Peltrie, rue	De Varennes, rue
d'Anjou, rue	de la Place-d'Armes, côte	De Vaudreuil, rue
D'Aragon, rue	De La Roche, rue	de Versailles, rue
d'Armes, place	de La Ronde, chemin	De Villiers, rue
D'Hérelle, rue	De La Vérendrye, boul.	de Vimy, avenue
d'Hibernia, rue	de la Visitation, rue	des Bois-Francs, rue
D'Iberville, rue	De Lanaudière, rue	Des Groseilliers, rue
d'Outremont, avenue	de Lavaltrie, rue	des Marronniers, avenue
D'Youville, place	De Lévis, rue	Des Ormeaux, rue
de Beaurivage, rue	de Lille, rue	des Sœurs-Grises, rue
De Bécancour, rue	De Longueuil, rue	du Bois-de-Boulogne, av.
de Bellechasse, rue	De Lorimier, avenue	du Champ-de-Mars, rue
De Bleury, rue	de Lorraine, rue	du Chenal-Le Moyne, ch.
de Bonsecours, rue	De Lotbinière, parc	du Cheval de Terre, île
De Boucherville, rue	De Maisonneuve Est, bd	du Lac-à-la-Loutre, parc
de Bruxelles, rue	de Marseille, rue	du Marché-du-Nord, place
De Bullion, rue	De Montmagny, avenue	du Mont-Royal Est, av.
de Carignan, avenue	de Montmartre, parc	du Parc-La Fontaine, rue
De Chambly, rue	De Montreuil, avenue	du Père-Marquette, parc
de Chambois, rue	de Nevers, place	Du Quesne, rue
De Champlain, rue	De Normanville, parc	du Tour-de-l'Isle, chemin
de Châteauguay, rue	de Pontoise, rue	du Vieux-Moulin, parc
De Condé, rue	De Ramezay, avenue	Émilie-Du Châtelet, rue
de Dieppe, avenue	de Reims, rue	Henri-IV, rue
De Drucourt, rue	De Renty, avenue	Irma-LeVasseur, rue
de Dunkerque, place	de Repentigny, avenue	Jean-D'Estrées, rue
De Fleurimont, rue	De Richelieu, rue	Jeanne-d'Arc, avenue
de Florence, rue	De Rigaud, rue	Julie-De Lespinasse, rue
De Gaspé, avenue	de Rivoli, avenue	La Fayette, rue
de Granby, avenue	De Roberval, rue	La Fontaine, parc
De Grosbois, rue	de Rouen, rue	Le Moyne, rue
de Hampton, avenue	De Rouville, rue	Le Royer Est, rue
De Jumonville, place	de Rozel, rue	LeMesurier, avenue
de l'Église, avenue	De Saint-Exupéry, rue	Léonard-De Vinci, avenue
de L'Épée, avenue	de Saint-Léonard, allée	Marie-Le Franc, rue
de La Bolduc, parc	De Salaberry, parc	Mathieu-De Costa, rue
De La Bruère, avenue	de Sébastopol, rue	Michelle-Le Normand, rue
de la Cité-du-Havre, parc	De Serres, rue	Pierre-De Coubertin, av.
De La Colombière, place	De Sève, rue	Sophie-De Grouchy, rue
de la Coulée-Grou, parc	de Sienne, parc	Vincent-D'Indy, avenue

La Suisse est une fée des rations.

Toponymes à retenir

Amérique centrale, l'
Arabie Heureuse, l'
Arabie saoudite, l'
Asie centrale, l'
Asie Mineure, l'
Australie-Méridionale, l'
autoroute 10, l'
baie James[1], la
Baie-James[2]
bas du fleuve[1], le
Bas-du-Fleuve[2], le
bas du Saint-Laurent[1], le
Bas-Saint-Laurent[2], le
Bas-Canada[2], le
Basse-Côte-Nord[2], la
Basse-Ville[2], la
Bassin parisien, le
Baton Rouge (Louisiane)
Bois-des-Filion[2]
Bois-Francs[2], les
Bouclier canadien, le
cap de la Madeleine[1], le
Cap-de-la-Madeleine[2]
cap Vert[1], le
Cap-Vert[2]
Cap-Breton[2]
Cap-Rouge[2]
col du Mont-Cenis, le
Cordillère centrale, la
cordillère des Andes, la
côte atlantique, la
Côte d'Azur, la
Côte d'Ivoire, la
côte nord du fleuve[1], la
Côte-Nord[2], la
Côte Vermeille, la
Côte-d'Or, la
Côtes-d'Armor, les
Extrême-Orient, l'
fleuve Jaune, le
Forêt-Noire, la
Grand Canyon, le
Grand Lac Salé, le
Grand Nord, le
Grand Rapids[1]
Grands Lacs, les
Guatemala, le
Guatémaltèques, les
Haut-Canada[2], le

Haute-Côte-Nord[2], la
Hautes-Laurentides, les
Haute-Ville[2], la
hémisphère Sud, l'
Hispaniques, les
île d'Anticosti[1], l'
Île-d'Anticosti[2]
île de Montréal[1], l'
Île-de-Montréal[2]
île des Sœurs[1], l'
Île-des-Sœurs[2]
île Maurice, l'
Île-Perrot[2]
îles Anglo-Normandes, les
îles Britanniques, les
îles de la Madeleine[1], les
Îles-de-la-Madeleine[2]
îles Sous-le-Vent, les
La Mecque
La Nouvelle-Orléans
La Prairie[2]
lac Beauport[1], le
Lac-Beauport[2]
lac Drolet[1], le
Lac-Drolet[2]
Le Gardeur[2]
Les Éboulements[2]
Les Escoumins[2]
Les Méchins[2]
Libye, la
Maison-Blanche, la
Massif central, le
mer Morte, la
mer Rouge, la
Mongolie-Intérieure, la
mont Blanc, le
massif du Mont-Blanc, le
tunnel du Mont-Blanc, le
mont Royal[1], le
Mont-Royal[2], l'avenue du
mont Saint-Hilaire[1], le
Mont-Saint-Hilaire[2]
montagnes Rocheuses,
Montevideo
Mont-Saint-Michel[2], le
Moyen-Orient, le
New York
New-Yorkais, les
Nord-Africains, les

Nordiques, les
nordistes, les
Nouveau Monde, le
Nouveau-Mexique, le
Nouvelle-Calédonie, la
Nouvelle-Orléans, La
Occidentaux, les
océan Atlantique, l'
Orientaux, les
Pays basque, le
pays de Galles, le
Pays-Bas, les
péninsule Ibérique, la
Petit-Champlain[2], le
Plateau-Mont-Royal[2], le
pôle Nord, le
Proche-Orient, le
Provençal, un
provincial, un
Réunion, la
Rio de Janeiro
Río de la Plata, le
Rio Grande, le
rive sud du fleuve[1], la
Rive-Sud[2], la
Riviera, la
rivière des Mille Îles[1], la
Rocheuses, les
Saint-Pierre-et-Miquelon
Sierra Leone, la
sierra Nevada, la
Sous-le-Vent, les îles
sudistes, les
terre Adélie, la
Terre de Feu, la
tiers-monde, le
tiers-mondiste
Val-d'Or[2]
Val-Saint-François[2]
Venezuela, le
Vénézuéliens, les
Vieille Capitale, la
Vietnam, le
Vieux-Montréal[2], le
Vieux-Port[2], le
Vieux-Québec[2], le
Ville éternelle, la
Ville Lumière, la
Virginie-Occidentale, la

---

1. Toponyme naturel, façonné par la nature : lac, mer, fleuve, cap, île, col, mont, océan...
2. Toponyme administratif, délimité par l'homme : ville, rue, avenue, place, square, station...

La mer des Caraïbes entoure les lentilles françaises.

Points cardinaux

Sont considérés comme points cardinaux les mots suivants : nord, sud, est, ouest, midi, centre, occident, orient, couchant et levant.

Abréviations des points cardinaux

Seuls peuvent s'abréger les quatre premiers points cardinaux cités plus haut. Ces abréviations prennent un point abréviatif.

nord .... N.　　　　　　　sud .... S.
est .... E.　　　　　　　ouest .... O. ou W.

On ne met de trait d'union qu'entre les termes ou groupes de termes désignant des aires de vent opposées.

un vent N.-S.　　　　　　　　　　un vent N.N.O.-S.S.E.

Signes des points cardinaux

Le signe **degré** est représenté par un cercle supérieur. Les **minutes** d'angle sont représentées par le signe ' (Alt 0162 Symbol dans Ansi), les **secondes** d'angle par le signe " (Alt 0178 Symbol dans Ansi). Ces signes ne sont pas des apostrophes et on ne doit pas les utiliser pour écrire des minutes et des secondes de temps. On n'emploie pas de 0 (zéro) devant un chiffre inférieur à 10.

un point situé par 53° 8' 25" de latitude N.

Casse dans les points cardinaux

S'il s'agit d'une direction : bas-de-casse et traits d'union.

Le vent vient du sud-ouest.　　　　　Nous marchons vers l'occident.
La maison est exposée au midi.　　　　Nous admirons le soleil levant.

S'il s'agit d'une région : capitale initiale aux deux éléments.

Je vais dans l'Extrême-Nord canadien.
Je vais en vacances dans le Sud-Est.
Nous avons parcouru les routes du Midi et du Centre.
L'Orient et l'Occident ont des coutumes différentes.

Si le point cardinal est suivi d'un toponyme administratif : bas-de-casse.

Je vais dans l'extrême-nord du Canada.
Je vais en vacances dans le sud-est du Québec.
Nous avons parcouru les routes du midi et du centre de la France.
Cette ville se trouve au sud de Montréal.

Points cardinaux dans les toponymes

Le point cardinal s'écrit avec une capitale et un trait d'union s'il fait partie d'un toponyme (qu'il soit placé avant ou après le nom propre). Il prend le bas-de-casse et le trait d'union s'il fait partie d'un adjectif de lieu.

le Sud-Vietnam　　　　　　　Orly-Sud
l'Amérique du Sud　　　　　　la politique nord-américaine

Le fer à cheval sert à porter bonheur aux chevaux.

Cas particuliers des capitales

Organismes

Liste de génériques nationaux et internationaux suivant la même règle :

administration	caisse	fonds	parlement
agence	centre	groupe	régie
alliance	chambre	inspection	secrétariat
archives	code	institut	sénat
assemblée	comité	ligue	sommet
banque	commission	marché	sureté
bibliothèque	communauté	mouvement	syndicat
bourse	conseil	office	tribunal
bureau	cour	organisation	union

Capitale au premier nom ainsi qu'à l'adjectif qui le précède.

l'Administration
l'Agence nationale pour l'emploi
l'Alliance atlantique
l'Alliance française
les Archives nationales du Québec
l'Assemblée législative
l'Assemblée nationale
la Banque de France
la Banque du Canada
la Banque mondiale
la Bibliothèque nationale du Québec
la Bourse de Montréal, jouer en Bourse,
     toutes les Bourses du monde
le Bureau de la statistique du Québec
le Bureau des normes du Québec
le Bureau international du travail
la Caisse populaire des fonctionnaires
le Centre de recherche industrielle
la Chambre des communes
la Chambre des députés
le Code civil
le Comité international olympique
la Commission de toponymie du Québec
la Commission des courses du Québec
la Commission européenne
la Communauté économique européenne
le Conseil de la langue française
le Conseil de sécurité
le Conseil du trésor (du Québec)
le Conseil du Trésor (du Canada)
le Conseil des ministres
la Cour d'appel du Québec

la Cour fédérale
la Cour internationale de justice
la Cour supérieure du Québec
la Cour suprême du Canada
la Croix-Rouge
le Fonds de relance industrielle
le Fonds monétaire international
le Groupe des 7
la Haute Assemblée
la Haute Cour de justice
l'Inspection du bâtiment
l'Institut de France
la Ligue arabe
la Ligue des droits de l'homme
la Ligue nationale de hockey
le Marché commun
le Mouvement de la paix
le Mouvement Desjardins
l'Office des professions du Québec
l'Office des changes
l'Organisation mondiale de la santé
le Parlement (organisme)
le parlement (édifice)
la Régie des rentes du Québec
le Secrétariat d'État
le Sénat
le Sommet de la francophonie
la Sureté du Québec
le Syndicat des postiers du Canada
le Tribunal des professions
le Tribunal du travail
l'Union de l'Europe occidentale

Employés seuls, certains spécifiques prennent la capitale.

les Communes   les Archives
la Francophonie : organisme groupant les pays francophones

À vendre : trous pour planter des arbres.

Réunions de personnes

Tous les génériques ci-après ont en commun le fait qu'ils désignent une réunion de personnes plus ou moins nombreuses pour discuter de questions et prendre des décisions.

S'il s'agit d'un **organisme** ou d'une **société,** ces mots prennent une capitale initiale. Un organisme ou une société sont officiels, structurés, et ils comportent des statuts.

S'il s'agit d'un petit **groupe de personnes** formé à l'intérieur d'un organisme ou d'une société pour participer à sa gestion, ces mots prennent un bas-de-casse initial.

Avec un bas-de-casse		Avec cap. ou bdc	Avec capitale
caucus	discussion	assemblée	congrès
causerie	entretien	bureau	forum
concile	pourparlers	comité	symposium
conclave	réunion	commission	
débat	séminaire	conférence	
délibération	synode	conseil	

Exemples avec un bas-de-casse

Groupes de personnes réunies pour discuter. Ce ne sont pas des organismes.

le caucus du Parti libéral	la discussion d'un projet de loi
la causerie mensuelle des membres	l'entretien entre les parties
le concile Vatican II	les pourparlers entre les pays
le conclave de 1978	la réunion des actionnaires
le débat politique sur la guerre	le séminaire des ingénieurs
la délibération sur le contrat	le synode de 2001

Exemples avec un bas-de-casse ou une capitale

Groupes de personnes	**Organismes ou sociétés**
l'assemblée générale de l'entreprise	l'Assemblée nationale du Québec
l'assemblée annuelle de la société	l'Assemblée législative
le bureau de l'entreprise	le Bureau de normalisation du Québec
le bureau de direction	le Bureau de la traduction
le comité de parents	le Comité de salut public
le comité de rédaction	le Comité français d'accréditation
le comité des plaintes	le Comité olympique canadien
la commission Bélanger-Campeau	la Commission de toponymie du Québec
la conférence de presse	la Conférence de Montréal
la conférence du professeur Dupont	la Conférence du désarmement
le conseil d'administration	le Conseil du statut de la femme
le conseil de direction	le Conseil des arts du Canada
le conseil de discipline	le Conseil exécutif
le conseil de classe	le Conseil québécois de la famille
le conseil de famille	le Conseil national du Parti québécois
le conseil municipal	le Haut Conseil de la francophonie

Exemples avec une capitale

Ces trois génériques concernent toujours des réunions de nombreuses personnes.

le Congrès de biologie médicale	le Congrès mondial acadien 2004
le Forum des droits sur Internet	le Forum national sur la santé
le Symposium de Baie-Saint-Paul	le Symposium de peinture

Échangerais matelas de plume contre sommeil de plomb.

Bâtiments et lieux publics

Personne physique

Il s'agit du bâtiment lui-même, fait de ciment et de bois, que l'on peut toucher.
Liste de génériques suivant la même règle :

abbaye	château	immeuble	porte
aéroport	cimetière	monument	prison
arc	colonne	mur	stade
aréna	complexe	observatoire	statue
basilique	fontaine	oratoire	temple
cathédrale	galerie	palais	tour
centre	gare	piscine	
chapelle	hôtel de ville	pont	

Bas-de-casse au générique et capitale au spécifique, qui peut être un nom propre ou un nom commun. On met les traits d'union dans le spécifique.

l'abbaye de Saint-Benoît-du-Lac	l'immeuble Place-des-Arts
l'aéroport Pierre-Elliott-Trudeau	le monument aux Morts
l'arc de triomphe de l'Étoile	le mur des Lamentations
l'aréna Maurice-Richard	l'observatoire de Dorval
la basilique du Sacré-Cœur	l'oratoire Saint-Joseph
la cathédrale de Chartres	le palais de la Découverte
le centre Bell	le palais de la Civilisation
la chapelle Sixtine	le palais de l'Élysée
le château de Versailles	la piscine municipale de La Prairie
le cimetière de la Côte-des-Neiges	le pont Pierre-Laporte
la colonne Vendôme	la porte Saint-Martin
le complexe Desjardins	la prison de Bordeaux
la fontaine des Innocents	le stade Roland-Garros
la galerie des Glaces	la statue de la Liberté
la gare du Palais, la gare Centrale	le temple de la Raison
l'hôtel de ville de Laval	la tour de Pise, la tour Eiffel

Quand la dénomination est elliptique, c'est-à-dire quand le générique est employé seul et que le spécifique sous-entendu est célèbre, le générique prend la capitale.

l'Arc de triomphe	l'Oratoire	la Statue	la Tour
le Château	le Palais	le Temple	

Personne morale

S'il s'agit du côté moral et non physique du bâtiment, la dénomination devient alors une raison sociale et le premier nom, ainsi que l'adjectif qui éventuellement le précède, prend une capitale, conformément à la règle concernant les sociétés. (Il est évident que les murs du palais de la Civilisation ne peuvent pas intenter une action en justice.)

Physique	Les murs du palais de la Civilisation sont d'une belle couleur.
Moral	Le Palais de la civilisation a intenté une action en justice contre Untel.
Physique	Le stade olympique a été agrandi.
Moral	Le Stade olympique a augmenté ses prix d'entrée.
Physique	le centre Bell était plein hier soir.
Moral	le Centre Bell a rédigé son programme de la saison.
Physique	La réunion s'est tenue hier à l'hôtel de ville.
Moral	L'Hôtel de Ville (ou la Ville) n'augmentera pas les taxes cette année.

Elle descendit quatre à quatre les trois marches du perron.

Enseignement

Liste de génériques suivant la même règle :

académie	collège	école	polyvalente
cégep	commission scolaire	faculté	séminaire
centre	conservatoire	institut	université
cofi	cours	lycée	

S'il s'agit du côté **moral** (raison sociale), on met une capitale au premier nom et à l'adjectif qui le précède. Les spécifiques ont des traits d'union dans les noms propres.

l'Académie des sciences
le Cégep André-Laurendeau
le Centre d'éducation des adultes
le Cofi Olivar-Asselin
le Collège de secrétariat moderne
la Commission scolaire Sainte-Croix
le Conservatoire Lassalle
le Cours Simon

l'École polytechnique *ou* Polytechnique
la Faculté des lettres
l'Institut Teccart
le Lycée français
la Polyvalente Pierre-Laporte
le Séminaire de Québec
l'Université du troisième âge
(Université : toujours avec une capitale)

S'il s'agit du côté **physique,** c'est-à-dire du bâtiment lui-même, le générique prend un bas-de-casse. Si la dénomination est composée seulement de noms communs, le générique garde la capitale (deuxième exemple).

Je suis passé devant le cégep André-Laurendeau.
Je suis passé devant le Collège de secrétariat moderne.

Diplômes et grades universitaires

Écrits au long, dans un texte courant : tout en bas-de-casse.

Elle a obtenu un diplôme d'études collégiales.

Sigles : en capitales, sans accents, avec points abréviatifs, sans espaces.

B.A.A.	baccalauréat en administration des affaires
B.A.	baccalauréat ès arts
C.A.P.E.S.	certificat d'aptitude pédagogique à l'enseignement secondaire
C.E.E.	certificat pour l'enseignement au cours élémentaire
C.E.C.P.	certificat pour l'enseignement collégial professionnel
D.E.C.	diplôme d'études collégiales
D.P.H.	diplôme de pharmacie d'hôpital
D.S.A.	diplôme de sciences administratives
M.B.A.	maitrise en administration des affaires
M.A.	maitrise ès arts

Abréviations : points abréviatifs, insécable entre les éléments, capitales accentuées.

LL. B.	baccalauréat en droit
B. Éd.	baccalauréat en éducation
B. Inf.	baccalauréat en informatique
Ph. D.	doctorat en philosophie
D. Sc.	doctorat ès sciences
L. Ph.	licence en philosophie
L. ès L.	licence ès lettres
LL. M.	maitrise en droit
M. Sc. A.	maitrise ès sciences appliquées

Les rivières coulent toujours dans le sens de l'eau.

Menus de restaurant

Article au début du mets

On emploie l'article seulement si la pièce entière est servie, ce qui est très rare.

Bœuf en boulettes	*et non :* Le bœuf en boulettes
Tournedos Rossini	*et non :* Le tournedos Rossini
Le faisan à la bohémienne	(la pièce entière est servie)

Capitales dans un menu

On met une capitale au premier mot de la dénomination seulement.

Mousseline de brochet	*et non :* Mousseline de Brochet
Terrine de fruits de mer	*et non :* TERRINE DE FRUITS DE MER
Turbot au champagne	*et non :* Turbot au Champagne

Dénominations dédicatoires

Le nom propre indique la personne, le lieu ou l'évènement.

Carré d'agneau Du Barry	Pêche Melba (du nom d'une cantatrice)
Poulet sauté Périgord	Timbale de langoustines Nantua
Oie en daube Capitole	Faisan Sainte-Alliance

Antonomases dans un menu

Une antonomase est un nom propre qui est devenu un nom commun.

Choucroute au champagne	(vin de la région de Champagne)
Salsifis à la béchamel	(sauce inventée par Louis de Béchamel)

Spécifiques comprenant des noms propres

Le générique prend une capitale initiale, puisqu'il est au début. Chacun des composants du spécifique prend une capitale, sauf les articles, les prépositions, les pronoms et les conjonctions. On place un trait d'union entre tous les mots du spécifique, sans faire de distinction entre une préposition et une particule nobiliaire.

Consommé Christophe-Colomb	Côte de veau Grimod-de-la-Reynière
Filet de bœuf Prince-Albert	Poire Belle-Hélène

Locution *à la*

Le mot qui suit la locution *à la* prend un bas-de-casse initial, excepté s'il s'agit d'un nom propre. Il ne faut jamais supprimer cette locution, afin de garder la correction grammaticale. En effet, dans la colonne de droite, l'expression *Tomates provençale* sans *s* semblerait contenir une faute d'accord.

Truite à la matapédienne	Tomates à la provençale
Croute aux bananes à la Beauvilliers	*et non :* Tomates provençale

Virgules dans les menus

On peut utiliser des virgules quand le sens l'exige.

Aiguillettes de canard au vinaigre de miel, garnies de mangues
ou de poires, en saison

On dit *chevaux* quand il y a plusieurs chevals.

Saint ou sainte

Quand il s'agit du saint lui-même, le mot *saint* s'écrit tout en bas-de-casse et sans trait d'union. Il ne s'abrège pas.

Nous prions sainte Justine.　　　　　Cette église est dédiée à sainte Anne.
Il célèbre la fête de saint Valentin.　　Les saints ont été canonisés.

Quand le mot *saint* entre dans un nom propre ou la dénomination d'une fête, d'un bâtiment, d'un lieu public, d'un toponyme ou d'un ordre, il s'écrit avec une capitale et un trait d'union.

Sainte-Beuve est né en 1804.　　　　Il va à l'église Saint-Vincent.
Nous viendrons à la Saint-Valentin.　　Elle habite rue Saint-François.
Il travaille à l'hôpital Sainte-Justine.　L'ordre de Saint-Michel fut créé en 1469.

Abréviation du mot *Saint* ou *Sainte* avec une capitale

Bien qu'il soit conseillé de ne pas abréger le mot *Saint* ou *Sainte,* on peut, en cas de manque de place, abréger ce mot dans une adresse ou un toponyme administratif. Dans ces cas, il s'écrit sans point abréviatif, avec un trait d'union.

23, pl. St-François-de-Neufchâteau　　34, av. Ste-Marie-de-l'Incarnation

Orthographes comprenant le mot *saint* ou *sainte*

Bien noter l'emploi des capitales et des traits d'union.

Écriture sainte
guerre sainte
Lieux saints
Sa Sainteté (le pape)
saint sacrement
saint-amour (vin), invariable
saint-bernard (chien), invariable
saint-crépin (cordonnerie), invariable
saint-cyrien, saint-cyrienne
saint-cyriens, saint-cyriennes
sainte Bible
sainte Église
sainte Famille
sainte messe
sainte table
Sainte Vierge
Sainte-Alliance
sainte-maure (fromage), invariable
saint-émilion (vin), invariable
Saint-Empire
sainte-nitouche, saintes-nitouches
Saint-Esprit

Sainte-Trinité
saint-florentin (fromage), invariable
saint-frusquin (sans valeur), invariable
saint-glinglin (à la)
Saint-Guy (danse de)
saint-honoré (gâteau), invariable
saint-marcellin (fromage), invariable
saint-nectaire (fromage), invariable
Saint-Office
saint-paulin (fromage), invariable
saint-père (le pape), saints-pères
saint-pierre (poisson), invariable
Saint-Sépulcre
Saint-Siège
saint-simonien, saint-simonienne
saint-simoniens, saint-simoniennes
saint-simonisme
saint-synode, saints-synodes
Semaine sainte
Terre sainte
Vendredi saint
Ville sainte

Prières

Les prières suivent la règle des titres d'œuvres. Elles s'écrivent en italique et seuls le premier mot et les noms propres prennent une capitale. Ces titres sont invariables.

J'ai récité un *Je vous salue, Marie.*　　J'ai récité deux *Notre père.*

Les plus grands hommes russes du XXe siècle ont été Lénine et Stallone.

Stations de métro

- Je me permets de suggérer quelques petits changements dans l'écriture des stations de métro de Montréal. Ils concernent : *Collège, Église* et *Savane.*
- Les noms des stations de métro sont des spécifiques (le générique *station* est sous-entendu). Ils prennent donc des traits d'union et des capitales à tous les mots, sauf aux prépositions et aux conjonctions : *Place-des-Arts, Arts-et-Métiers.*
- Une préposition ne peut pas se trouver au début du spécifique. On ne devrait pas écrire : «Je descends à Du Collège, ou à De l'Église, ou à De la Savane.»
- Il faudrait écrire : «Je descends à Collège, ou à Église, ou à Savane.»
- Les particules nobiliaires peuvent se trouver au début du spécifique. On doit donc écrire : «Je descends à De Castelnau ou à D'Iberville.»
- Le mot *La* ou *Le* placé au début ne prend pas de trait d'union : *La Chapelle.* Quand il s'agit d'un toponyme surcomposé, on utilise le tiret court entre les éléments, par exemple : *Charles-de-Gaulle–Étoile, Bobigny–Pablo-Picasso.*

À Montréal

Acadie	Georges-Vanier	Peel
Angrignon	Guy-Concordia	Pie-IX
Assomption	Henri-Bourassa	Place-d'Armes
Atwater	Honoré-Beaugrand	Place-des-Arts
Beaubien	Jarry	Place-Saint-Henri
Beaudry	Jean-Drapeau	Plamondon
Berri-UQAM	Jean-Talon	Préfontaine
Bonaventure	Jolicœur	Radisson
Cadillac	Joliette	Rosemont
Champ-de-Mars	Langelier	Saint-Laurent
Charlevoix	LaSalle	Saint-Michel
Collège	Laurier	Sauvé
Côte-des-Neiges	Lionel-Groulx	Savane
Côte-Sainte-Catherine	Longueuil	Sherbrooke
Côte-Vertu	Lucien-L'Allier	Snowdon
Crémazie	McGill	Square-Victoria
D'Iberville	Monk	Université-de-Montréal
De Castelnau	Mont-Royal	Vendôme
Édouard-Montpetit	Namur	Verdun
Église	Outremont	Viau
Fabre	Papineau	Villa-Maria
Frontenac	Parc	

À Paris

Arts-et-Métiers	Église-d'Auteuil	Notre-Dame-de-Lorette
Bir-Hakeim	Église-de-Pantin	Place-d'Italie
Bobigny–Pablo-Picasso	Filles-du-Calvaire	Place-de-Clichy
Bonne-Nouvelle	Gare-de-Lyon	Pont-de-Neuilly
Cardinal-Lemoine	Gare-du-Nord	Porte-Dauphine
Chambre-des-Députés	Hôtel-de-Ville	Porte-de-Saint-Cloud
Champ-de-Mars	La Chapelle	Pré-Saint-Gervais
Charles-de-Gaulle–Étoile	La Motte-Picquet–Grenelle	Quai-de-la-Rapée
Château-d'Eau	Louis-Blanc	Réaumur-Sébastopol
Châtelet–Les-Halles	Mairie-des-Lilas	Saint-Germain-des-Prés
Cluny-la-Sorbonne	Marcadet-Poissonniers	Saint-Philippe-du-Roule
Denfert-Rochereau	Montparnasse-Bienvenüe	Strasbourg–Saint-Denis
École-Militaire	Musée-d'Orsay	

Si j'avais été un garçon, est-ce que j'aurais été dans le ventre de papa?

Allégories et personnifications

S'il s'agit de l'allégorie ou de la personnification, on met une capitale initiale.

> Vénus est la déesse de l'Amour.
> La Mort est apparue au bucheron de la fable.
> On dit que la Vérité sort du puits.
> Je pense que dame Nature a bien fait les choses (personnification).

Quand ils ne sont pas des allégories, ces mots restent en bas-de-casse.

> C'est une belle histoire d'amour.   Il ne faut pas craindre la mort.

Animaux

Les noms de races d'animaux prennent un bas-de-casse initial. Dans les ouvrages très spécialisés, on met une capitale au nom ainsi qu'à l'adjectif qui le précède.

Chiens	Chats	Chevaux	Oiseaux
des fox-hounds	des abyssins	des arabes	des geais bleus
des huskies	des angoras	des ardennais	des grands ducs
des labradors	des chartreux	des camargues	des grives fauves
des saint-hubert	des colourpoints	des pur-sang	des grèbes cornus

Reptiles	Poissons	Insectes	
des caïmans	des barracudas	des ammophiles	
des caouannes	des baudroies	des doryphores	
des cistudes	des congres	des forficules	
des geckos	des exocets	des scarabées	

Antonomases

Noms propres qui sont devenus noms communs. Ils ont donc perdu leur capitale.

ampère	Ampère	physicien français (1775-1856)
barème	Barrême	mathématicien français du XVIIe
béchamel	Béchamel	financier du XVIIe siècle
cabotin	Cabotin	comédien ambulant du XVIIe
calepin	Calepino	lexicographe italien du XVe siècle
crésus	Crésus	roi de Lydie très riche du VIe s. av. J.-C.
dédale	Dédale	architecte du labyrinthe de Crète
gibus	Gibus	fabricant de chapeaux
harpagon	Harpagon	personnage de *L'avare*
hercule	Hercule	fils de Jupiter, personnifiait la force
macadam	MacAdam	ingénieur écossais
mansarde	Mansart	architecte français du XVIIe
mécène	Mécène	favori d'Auguste, empereur romain
mégère	Mégère	la plus hideuse des trois Furies
morse	Morse	américain, inventeur en 1832
nicotine	Nicot	introduisit le tabac en France en 1590
pantalon	Pantalon	personnage de la comédie italienne
pimbêche	Pimbêche	personnage des *Plaideurs*
polichinelle	Polichinelle	personnage des *Farces napolitaines*
poubelle	Poubelle	préfet de la Seine qui imposa l'usage
sandwich	Sandwich	mets préparé pour Lord Sandwich
silhouette	Silhouette	contrôleur des Finances de Louis XV
tartufe	Tartufe	personnage de *Tartufe*, de Molière

C'est le général Pompidou qui a renversé De Gaulle avec le coup d'État de mai 68.

Citations

Il existe trois façons d'écrire le nom de l'auteur. Chacune peut s'appliquer aux autres exemples. Noter la position et la ponctuation des trois façons.

Citation avec les guillemets

«Dommage qu'on ne puisse bénéficier de l'expérience avant le moment où on l'acquiert!» (René Julien, *L'allumeur de réverbère*)

Citation avec l'italique

Proverbe : *Le tube est au dentifrice ce que la pédale est à la bicyclette ; il faut appuyer sur le premier pour faire avancer le second.* — Pierre Dac

Citation en retrait avec un corps plus petit

L'homme se lança dans une longue tirade philosophique et déclara à voix haute :

Il est tout de même curieux de constater que c'est par le travail en ville qu'on a le salaire, et que c'est par le repos à la campagne qu'on a le bon air.

Jean Untel

Décorations

Au Canada (colonne de gauche), on met une capitale au générique. En Europe, c'est le contraire : bas-de-casse au générique et capitale au spécifique (colonne de droite).

la Croix de Victoria	la croix de la Libération
la Croix du service méritoire	la croix de la Légion d'honneur
l'Étoile du courage	l'étoile du Courage
La Médaille de la bravoure	la médaille de la Bravoure
l'Ordre du Canada	l'ordre de la Libération
l'Ordre du mérite militaire	l'ordre du Mérite militaire

Dénominations passées à l'histoire

Liste des génériques suivant la même règle :

accords	colloque	convention	ligue	plan
affaire	conférence	école	loi	querelle
cercle	congrégation	groupe	ordre	serment
club	congrès	hôtel	pacte	société

Les dénominations suivantes sont maintenant passées à l'histoire. Bas-de-casse initial au générique, capitale au spécifique ainsi qu'à l'adjectif qui le précède. L'ordre alphabétique se fait sur la première capitale, dans les noms propres des dictionnaires.

les accords de Bretton Woods (1944)	le groupe des Six (1918)
l'affaire des Poisons (1679)	l'hôtel de la Monnaie (1777)
le cercle de Prague (1926)	la ligue du Bien public (1463)
le club des Jacobins (1789)	la loi des Douze Tables (451)
le colloque de Poissy (1561)	l'ordre de Saint-Michel (1469)
la conférence de Yalta (1945)	le pacte de Famille (1761)
la congrégation du Saint-Office (1542)	le plan Barberousse (1940)
le congrès de Laibach (1821)	la querelle des Indulgences (1517)
la convention de Varsovie (1929)	le serment du Jeu de paume (1789)
l'école de Barbizon (1830)	la société des Missions étrang. (1664)

La lecture est faite pour ceux qui n'aiment pas écrire.

Dieu

S'il s'agit du personnage lui-même, ou s'il s'agit d'une expression synonyme, ces noms et les adjectifs qui les précèdent prennent la capitale.

le Bon Dieu	l'Enfant Jésus	le Messie	le Seigneur
le Christ	le Fils	le Prophète	le Tout-Puissant
le Ciel	Jésus-Christ	le Saint-Esprit	le Très-Haut

S'il ne s'agit pas du personnage lui-même, ces noms sont en bas-de-casse.

des christs en ivoire	le format jésus
le dieu de la guerre	un grand seigneur
les dieux du stade	un prophète de malheur

Église

Quand il désigne un *bâtiment,* donc quand il est employé dans un sens concret, ce mot s'écrit avec un bas-de-casse initial.

une église gothique	aller à l'église
un chant d'église	l'église Notre-Dame
une église-halle	le toit de l'église

Quand il désigne un *pouvoir spirituel,* donc quand il est employé dans un sens abstrait, ce mot s'écrit avec une capitale initiale. Il prend le pluriel.

l'Église catholique romaine	un homme d'Église
les Églises orientales	les États de l'Église
la sainte Église	les Églises uniates

Le terme religieux **Notre-Dame**

la basilique Notre-Dame de Montréal	*Montréal est le lieu où elle se trouve*
l'église Notre-Dame-de-Lorette	*Lorette n'est pas le lieu, c'est Paris*
le village de Notre-Dame-des-Monts	*spécifique d'un toponyme administratif*
le roman *Notre-Dame de Paris*	*de V. Hugo, titre d'œuvre en italique*
Nous prions Notre-Dame.	*nom donné à la Vierge Marie*
Elle collectionne les Notre-Dame.	*images de la Vierge, mot invariable*
Céline est notre dame de la chanson.	*il ne s'agit pas d'un terme religieux*

Doctrines et collectivités

Elles prennent un bas-de-casse initial, ainsi que leurs adhérents, ex. : les catholiques.

allophones	communisme	hindouisme	musulmans
anglicanisme	cubisme	impressionnisme	naturisme
autochtones	démocratie	islam	réalisme
anglophones	despotisme	israélites	romantisme
bouddhisme	dilettantisme	jansénisme	stoïcisme
cartésianisme	épicurisme	judaïsme	surréalisme
catholicisme	existentialisme	libéralisme	symbolisme
christianisme	fascisme	marxisme	talibans
classicisme	francophones	matérialisme	

Capitale à certains noms ainsi qu'à l'adjectif placé avant.

le Cénacle	le Parnasse	la Nouvelle Vague	la Pléiade

Vous me fîtes un gratin de pommes de terre et vous m'épatâtes.

Sports

Liste de génériques suivant la même règle :

challenge	coupe	jeux	prix	tournoi
championnat	fédération	ligue	tour	

Capitale au premier nom ainsi qu'à l'adjectif qui le précède.

le Challenge du Manoir   les Jeux olympiques
le Championnat du monde de ski   la Ligue nationale de hockey
la Coupe du monde de football   le Grand Prix de Monaco
l'Euro 2008   le Tour du Québec
la Fédération française de rugby   le Tournoi des cinq nations

S'il s'agit de l'objet, ce dernier s'écrit en bas-de-casse.

La coupe Stanley est très lourde.   Il a embrassé la coupe.

Si la dénomination est elliptique, le spécifique prend la capitale.

Il joue dans la Ligue nationale.   Il joue en Nationale.

Époques

Capitale au premier nom ainsi qu'à l'adjectif qui le précède.

les Années folles   le Moyen Âge   le Primaire   le Secondaire
l'Antiquité   l'Occupation   le Quaternaire   le Siècle d'or
la Belle Époque   le Paléolithique le Quattrocento   le Siècle des Lumières
le Grand Siècle   le Précambrien   la Renaissance   les Temps modernes
l'Inquisition   la Préhistoire   la Ruée vers l'or le Tertiaire

Bas-de-casse partout quand ces époques sont précédées de leur générique.

l'âge d'or   l'ère atomique
l'âge de la pierre polie   l'ère chrétienne
l'âge du bronze   l'ère quaternaire
l'âge du fer   l'ère tertiaire
l'âge féodal   les grandes invasions

État

Ce mot prend une capitale initiale quand il désigne un pays, un gouvernement ou une administration (à gauche). Sinon, il s'écrit avec un bas-de-casse (à droite).

l'État-Major général   un état-major
le secrétaire d'État   un état d'âme
les États membres   un état de santé
les États-Unis d'Amérique   un état civil
un chef d'État   un état de siège
un coup d'État   un état des lieux
un État de droit   en l'état
un État providence   le tiers état
un État totalitaire   les états généraux de l'Éducation
un État-nation   *mais* les États généraux de 1789
un secret d'État
une affaire d'État
une raison d'État

Sous le poids du verglas, mon bouleau est devenu un peu plié.

Fêtes et pratiques

Les fêtes ne durent qu'un jour. Bas-de-casse au générique, et capitale au spécifique et à l'adjectif qui le précède. Les périodes (avent, carême, ramadan) s'étalent sur plusieurs jours et s'écrivent avec un bas-de-casse initial.

le 14 Juillet	le lundi de Pâques
l'Action de grâce	le Mardi gras
l'avent (période avant Noël)	le mercredi des Cendres
le carême (période de jeûne)	la Mi-Carême (jeudi de la 3e semaine)
le dimanche de Pâques	Noël, les Noëls de mon enfance
la fête du Canada	le Nouvel An
la fête des Mères	la période des fêtes (période)
la fête des Pères	le Premier de l'an
la fête du Travail	le ramadan (période de jeûne)
les fêtes de fin d'année (période)	les Rameaux
le jour de l'An	la Saint-Jean-Baptiste
le jour des Morts	le temps des fêtes (période)
le jour des Rois	le Vendredi saint

Astres

S'il s'agit de l'astre lui-même (corps céleste naturel), ces mots prennent une capitale initiale, ainsi que l'adjectif qui les précède.

l'Étoile polaire	la Grande Ourse	le Soleil	la Voie lactée
la Croix du Sud	la Lune	la Terre	

S'ils ne désignent pas l'astre lui-même, ces mots restent en bas-de-casse.

Je chante au clair de lune.   Elle adore un coucher de soleil.

Fonctions et titres divers

Liste de génériques suivant la même règle :

l'abbé	le curé	la gouverneure	le procureur
l'académicien	la députée	le maire	la professeure
l'ambassadrice	la directrice	la mère supérieure	le protecteur du cit.
l'archevêque	la docteure	la ministre	le proviseur
le cardinal	le doyen	le pape	le recteur
le chancelier	la duchesse	le père	la reine
la comtesse	l'empereur	le premier ministre	le secrétaire
le consul	l'évêque	le président	le sénateur
le curateur public	la sœur	la princesse	le vérificateur gén.

Bas-de-casse initial, que l'on parle de la personne ou que l'on s'adresse à elle.

J'ai vu le pape Jean-Paul II.   Bonjour, docteure.
Ida Durand, directrice.   J'ai rencontré madame la directrice.

Si la personne est bien identifiée par le contexte : capitale initiale.

le Cardinal (Richelieu)   le Duce (Mussolini)
le Caudillo (Franco)   l'Empereur (Napoléon Ier)

Si le titre est honorifique : capitale à tous les mots.

Sa Majesté   Sa Grâce   Son Éminence   Son Altesse Royale

La loi des probabilités s'appelle ainsi car on n'est pas sûr qu'elle existe.

Logiciels et polices

En romain. Il faut respecter les capitales, même celles à l'intérieur d'un mot.

le Verdana	Adobe Reader	PageMaker
le Garamond	FrontPage Express	QuarkXPress®
le Symbol	InDesign	StarOffice

Guerres

Liste de génériques suivant la même règle :

bataille	croisade	invasion
campagne	défaite	ligne
combat	évènements	paix
conseil de guerre	expédition	retraite
crise	guerre	victoire

Bas-de-casse initial au générique et capitale au nom spécifique ainsi qu'à l'adjectif qui le précède. Tout en bas-de-casse s'il n'y a pas de spécifique.

la bataille de la Marne	la défaite de Waterloo	la guerre sainte
la campagne d'Égypte	les évènements de mai 68	l'invasion des Huns
le combat de Camerone	l'expédition des Mille	la ligne Maginot
le conseil de guerre	la guerre de 1914-1918	la paix de Monsieur
la crise du 13 mai 1958	la guerre de Cent Ans	la retraite de Russie
la 8e croisade	la guerre éclair, froide	la victoire de Verdun

Capitale s'ils sont considérés comme des noms propres par l'usage.

la Grande Guerre	la Première Guerre mondiale
la Guerre folle	la Seconde Guerre mondiale

Habitants, civilisations et races

Les habitants d'un lieu se nomment aussi les **gentilés.** Ils prennent une capitale initiale et concernent les continents, les villes, les pays et leurs subdivisions (provinces, départements, États). Les noms de civilisations et de races prennent aussi une capitale.

les Européens (continent)	les Mayas (civilisation)	les Noirs
les Montréalais (ville)	les Latins (civilisation)	les Blancs
les Français (pays)	les Occidentaux (civilisation)	les Jaunes
les Québécois (province)	les Inuits, les Inuites	les Métis
les Isérois (département)	les Juifs (communauté israélite)	
les Californiens (État)	*mais :* les juifs (de religion judaïque)	

Les adjectifs d'habitants, de civilisations et de races s'écrivent avec un bas-de-casse.

la race jaune, l'art latin	l'art canadien-français, *mais :* les Canadiens français
Je suis Belge (nom), *ou*	Je suis belge (adjectif) : les deux sont corrects.

Les noms et adjectifs de langue s'écrivent avec un bas-de-casse initial.

Elles étudient le français.   Ils étudient la langue française.

Les noms débutant par **néo-** prennent une capitale initiale seulement si le pays existe. Il y a une Nouvelle-Calédonie, il n'y a pas de Nouveau-Canada. En nouvelle orthographe, le trait d'union est supprimé (à gauche), mais il persiste dans les exemples de droite.

les Néocalédoniens   les néo-Canadiens, les néo-Québécois

Guillaume Apollinaire a été très pané en 1917.

Histoire et régimes

Liste de génériques suivant la même règle :

confédération	journée	querelle	révolution
duché	maison	régime	royaume
empire	monarchie	reich	union
État	principauté	république	

On met un bas-de-casse au générique s'il est suivi d'un nom propre ou faisant office de nom propre, une capitale s'il est suivi d'un adjectif. Capitale à l'adjectif s'il est placé avant. Capitale au générique s'il est employé seul et qu'il est identifié par le contexte.

la Confédération helvétique	la querelle des Investitures
le duché de Luxembourg	l'Ancien Régime
l'Empire britannique	le Troisième Reich (IIIe)
l'empire des Indes	la République française
le Second Empire	la république de Venise
les États baltes	la Révolution (celle de 1789)
la journée des Dupes	la révolution de 1789
la maison de Savoie	le royaume de Belgique
la monarchie de Juillet	l'union de Birmanie
la principauté de Monaco	l'Union sud-africaine

Bas-de-casse si ce ne sont pas des dénominations.

La France est une république.

Journaux et revues

Titre de journal français

Si le titre du journal est cité en entier, il s'écrit en italique et l'article défini prend une capitale, ainsi que l'adjectif qui précède le nom. Quand il y a contraction de l'article, ce dernier s'écrit en bas-de-casse romain.

Les journalistes de *La Presse* et du *Monde,* ainsi que ceux du magazine *Le Nouvel Observateur,* ont assisté à la réunion.

Si le titre est elliptique (cité en partie), l'article se met en bas-de-casse romain.

Nous lisons la *Voix* et aussi le *Dauphiné* tous les jours.

Les articles *la* et *le* sont en bas-de-casse romain, car les titres sont elliptiques. Les titres complets sont les suivants : *La Voix de l'Est* et *Le Dauphiné libéré.*

Titre de journal non français

Si le titre du journal non français est précédé de son générique (journal, quotidien, etc.), il se met en italique sous sa forme exacte, non traduite.

Les journalistes des journaux *The Gazette, Der Spiegel* et *Il Corriere italiano* étaient présents à la réunion.

Si le titre du journal non français n'est pas précédé de son générique, l'article est traduit en français. Il s'écrit en bas-de-casse romain.

Nous avons lu dans la *Gazette* que les envoyés du *Spiegel* ainsi que ceux du *Corriere italiano* étaient présents à la réunion.

Raphaël a peint les frasques du Vatican.

Manifestations commerciales

Le mot *manifestation* est pris ici dans le sens de «évènement organisé dans un but commercial, artistique, culturel ou sportif». Il n'est donc pas question d'une *manif,* c'est-à-dire d'un rassemblement destiné à exprimer une revendication.

Liste de génériques suivant la même règle :

biennale	concert	congrès	fête	rallye
carnaval	concours	exposition	floralies	salon
colloque	conférence	festival	foire	

Capitale au premier nom ainsi qu'à l'adjectif qui le précède.

la Biennale de Venise	l'Exposition des arts graphiques
le Carnaval de Québec	le Festival de Cannes
le Colloque des linguistes	la Fête des vendanges
le Concert des trois ténors	les Floralies de Québec
le Grand Concours de pétanque	la Grande Foire du printemps
la Conférence française de scoutisme	le Rallye de Monte-Carlo
le Congrès des fabricants de tissus	le Salon des arts ménagers

On peut avoir plusieurs capitales initiales dans une dénomination.

le Quatrième Colloque du Réseau des traducteurs et traductrices en éducation

Récompenses

S'il s'agit d'une récompense signifiant un rang obtenu : bas-de-casse.

| la médaille d'argent | la médaille de bronze | la palme d'or |

Si le générique est suivi d'un nom propre, il prend un bas-de-casse. Si le générique est suivi d'un nom commun ou d'un adjectif, il prend une capitale, ainsi que l'adjectif qui le précède. On met un trait d'union entre le prénom et le patronyme.

| le prix Goncourt | le prix Nobel | le prix Robert-Cliche |
| le Prix des libraires | le Mérite touristique | le Grand Prix de la critique |

Si le spécifique est employé seul, il prend la capitale et reste invariable. Si le nom du prix est choisi par personnification d'un nom commun, par exemple le mot *masque,* ce nom commun prend la capitale et le pluriel : *la Soirée des Masques.*

des Anik	des Gémeaux	des Oscar
des Nobel	des Goncourt	des César
des Olivier	des Juno	des Molière
des Femina	des Jutra	des Masques

Remarques. Le prix Jutra a été instauré en hommage à Claude Jutra. Si, sous prétexte de pluriel, on met un *s* à *des Jutras,* on ne reconnait plus la personne honorée, car *Jutras* avec un *s* existe aussi comme patronyme. Cette règle respecte celle du pluriel des noms propres, qui restent invariables en français : *des Goncourt, des Olivier.*

Les mots *oscar, césar* et *molière* (provenant d'un nom propre) sont parfois considérés comme des noms communs. Ils devraient donc s'écrire en bas-de-casse et prendre la marque du pluriel. En fait, on les voit souvent avec une capitale et un *s* au pluriel, ce qui est contradictoire. Je suis donc fermement en faveur de la capitale et de l'invariabilité. Écrire *les Oscars* avec un *s* relève de la méthode anglaise, puisque dans cette langue les patronymes prennent la marque du pluriel : *the Kennedys, the Smiths.*

Attention, on écrit : Antonine Maillet a gagné le prix Goncourt. Elle est Prix Goncourt.

Un compas sert à mesurer les angles d'un cercle.

Particules *de, du, des*

Bas-de-casse à ces particules si elles sont précédées du prénom ou du titre.

Aubert de Gaspé	Monseigneur de Laval
Pernette du Guillet	Madame du Barry
Guillaume des Autels	la comtesse des Essarts

Capitale si elles ne sont pas précédées du prénom ni du titre.

la vie de De Gaspé	Les mémoires de Des Prés

Bas-de-casse à la particule **de** placée entre deux noms de famille.

Valéry Giscard d'Estaing	François Chavigny de Berchereau

Le particule **de** n'entre pas dans le classement alphabétique (à gauche), alors que les particules **du** et **des** s'y trouvent. On cherche à :

Beauharnais (Hortense de)	Du Bellay (Joachim)
Maupassant (Guy de)	Des Loges (Marie)

Quand il s'agit d'un nom **étranger,** la particule s'écrit toujours avec une capitale.

De Sica (Vittorio), Vittorio De Sica	Di Stefano (Alfredo), Alfredo Di Stefano

Particules *le, la*

Capitale à l'article défini **Le** ou **La** s'il fait partie d'un nom propre.

le marquis de La Jonquière	Pierre Le Moyne d'Iberville

L'article défini entre dans le classement alphabétique. On cherche à **L.**

La Fayette (comtesse de)	Le Moyne de Bienville (Jean-Baptiste)

Partis politiques

Capitale au premier nom ainsi qu'à l'adjectif qui le précède.

l'Action démocratique du Québec	le Parti libéral du Québec
le Bloc québécois	le Parti progressiste-conservateur
le Nouveau Parti démocratique	le Parti québécois

Bas-de-casse aux membres et adhérents de partis politiques.

l'extrême droite	la droite	les communistes	les péquistes
l'extrême gauche	la gauche	les démocrates	les républicains
l'opposition	la majorité	les libéraux	les socialistes

Planètes

Elles prennent une capitale initiale. On connait autour du Soleil neuf planètes principales, qui sont, de la plus proche du Soleil à la plus éloignée :

Mercure, Vénus, la Terre, Mars, Jupiter, Saturne, Uranus, Neptune, Pluton.

Le mot *galaxie* s'écrit avec un bas-de-casse quand il désigne un ensemble d'étoiles, de poussières et de gaz interstellaires. Il s'écrit *Galaxie,* avec une capitale, quand il désigne la galaxie dans laquelle est situé le système solaire.

Papa, je ne te dirai pas qui a écrit sur le mur, sinon tu vas disputer Françoise.

Services administratifs

Liste de génériques suivant la même règle :

aide juridique	chambre de commerce	hôtel de ville
aide sociale	circonscription	mairie
ambassade	conseil municipal	maison de la culture
assurance emploi	consulat	ministère
assurance maladie	cour municipale	palais de justice
assurance vie	curatelle publique	palais des congrès (OQLF)
barreau	direction	palais des sports (OQLF)
bureau de vote	gouvernement	

Bas-de-casse à tous ces génériques. Capitale aux noms spécifiques ainsi qu'aux adjectifs qui les précèdent. (Dans les mots composés avec le terme *assurance,* seul ce dernier prend la marque du pluriel : *des assurances vie très intéressantes.*

l'aide juridique	la cour municipale de Trois-Rivières
l'ambassade d'Algérie	la curatelle publique
l'assurance automobile	la direction de la Sécurité civile
l'assurance récolte	le gouvernement du Québec
l'assurance salaire	l'hôtel de ville de Chicoutimi
le barreau de Montréal	la mairie de Rivière-du-Loup
le bureau de vote de mon quartier	la maison de la culture Plateau-Mont-Royal
la chambre de commerce de Sorel	le ministère de la Sécurité publique
la circonscription de Mercier	le ministère de l'Éducation
le conseil municipal de Laval	le palais de justice de Saint-Jérôme
le consulat de Belgique	

Employés seuls et précédés de l'article défini, certains génériques ont la capitale.

le Barreau	la Cour	le Palais
la Chambre de commerce	le Gouvernement	
le Conseil	le Ministère	

Services internes

Les services à l'intérieur d'une entreprise peuvent prendre une capitale initiale, ou bien s'écrire tout en bas-de-casse, selon ce qu'a décidé l'entreprise.

le Département des langues	le département des langues
la Division des consultations	la division des consultations
la Section de rhumatologie	la section de rhumatologie
le Service de la comptabilité	le service de la comptabilité

Signes du zodiaque

Capitale initiale.

le Verseau	♒	01-21 – 02-18	le Lion	♌	07-22 – 08-22
les Poissons	♓	02-19 – 03-20	la Vierge	♍	08-23 – 09-21
le Bélier	♈	03-21 – 04-20	la Balance	♎	09-22 – 10-22
le Taureau	♉	04-21 – 05-21	le Scorpion	♏	10-23 – 11-21
les Gémeaux	♊	05-22 – 06-21	le Sagittaire	♐	11-22 – 12-21
le Cancer	♋	06-22 – 07-21	le Capricorne	♑	12-22 – 01-20

(Un verseau, un poissons, un bélier, un taureau, un gémeaux, un cancer, etc., avec un bas-de-casse, car on désigne ainsi les personnes nées sous ces signes.)

Les quatre points cardinaux sont : la droite, la gauche, le haut et le bas.

Sociétés

Liste partielle de génériques suivant la même règle :

agence	bibliothèque	cinéma	galerie	magasin	restaurant
association	boutique	club	hôpital	maison	service
assurances	brasserie	compagnie	hôtel	musée	société
auberge	café	éditions	imprimerie	ordre	théâtre
banque	centre	établissements	librairie	pharmacie	

Si l'on considère la **personne morale** de la société, on met une capitale initiale au premier nom et à l'adjectif qui le précède. Dans les *Sociétés,* l'usage du trait d'union entre le prénom et le nom de famille est facultatif.

l'Agence de voyage Candiac
l'Association forestière québécoise
les Assurances Michel Brosseau ltée
l'Auberge de l'aéroport
la Banque de Montréal
la Bibliothèque des arts graphiques
la Boutique d'art
la Brasserie de la montée
le Grand Café des amis
le Centre dentaire Durand
le Cinéma du plateau
le Club de golf de La Prairie
la Compagnie canadienne scientifique
les Éditions Durand ltée
les Établissements Dupont & Fils

la Galerie Michel-Duc (ou Michel Duc)
l'Hôpital de Montréal pour enfants
l'Hôtel des voyageurs
l'Imprimerie nationale
la Librairie Renaud-Bray
le Magasin de la place
la Maison de la mariée enr.
le Musée des arts décoratifs
le Musée des beaux-arts de Montréal
l'Ordre des pharmaciens du Québec
les Pharmacies Jean-Coutu
le Restaurant de la gare
le Service régional de messageries
la Société des musées québécois
le Théâtre du rideau vert

Si l'on considère la **personne physique** de la société, et que le spécifique est un nom propre, on met un bas-de-casse au générique, puisqu'il devient un *bâtiment.*

L'agence de voyage Candiac
la galerie Jean-Pierre-Valentin
l'hôpital Sainte-Justine

la librairie Renaud-Bray
la pharmacie Jean-Coutu
le restaurant Da Giovanni

Enseignes des sociétés

J'ai dit dans l'entrée *Sociétés* ci-dessus que les dénominations s'écrivent en romain. Mais si le nom de la société comporte une **enseigne** originale destinée à attirer l'attention, on peut utiliser l'italique avec une capitale au premier mot.

l'auberge *Aux quatre vents*
l'hôtel *Le chat qui miaule*

le restaurant *Le roi de la patate*
le café *La belle et la bête*

Quand l'article est contracté, le premier mot prend la capitale initiale.
Quand l'enseigne est elliptique, l'article reste en romain et en bas-de-casse.

Nous sortons des *Quatre vents.*
J'ai dormi au *Chat qui miaule.*

Nous irons au *Roi de la patate.*
Nous irons à la *Belle* (titre elliptique).

Si l'enseigne est composée à l'aide de la préposition **de,** elle redevient une société. Elle s'écrit en romain avec une capitale au premier nom et à l'adjectif s'il est placé avant.

l'Auberge des quatre vents

le Grand Hôtel du chat qui miaule

L'enseigne s'accorde avec le verbe de la même façon que le titre d'œuvre (v. page 115).

Quel territoire la France a-t-elle conservé en 1763 ? — Saint-Pierre-et-Madelon.

Styles artistiques

Quand la dénomination concerne un personnage historique ou une époque, le générique est en bas-de-casse et le spécifique prend la capitale. On n'emploie pas de traits d'union dans le spécifique.

un buffet Henri II	une chaise Directoire
un fauteuil Renaissance	un lit Louis XVI
un meuble Empire	une table Louis XV

Quand le style est déterminé par un adjectif ou un nom pris comme qualificatif, le tout reste en bas-de-casse.

une tombe mérovingienne	un baldaquin baroque
une chapelle carolingienne	une église rococo
une église romane	un arc néoclassique
une cathédrale gothique	un opéra éclectique

Systèmes

Les noms de systèmes s'écrivent complètement en bas-de-casse.

le système alphabétique	le système linguistique phonologique
le système d'équations	le système métrique
le système de référence	le système monétaire européen
le système décimal	le système nerveux
le système international d'unités	le système solaire

Textes juridiques

Liste de génériques suivant la même règle :

accord	charte	édit	plan
aide	code	loi	règlement
arrêté	déclaration	ordonnance	serment
article	décret	pacte	traité

Bas-de-casse au générique s'il est suivi d'un nom propre ou d'un numéro faisant office de nom propre, capitale s'il est suivi d'un nom commun ou d'un adjectif. Si la dénomination est elliptique, capitale au premier nom.

l'Accord de libre-échange nord-américain	les Droits de l'homme (*elliptique*)
	le décret du 3 mai 1961
l'accord du lac Meech	l'édit de Nantes
l'Aide au cinéma	la loi Frédéric-Falloux
l'arrêté du 2 janvier 1993	la Loi sur les accidents du travail
l'article 107	l'ordonnance de Villers-Cotterêts
la Charte constitutionnelle	le pacte de Varsovie
la charte de l'Atlantique	le Pacte atlantique
la Grande Charte	le plan Marshall
le code Napoléon	le Règlement du travail en agriculture
le Code de la route	le serment de Strasbourg
la Déclaration des droits de l'homme	le traité de Versailles

Quand il ne s'agit pas de textes juridiques, le tout s'écrit en bas-de-casse.

la loi de la pesanteur	la loi divine

Avoir cent ans, c'est être centenaire. Avoir mille ans, c'est être millionnaire ?

Télévision et radio

Il s'agit de titres dans un texte courant. Dans un tableau, tout peut être écrit en romain.

Émissions

Les émissions de radio et de télévision, par exemple les journaux télévisés ou radiodiffusés et les jeux, ne sont pas considérées comme des titres d'œuvres, car elles ne sont pas l'œuvre d'un ou de plusieurs auteurs. Elles suivent donc les mêmes règles que les journaux : en italique avec capitale au premier nom et à l'adjectif qui le précède, ainsi qu'à l'article défini si ce dernier fait vraiment partie du titre.

Capital actions	le Grand Journal	Le Téléjournal
Des chiffres et des lettres	le Journal de France 2	les Grands Reportages
Jamais sans mon livre	le Journal RDI	Les Nouvelles du sport
L'Aventure olympique	Le Point	Les Règles du jeu
La Facture	le Réseau des sports	TVA 18 heures

Titres d'œuvres à la télévision

Les titres d'œuvres comprennent les téléromans, les films et les pièces de théâtre, c'est-à-dire les œuvres qui sont le travail d'un ou de plusieurs auteurs. Ils suivent la règle des titres d'œuvres : en italique, avec capitale au premier mot, quel qu'il soit.

Téléromans	Films	Pièces de théâtre
La vie, la vie	L'ombre de l'ours	La surprise de l'amour
Le monde de Charlotte	Le marché du couple	Le misanthrope
Les parfaits	La grande illusion	Les femmes savantes
Mon meilleur ennemi	Les anges gardiens	Les plaideurs
Virginie	On connait la chanson	Lorsque l'enfant parait

Les chaines [chaînes]

Le nom des chaines s'écrit en romain, en respectant la raison sociale.

Radio-Canada	Canal Vie	France 2

Vents

Bas-de-casse initial.

l'autan	vent du sud-est qui souffle sur le haut Languedoc
le chinook	vent chaud et sec qui descend des montagnes Rocheuses
le mistral	vent violent qui souffle dans la vallée du Rhône et le Midi
le noroit	vent qui souffle du nord-ouest
le sirocco	vent chaud qui souffle du Sahara sur le sud de la Méditerranée
la tramontane	vent du nord-ouest qui souffle sur le bas Languedoc
le vaudaire	vent du sud-est qui souffle sur le lac Léman

Maladies

Bas-de-casse initial. Le pluriel se forme normalement.

le sida	l'hypoglycémie	la rougeole	la maladie d'Addison

Bas-de-casse aux malades atteints d'une maladie dérivant d'un nom propre.

les parkinsoniens, les parkinsoniennes

Orphelin, j'ai vécu à droite et à gauche, mais toujours dans le droit chemin.

Subdivisions militaires ou policières

En français international, les numéros de subdivisions militaires ou policières s'écrivent en chiffres arabes, et le nom prend un bas-de-casse.

la 1re armée	le 5e bataillon	le 13e régiment	la 2e brigade
la 2e section	la 3e escadre	la 5e division	le 1er corps

Unités militaires canadiennes

Les dénominations suivantes sont officielles et leur écriture doit être respectée.

la 16e Escadre
la 17e Escadrille de renfort de la Réserve aérienne
le 1er Groupe-brigade mécanisé du Canada
l'Artillerie royale canadienne
le Centre d'alerte provincial Valcartier
le Centre des opérations aéroportées du Canada
le Commandement aérien
le Commandement de la Force terrestre
la Compagnie du renseignement du Secteur de l'Ouest de la Force terrestre
l'École d'état-major des Forces canadiennes
l'École de combat de l'Artillerie royale canadienne
l'École de navigation aérienne des Forces canadiennes
la Force terrestre
les Forces canadiennes
la Musique du Commandement aérien
le Quartier général du Commandement de la Force terrestre
la Réserve aérienne
le Royal 22e Régiment
la Station des Forces canadiennes Flin Flon

Accents sur les capitales

Voici une liste d'expressions qui n'ont pas le même sens si l'on n'utilise pas les accents sur les capitales.

Avec les accents	Sans les accents
ARISTIDE ABANDONNÉ	ARISTIDE ABANDONNE
AUGMENTATION DES RETRAITÉS	AUGMENTATION DES RETRAITES
BEURRE SALÉ	BEURRE SALE
DES LIVRES ILLUSTRÉS	DES LIVRES ILLUSTRES
ENFANTS LÉGITIMÉS	ENFANTS LEGITIMES
ÉTUDE DU MODELÉ	ETUDE DU MODELE
DAME CHERCHE AMI MÊME ÂGÉ	DAME CHERCHE AMI MEME AGE
IL A ÉTÉ INTERNÉ	IL A ETE INTERNE
IL DORT OÙ IL TRAVAILLE	IL DORT OU IL TRAVAILLE
LE COUP DE DÉ DE DE GAULLE	LE COUP DE DE DE DE GAULLE
LE CRIMINEL SERA JUGÉ	LE CRIMINEL SERA JUGE
LE PALAIS DES CONGRÈS	LE PALAIS DES CONGRES (poissons)
UN HOMME ASSASSINÉ	UN HOMME ASSASSINE

L'ovale est un cercle presque rond, mais quand même pas trop.

Jardin

Selon la Commission de toponymie, ce générique est un toponyme administratif, comme *parc*. Dans un toponyme, il reste donc en bas-de-casse et le spécifique prend des capitales et des traits d'union. Le mot *jardin* est pris ici dans son sens **physique.**

le jardin des Plantes   le jardin d'Acclimatation

Si le générique est précisé par un adjectif, les deux restent en bas-de-casse.

le jardin botanique de Montréal   le jardin zoologique de Granby

Si le mot *jardin* est pris dans son sens **moral,** il s'écrit comme une société, avec une capitale au premier nom seulement.

Le Jardin des plantes a changé ses heures d'ouverture.
Le Jardin botanique de Montréal a eu un bilan positif.

Accord des sociétés commerciales

Si le nom de la société commerciale commence par un :

Nom commun avec article (que cet article fasse ou non partie de la raison sociale) : accord en genre et en nombre avec le nom qualifié par cet article.

La Baie était ouverte.   Le Musée des beaux-arts était ouvert.
Les Ailes de la mode étaient ouvertes.   Les magasins Dupont étaient ouverts.

Nom commun sans article : accord en genre et en nombre avec ce nom commun ou avec le mot sous-entendu (société, compagnie).

Air Canada a été actif   ou   Air Canada était présente (la société).

Nom propre : accord avec le mot sous-entendu (société, compagnie).

Alcan était présente.

Arrondissements

Au Québec, la liste des arrondissements a changé après le référendum du 20 juin 2004. La nouvelle liste ne sera effective que lorsque la nouvelle loi sera promulguée. Quoi qu'il en soit, voici les règles d'écriture.

Le tiret court

Le tiret court ou tiret demi-cadratin (–) {Ctrl+- pavé numérique} s'utilise dans tous les cas où l'on relie deux toponymes dont l'un comporte déjà un trait d'union. Tous les noms de ce type ont été normalisés en tenant compte de cette règle.

Sainte-Foy–Sillery (le deuxième est un tiret court et non pas un trait d'union).

La préposition *de, du, des*

On utilise la préposition *de, du, des* entre le mot *arrondissement* et l'élément spécifique.

l'arrondissement **de** Newport   l'arrondissement **du** Mont-Bellevue
l'arrondissement **des** Rivières.   (exception : l'arrondissement Laurentien)

De toutes les pièces de Molière, *Les pierres précieuses ridicules* est la plus connue.

Petites capitales

Il n'existe pas de règles absolues dans l'emploi des petites capitales. On les utilise quand on pense que les capitales paraitront trop grandes visuellement.

Articles de lois

Les articles de lois, décrets, règlements, statuts et circulaires s'écrivent en abrégé et en petites capitales, sauf l'article premier qui s'écrit au long. On utilise une grande capitale initiale à l'abréviation et une espace insécable avant le numéro.

ARTICLE PREMIER. —　　　　　　　　　　ART. 234. —

Bibliographies

Le nom de l'auteur peut se mettre tout en grandes capitales, ou en petites capitales avec une grande capitale initiale.

DURAND, Pierre.　　　　　　　　　　DURAND, Pierre.

Capitale initiale

Un sigle en petites capitales ne prend pas de grande capitale initiale. Mais on utilisera cette dernière chaque fois qu'elle aura une raison d'être.

la table ASCII (sigle)　　　　　　les QUÉBÉCOIS, les ANGLO-SAXONS

Lettrines

Voici quelques conseils.

- Il faut composer en petites capitales au moins la fin du mot commencé par la lettrine.
- La fin du mot commencé est collé à la lettrine.
- Les autres lignes sont décollées de la lettrine par un demi-cadratin.
- Un guillemet avant la lettrine ou une apostrophe après sont dans le corps du texte.
- Il faut éviter de commencer un texte avec une seule lettre, comme le **À** par exemple.
- Le point après l'abréviation **M.** est composé dans le corps de la lettrine.

Pièces de théâtre

Petites capitales avec capitale initiale pour les noms des interlocuteurs.

PYRRHUS
Me cherchiez-vous, madame? Un espoir si charmant me serait-il permis?

ANDROMAQUE
Je passais jusqu'aux lieux où l'on garde mon fils, puisqu'une fois le jour...

Pages liminaires

Folios des pages liminaires : préfaces, introductions, avant-propos, etc.

I　　　　II　　　　III　　　　IV　　　　V　　　　VI　　　　VII　　　　VIII

Notes de bas de page

On met en petites capitales avec une capitale initiale le nom de l'auteur. L'acte se met en chiffres romains capitales, et la scène en petites capitales.

1. RACINE, *Britannicus,* acte IV, scène VI.

Citroën a révolutionné l'industrie automobile en sortant la traction à vent.

Coupures

Règles des coupures

La division, ou trait d'union conditionnel (-), a été utilisée pour la première fois dans sa forme actuelle par Pierre Robert, dit Olivétan, dans une traduction de la Bible qu'il réalisa avec l'aide de Calvin, son cousin, en 1535.

Coupures

Le terme *coupures* englobe la division de mots et la séparation de mots, deux termes qui sont expliqués ci-dessous. Dans la pratique, quand on dit simplement «coupure», on pense à une division de mot.

Division

La division (ou **trait d'union conditionnel,** ou **césure**) est le signe qui sert à diviser un mot en bout de ligne. Si l'on ajoute du texte avant ce mot divisé et que ce dernier est chassé sur la ligne suivante, le trait d'union conditionnel disparait et le mot est reformé. Si on le lui demande, la machine peut diviser automatiquement les mots en fin de ligne (césure). On peut aussi placer soi-même les traits d'union conditionnels à l'endroit de son choix. Dans ce cas, il faut veiller à mettre des traits d'union conditionnels et non pas des traits d'union normaux, car ceux-ci resteront apparents si les mots divisés sont chassés plus loin. Le trait d'union conditionnel n'est jamais répété au début de la ligne où se place la deuxième partie du mot. Sur un PC, il s'obtient en tapant Ctrl+Trait d'union. Sur un Macintosh : Com+Trait d'union.

Trait d'union

On le nomme aussi **trait d'union sécable,** c'est-à-dire que la machine peut faire la division d'un mot à ce trait d'union. Le trait d'union est le signe qui sert à unir deux ou plusieurs mots et on doit le taper comme une autre lettre. Les traits d'union d'un mot ne disparaissent pas, quelle que soit la position du mot dans la ligne.

        grand-père   arc-en-ciel   qu'en-dira-t-on

Trait d'union insécable

Le trait d'union insécable empêche la machine de diviser le mot à ce trait d'union. On utilise un trait d'union insécable dans les exemples suivants pour empêcher une division au trait d'union et éviter que le premier élément ne se trouve à la fin d'une ligne et le second au début de la ligne suivante. Sur un PC : Ctrl+Maj+Trait d'union. Sur un Macintosh : Com+Maj+Trait d'union.

        3-2   St-Luc   à-propos

Séparation

Une séparation est le fait d'avoir sur deux lignes différentes deux mots qui, selon les règles, devraient rester sur la même ligne. Évidemment, l'application stricte des règles dépendra de la longueur des lignes. (Voir *Séparations de mots.*)

Le hérisson est un rongeur de la famille des piquants.

Divisions de mots

Dans les exemples ci-dessous, les divisions interdites ont été marquées par une barre oblique, et les divisions permises l'ont été par un trait d'union. Il est évident qu'on sera plus tolérant si l'on travaille sur une petite mesure. D'autre part, on sera plus tolérant pour un journal que pour un livre.

Division étymologique

La division étymologique consiste à reconnaitre la formation du mot, donc à diviser selon les éléments.

    chlor-hydrique

Division syllabique

Il est parfois difficile de reconnaitre l'étymologie d'un mot formé d'éléments latins ou grecs. La division syllabique sera donc tolérée.

    chlo-rhydrique

Abréviations

Ne pas diviser les abréviations courantes ni les symboles d'unités.

    géo / gr. (géographie)   M / Hz (mégahertz)

Apostrophe

Ne pas diviser avant ni après une apostrophe.

    aujourd / ' / hui   qu / ' / en-dira-t-on

Consonnes doubles

On doit diviser entre les consonnes doubles d'un mot, excepté quand ces dernières se trouvent dans une syllabe muette à la fin d'un mot.

    com-mis-sion   feuil / le   feuil / les

Deux consonnes

On peut diviser entre deux consonnes, sauf celles de la liste ci-dessous.

    des-cendre   soup-çonner

Deux consonnes interdites

Ne pas diviser entre : bl, br, ch, cl, cr, dr, fl, fr, gl, gn, gr, pl, pr, th, tr, vr.

semb / lable	ac / ronyme	imbrog / lio	app / récier
nomb / ril	hyd / rophyle	renseig / ner	sympat / hie
parc / hemin	aff / luent	géog / raphie	apost / rophe
inc / lus	chiff / res	imp / liquer	ouv / rage

Pierre se retrouva dans la rue, tout nu, sans un sou en poche.

Deux consonnes permises

On peut diviser entre : bv, cq, ct, mb, ng, pç, pt, sc, sh, sp, st.

sub-venir	bous-culer	cons-pirer	anes-thésie
ac-quitter	des-cendre	gas-pillage	cons-truire
fruc-tifier	dis-cours	pros-pérer	crous-tiller
ponc-tuer	dis-cussion	res-plendir	démons-tration
ressem-bler	pres-crire	rous-péter	ges-ticuler
jon-gler	sus-citer	sus-pecter	obs-tination
soup-çonner	trans-crire	abs-trait	plas-tique
accep-ter	dés-habiller	adminis-trer	s'abs-tenir
adap-ter	blas-phème	amnis-tier	sous-traire

Deux traits d'union

Ne pas diviser une locution qui contient deux traits d'union après le second mais après le premier, afin de n'avoir qu'un trait d'union sur chaque ligne.

c'est-à- / dire   cria-t- / elle

Deux voyelles

Ne pas diviser entre deux voyelles, sauf si l'étymologie le permet.

cré / ancier   pro-éminent

Lettres *x* et *y*

Ne pas diviser avant ni après les lettres *x* ou *y* placées entre deux voyelles.

deu / x / ième   cro / y / ance

Malsonnante

Éviter les divisions malsonnantes.

J'ai mal occu /
pé ma jeunesse

Mathématiques

Ne pas diviser une suite mathématique. Elle doit rester sur la même ligne.

(4 + 2 - 3) * 6 = 18

Mots composés

Ne pas diviser un mot composé ailleurs qu'à son trait d'union.

porte-ban / nière   tim / bre-poste

Nombres en chiffres

Ne pas diviser les nombres écrits en chiffres, même après la virgule.

2 000 / 000   12 346, / 50

Dorothée avait mangé sa soupe sans ouvrir la bouche.

Noms de famille

Ne pas diviser les noms de famille ni les prénoms, excepté quand il s'agit de noms et de prénoms composés qui pourront alors être divisés au trait d'union. On peut évidemment avoir le prénom en fin de ligne et le nom de famille sur la ligne suivante.

Mar / cel-Lu / cien Du / rand-Com / tois　　Marcel-Lucien Durand-Comtois

Première lettre

Ne pas diviser après la première lettre d'un mot, même si cette première lettre est précédée d'une apostrophe.

i / tinérant　　　　　　　　l'é / ternité

Sigles et acronymes

Ne pas diviser les sigles ni les acronymes, que ceux-ci soient écrits avec ou sans les points abréviatifs.

CR / TC　　　　　C.R. / T.C.　　　　Ac / nor

Syllabe finale

Ne pas diviser avant une syllabe finale sonore de moins de trois lettres, ni avant une syllabe finale muette de moins de quatre lettres.

ten / du　　　　　　　　ten-due
liber / té　　　　　　　　liber-tés
uni / que　　　　　　　　uni-ques
blan / che　　　　　　　blan-ches
cou / dre

Mots divisés de suite

Ne pas diviser plus de deux mots de suite. Il faut aussi éviter d'avoir plusieurs mots ou lettres semblables de suite en bout de ligne.

Mot divisé en fin de paragraphe

Ne pas finir un paragraphe par un mot divisé. On devrait aussi s'efforcer de ne pas finir un paragraphe par un mot seul (si possible).

Veuve et orpheline

Une *veuve* est la dernière ligne d'un paragraphe qui se trouve au sommet d'une colonne ou d'une page, ce qui est inacceptable. Une *orpheline* est la première ligne d'un paragraphe qui se trouve au bas d'une colonne ou d'une page, ce qui est aussi inacceptable. Dans les deux cas, il faut au moins deux lignes.

Prenant nos jambes à deux mains, nous courons à toute allure.

Séparations de mots

Séparer des mots ou des nombres signifie accepter qu'ils ne soient pas sur la même ligne. Si la justification (longueur de la ligne) est petite, on peut accepter la séparation.

Dates

Ne pas séparer les éléments des dates. Une tolérance est accordée dans le second exemple, où l'on peut séparer le nom du jour (dimanche) de la date.

24 juin 1997   dimanche 26 janvier 1997

Énumérations

Ne pas séparer le chiffre ni la lettre du texte qui suit ou qui précède.

chapitre II	art. 3	Henri IV
XI. Typographie	3. Coupures	*a*) Les bénéfices

Noms propres

Ne pas séparer les prénoms abrégés, les titres de fonction ou de civilité des noms propres qu'ils accompagnent. On peut évidemment les séparer s'ils sont écrits au long.

A. Dupont   Dr Dubois   M. Durand

Symboles

Ne pas séparer les nombres en chiffres des symboles qui les suivent.

25,50 $ 21 × 27 cm   15 h 05

Pages

Ne pas séparer le mot *page* ou *p.* de son chiffre qui suit (exemples fictifs).

(Voir page 324.)   (Voir p. 324.)   (*Suite à la page 324*)

Composition avec sécables

On peut composer normalement avec des espaces sécables, c'est-à-dire utiliser la barre d'espacement entre les mots qui ne doivent pas être séparés. Mais on court de cette façon le risque qu'une séparation non permise se produise, car la machine justifie la ligne aux espaces sécables. Si une séparation non permise se produit, on fera la correction immédiatement.

Composition avec insécables

On peut composer avec une espace insécable entre les mots qui ne doivent pas se séparer, par exemple entre *M.* et *Durand*. La plupart des logiciels de traitement de texte possèdent une espace insécable fixe. Or, dans un texte justifié, l'espace insécable fixe risque de ne pas avoir la même largeur que les autres, mais la différence est minimale. D'autres logiciels comportent une espace insécable qui est justifiante. Dans ce cas, les risques de séparations non permises sont écartés, et les espaces entre les mots sont toutes égales. De toute façon, la composition avec insécables est donc préférable.

L'ordinateur peut calculer mieux que le cerveau de l'homme, car il n'a que ça à faire.

Italique

Titres d'œuvres

Liste partielle de génériques suivant les mêmes règles :

ballet	conte	gravure	poésie	sculpture
chanson	drame	nouvelle	récit	téléroman
comédie	film	peinture	roman	théâtre

Méthode 1 (utilisée dans ce livre)

Seul le premier mot, quel qu'il soit, prend une capitale initiale.

J'ai lu *Le français au bureau.*   J'ai lu *Les fausses confidences.*

J'ai lu *Le roi se meurt.*   J'ai lu *On ne badine pas avec l'amour.*

J'ai vu le film *À bout de souffle.*   J'ai lu *Le loup et l'agneau.*

Deux éléments unis par *ou*

S'il s'agit d'un titre composé de deux éléments unis par **ou** et dont le second sert de sous-titre, le premier mot de chaque élément prend une capitale.

J'ai lu *Le feu sur la terre ou Le pays sans chemin.*

Mots qui gardent leur capitale

J'ai lu *Les coutumes des Français.*	*Français*	habitants d'un pays
J'ai lu *Ma vache Bossie.*	*Bossie*	nom propre
J'ai lu *L'histoire de l'Alliance atlantique.*	*Alliance*	organisme
J'ai lu *Le meurtre de la rue du Marché.*	*Marché*	spécifique d'un toponyme
J'ai lu *Fanfan la Tulipe.*	*Tulipe*	surnom
J'ai lu *La vie de* La Presse.	La Presse	titre de journal

Méthode 2

Le titre commence par l'article défini

Bas-de-casse à l'article défini, capitale au premier nom et à l'adjectif qui le précède. Certains auteurs écrivent l'article défini en italique avec une capitale initiale.

J'ai lu *le Français au bureau.*   J'ai lu *les Fausses Confidences.*

Le titre est une proposition débutant par l'article défini

Capitale à l'article défini seulement.

J'ai lu *Le roi se meurt.*   J'ai lu *Les fées ont soif.*

Le titre ne commence pas par l'article défini

Capitale au premier mot seulement.

J'ai vu *À bout de souffle.*   J'ai lu *On ne badine pas avec l'amour.*

Noms réunis par *et* ou bien *ou*

Capitale aux deux noms qui sont réunis par ces mots.

J'ai lu *le Loup et l'Agneau,* ainsi que *le Feu sur la terre ou le Pays sans chemin.*

Privé de frites, Parmentier inventa la pomme de terre.

Ordre alphabétique des titres d'œuvres

Par le premier mot important. Les articles n'entrent pas dans l'ordre alphabétique.

Après l'orage	on cherche à	*après*	préposition
Du contrat social	on cherche à	*contrat*	nom
La jeune captive	on cherche à	*jeune*	adjectif
Très riches heures	on cherche à	*très*	adverbe

le, la, les (dans un titre d'œuvre)

Si le titre est complet, l'article défini en faisant partie se met en italique et prend une capitale. Il se met en romain bas-de-casse s'il ne fait pas partie du titre.

J'ai lu *Les caractères,* de La Bruyère.　　J'ai lu les *Pensées,* de Pascal.

Dans des listes alphabétiques, ces titres apparaissent ainsi :

Caractères (Les), de La Bruyère...　　*Pensées,* de Pascal...

Si le titre est elliptique, l'article reste en romain bas-de-casse.

Dans le *Malade,* Molière parle des médecins (titre elliptique).

Si l'article est contracté (du), il reste en romain bas-de-casse.

La présentation du *Malade imaginaire* a eu lieu hier soir.

Accord du titre d'œuvre

Le titre est un nom propre : accord en genre.

Athalie a été jouée hier.

Le titre est un nom commun précédé de l'article défini : accord en genre et en nombre.

Les misérables ont été joués hier.

Le titre est un nom commun non précédé de l'article défini : masculin singulier.

Romances sans parole a été lu en classe.

Le titre est une proposition : accord avec le sujet de cette proposition.

La guerre de Troie n'aura pas lieu a été jouée hier.

Le titre contient deux noms unis par *et* ou par *ou* : accord avec le premier nom.

Le lièvre et la tortue a été écrit par La Fontaine.
La répétition ou l'amour puni a été représentée récemment.

Exemples de titres d'œuvres

Notre-Dame de Paris	comédie musicale	Luc Plamondon
Les invasions barbares	film	Denys Arcand
Quatre femmes	peinture	Alfred Pellan
Je vous entends rêver	poésie	Gilles Vigneault
Les fous de Bassan	roman	Anne Hébert
L'homme de fer	sculpture	Germain Bergeron
Le temps des lilas	téléroman	Marcel Dubé
Avec l'hiver qui s'en vient	théâtre	Marie Laberge

L'air pur est uniquement formé de gaz naturels.

Latin

Latin : mots francisés

Les mots latins francisés s'écrivent dans la même face que le texte et comportent des accents. Les noms prennent la marque du pluriel (**s**). Cette liste ne comprend pas les citations latines, par exemple *Carpe diem* ou *Alea jacta est,* dont on peut trouver la liste dans les grands dictionnaires. Les mots suivants sont maintenant francisés.

à capella	exlibris	postpartum, s
à contrario	extramuros	postscriptum, s
addenda, s	extrémum, s	prorata, s
à fortiori	exvoto, s	proscénium, s
agenda, s	facsimilé, s	putto, s
alibi, s	grosso modo	quantum, s
alinéa, s	impédimenta, s	quatuor, s
alléluia, s	imprimatur, s	quorum, s
alter égo, s	in extenso	quota, s
à minima	in extrémis	recto, s
angélus	incipit, s	référendum, s
à postériori	intramuros	sanatorium, s
à priori (locution adv.)	in vitro	satisfécit, s
apriori, s (nom)	in vivo	scénario, s
arborétum, s	latifundium, s	sédum, s
bénédicité, s	limès	sempervivum, s
bis	maximum, s	sénior, s
candéla, s	mea-culpa (inv.)	sérapéum, s
consortium, s	média, s	sic
crédo, s	médium, s	solo, s
curriculum vitae	mémento, s	spéculum, s
curriculums vitae	mémorandum, s	statuquo, s
de visu	minimum, s	tépidarium, s
décorum, s	muséum, s	ter
déléatur, s	nova, s	tollé, s
délirium trémens	numérus clausus	triplicata, s
déliriums trémens	oppidum, s	ultimatum, s
désidérata, s	optimum, s	ultrapétita
duplicata, s	par intérim	vadémécum, s
égo, s	parabellum, s	varia, s
emporium, s	pensum, s	vélarium, s
erratum, s	placébo, s	verso, s
etcétéra, s	plénum, s	véto, s
exéat, s	pomérium, s	via
exéquatur, s	postabortum, s	vice versa

Latin : mots non francisés

Dans un texte en romain, ces mots sont en italique, sans accents et invariables. Les abréviations de plusieurs éléments de une lettre n'ont pas d'espace entre les éléments.

Locution	Abréviation	Traduction
ad hoc	*ad hoc*	qui convient à la situation
ad libitum	*ad lib.*	à volonté, au choix
ad litem	*ad litem*	(droit) limité au seul procès

Il avait ouvert un élevage de chiens qui fit faillite. Maintenant, il est aux abois.

ad litteram	ad litt.	littéralement
ad nauseam	ad nauseam	à n'en plus finir
ad nutum	ad nutum	(droit) de façon instantanée
ad patres	ad patres	vers les ancêtres, mourir
ad valorem	ad valorem	selon la valeur
ad vitam æternam	ad vitam æternam	pour toujours
casus belli	casus belli	cas de guerre
confer	cf. ou conf.	se reporter à
de facto	de facto	selon le fait
de jure	de jure	selon le droit
delineavit	delin.	a dessiné
duplicata littera	dupl. litt.	lettre redoublée
eadem pagina	ead. pag.	même page
et alii	et al.	et autres (préférable au latin)
ex aequo	ex aequo	à égalité
ex cathedra	ex cathedra	avec un ton doctoral
exempli gratia	e.g.	p. ex. (préférable au latin)
hoc est	h.e.	c'est
ibidem	ibid.	au même endroit
id est	i.e.	c'est-à-dire
idem	id.	le même
in limine	in lim.	au commencement
in memoriam	in memoriam	à la mémoire de
in situ	in situ	dans son milieu naturel
in transitu	in trans.	en passant
initio	init.	au début
invenit	inv.	a créé, inventé
ipso facto	ipso facto	par le fait même
lato sensu	lato sensu	au sens large
loco citato	loc. cit.	passage cité
loco laudato	loc. laud.	passage approuvé
manu militari	manu militari	par la force militaire
minus habens	minus habens	personne peu intelligente
modus vivendi	modus vivendi	manière de vivre
ne varietur	n.v.	édition définitive
nec plus ultra	nec plus ultra	ce qu'il y a de mieux
nota bene	N.B. ou NB	notez bien
opere citato	op. cit.	dans l'ouvrage déjà cité
opere laudato	op. laud.	ouvrage approuvé
passim	pass.	en divers endroits
persona grata	persona grata	personne bienvenue
persona non grata	persona non grata	personne non souhaitée
pinxit	pinx.	a peint
requiem	requiem	prière pour les morts
sequiturque	sq.	et suivant
sine die	sine die	sans fixer de jour
sine qua non	sine qua non	condition indispensable
stricto sensu	stricto sensu	au sens strict
supra	sup.	ci-dessus
ultimo	ult.	en dernier lieu
ut dictum	ut dict.	comme il a été dit

Cas particuliers de l'italique

Bibliographies

Voici l'ordre des entrées :

1.	Auteur	point	RAMAT, Aurel.
2.	Titre	virgule	*Le Ramat de la typographie,*
3.	Auteurs secondaires	virgule	illustrations de Catherine Ramat,
4.	Numéro de l'édition	virgule	8e éd., *ou* 8e édition,
5.	Collection	virgule	coll. Typographie,
6.	Lieu de publication	virgule	Montréal,
7.	Nom de l'éditeur	virgule	Aurel Ramat éditeur,
8.	Date	virgule	2005,
9.	Volumes	virgule	(*c'est une monographie*)
10.	Pages	virgule	224 p., *ou* 224 pages,
11.	Renseignements	point final	19,95 $.

RAMAT, Aurel. *Le Ramat de la typographie,* illustrations de Catherine Ramat, 8e éd., coll. Typographie, Montréal, Aurel Ramat éditeur, 2005, 224 p., 19,95 $.

- Plusieurs auteurs :

Un auteur	DUBOIS, Luc.
Deux auteurs	DUBOIS, Luc, et Ève DUPONT.
Trois auteurs	DUBOIS, Luc, Ève DUPONT et Ida DURAND.
Plus de trois auteurs	DUBOIS, Luc, et autres (de préférence à *et al.*)

- La composition se fait en sommaire simple, c'est-à-dire que la première ligne est au fer à gauche (sans renfoncement) et les lignes suivantes sont renfoncées ;
- S'il n'y a pas de nom d'auteur, on commence par le titre en italique ;
- S'il n'y a qu'un seul volume (monographie), il est inutile de le mentionner ;
- Les renseignements peuvent être le prix du livre, ses récompenses, etc. ;
- S'il s'agit d'un article dans un périodique, on met le titre de l'article entre guillemets et le nom du périodique en italique.

    BONNEAU, Jean. «Cuisine familiale», *La Presse,* 8 mars 2004, page 28.

Lettres de l'alphabet

Les lettres de l'alphabet ou les lettres de référence s'écrivent en italique. Il est inutile d'y ajouter des guillemets. On peut aussi utiliser le gras romain ou le gras italique.

La lettre *m* est large.   La figure **b** est très détaillée.

Créations commerciales

Les créations commerciales (surtout dans les domaines de la parfumerie et de la haute couture) s'écrivent en italique avec une capitale au nom spécifique ainsi qu'à l'adjectif qui le précède.

le parfum *Chanel no 5*   le parfum *Soir de Paris*
le tailleur *Petit Prince*   la robe *Premier Bal*

Les Égyptiens écrivaient sur du papier russe.

Devises, maximes et proverbes

En français ou en une langue étrangère, ils s'écrivent en italique et sans guillemets.

Devise de la sobriété : *Prenons garde aux grands crus qui provoquent les cuites.*
Elle avait pour maxime : *When you do something, do it right.*
Proverbe géométrique : *Quand on prend les virages en ligne droite, c'est que ça ne tourne pas rond dans le carré de l'hypoténuse.*

Guillemets et italique

L'italique ou les guillemets sont utilisés pour faire ressortir un mot ou une expression. Quand on désire les mettre en opposition, on utilise d'abord l'italique, puis les guillemets. Ne pas ajouter de guillemets à des mots en italique.

Dans ledit contrat, les mots *la Compagnie* signifient «la Compagnie d'assurances internationales».

Indications aux lecteurs

Les parenthèses sont en romain, il n'y a pas de point final.

(*Suite de la page précédente*)   (*Suite à la page 324*)

Renvois

Un renvoi est une indication au lecteur pour le renvoyer à un autre mot ou à une autre page. L'indication se met en romain et le mot ou titre se met en italique. On peut utiliser ou non les parenthèses, qui seront en romain. Quand il s'agit d'un mot ou groupe de mots qui doivent normalement s'écrire en italique, on les conserve en italique.

Voir le chapitre *Abréviations.*   ...(voir le chapitre *Capitales*).
Consulter *Le Ramat de la typographie.*   ...(comparer avec le mot *ibidem*).

Langues étrangères

Un mot ou une expression dans une langue étrangère se met en italique.

«Comment allez-vous?» se traduit par *How do you do?*

On n'écrit pas en italique un patronyme sous prétexte d'une connotation étrangère.

Ce matin, j'ai rencontré Mme Greenwood et M. Smith.

Qu'ils soient traduits en français ou non, les mots suivants restent en romain :

Organismes	le Foreign Office, le Labour Party
Sociétés	la Toronto Public Library, la National Gallery
Écoles	la Wilson Junior High School
Manifestations	le Fourth of July Parade
Sports	le Queen's Plate, le Super Bowl
Fêtes	la Thanksgiving Day

Les mots suivants, d'origine italienne, ont été francisés. Ils s'écrivent donc en romain et avec des accents. Ils sont donnés ici au pluriel, avec un **s.**

brocolis	concertos	imbroglios	macaronis	raviolis	sopranos
cafétérias	confettis	incognitos	maestros	salamis	spaghettis
chiantis	gnocchis	influenzas	pizzérias	scénarios	trémolos

Jeanne d'Arc voyait des apparitions invisibles.

Produits et spécialités

Les produits qui portent des noms propres se composent en romain et prennent une capitale initiale. Ils restent invariables.

deux Boeing	cinq Chevrolet	trois Renault	plusieurs Ricard
trois Airbus	trois Mirage	cinq Ford	quatre Pernod

Si le produit porte un nom déposé, il apparait dans les dictionnaires *Larousse* parmi les noms communs avec une grande capitale initiale. Il est invariable.

des Coca-Cola	des Frigidaire	des Opinel	des Linotype

Si le produit portant un nom propre est si connu qu'il est devenu un nom commun, il s'écrit avec un bas-de-casse. Il prend la marque du pluriel s'il s'agit d'un nom simple, mais il reste invariable s'il s'agit d'un nom composé.

Noms simples		**Noms composés**	
un camembert	des camemberts	un pont-l'évêque	des pont-l'évêque
un bourgogne	des bourgognes	un pouilly-fuissé	des pouilly-fuissé
un diésel	des diésels	un saint-amour	des saint-amour

Si cet ancien nom propre est précédé de son générique (*fromage, vin,* etc.), il reprend sa capitale et son invariabilité.

un fromage de Camembert	des fromages de Camembert
un vin de Bourgogne	des vins de Bourgogne

Véhicules

Les noms propres de bateaux, d'avions et de trains sont en italique avec une capitale au premier nom ainsi qu'à l'adjectif qui le précède. Dans un texte courant, on met des traits d'union dans les noms. Les exemples sont fictifs.

le *Jean-Bart*	le *Prince-de-Galles*

Avec son générique : l'article est en italique avec une capitale s'il fait partie du nom.

J'ai pris le train *Le Corridor.*	J'ai pris l'avion *Château-de-Versailles.*

Sans son générique : l'article est en romain avec un bas-de-casse.

J'ai pris le *Corridor.*	J'ai pris le *Château-de-Versailles.*

Quand le nom du véhicule est **masculin,** l'article qui le précède est masculin, même si le type de véhicule est féminin.

le *Prince-de-Galles*	*Prince*	est masculin, il s'agit d'un paquebot
le *Château-de-Versailles*	*Château*	est masculin, il s'agit d'un avion
le *Corridor*	*Corridor*	est masculin, il s'agit d'un train
le *Jean-Tangue*	*Jean*	est masculin, il s'agit d'une frégate

Quand le nom du véhicule est **féminin,** l'article qui le précède est masculin si le type de véhicule est masculin ; cet article est féminin si le type de véhicule est féminin.

le *France*	*France*	est féminin, il s'agit d'un paquebot
le *Maryse-Bastié*	*Maryse*	est féminin, il s'agit d'un avion
le *Chaleur*	*Chaleur*	est féminin, il s'agit d'un train
la *Chamade*	*Chamade*	est féminin, il s'agit d'une frégate

On écrit : la capsule *Apollo,* l'explosion de la navette *Columbia.*

L'éther est un produit très volubile.

Pages liminaires d'un livre

Les pages liminaires sont les pages qui précèdent le chapitre premier.

Introduction	Texte rédigé en belle page par l'auteur pour présenter son livre et donner des précisions. Elle se compose en romain ou en italique.
Préface	Texte rédigé par une autorité en la matière et destiné à présenter le livre et son auteur. Elle se compose en romain ou en italique et se place au début du livre. Synonyme : *Avant-propos.*
Postface	Semblable à la préface, mais elle se place à la fin du livre.

Lois

Généralement en romain, mais en italique dans l'administration fédérale canadienne.

J'ai lu la Loi de l'impôt sur le revenu.　　J'ai lu la *Loi de l'impôt sur le revenu.*

Notes de musique

Seule la note est en italique. Dans un titre d'œuvre, la note reste en italique.

un *si* bémol　　　　　　　　　　　*Concerto en fa majeur*

Pour détacher un mot

On doit utiliser l'italique ou les guillemets, sinon on commet un non-sens.

Dans ce texte, le mot *suivant* est très important.
Dans ce texte, le mot «suivant» est très important.
Dans ce texte, le mot suivant est très important (*non-sens*).

Après certains verbes

Pour détacher un mot après les verbes *écrire, dire, appeler, nommer,* il faut utiliser l'italique ou les guillemets, sinon la phrase n'est pas précise.

Quand j'écris le mot *mal,* je l'écris correctement.
Quand j'écris le mot «mal», je l'écris correctement.
Quand j'écris le mot mal, je l'écris correctement (*non-sens*).

Adresse de courriel ou de site

Dans un texte courant, on met l'adresse de courriel ou de site en romain ou en italique.

Le courriel du GQMNF est gqmnf@renouvo.org ou *gqmnf@renouvo.org.*
Le site de l'OQLF est www.olf.gouv.qc.ca ou *www.olf.gouv.qc.ca.*

Séminaires, cours, concours...

Les titres de séminaires, cours, concours, programmes et expositions se composent en italique, avec une capitale initiale au premier mot seulement, quel qu'il soit.

Le séminaire *L'an 2000 sans bogue* était intéressant.
J'ai assisté au cours *Faire de l'argent avec celui des autres* la semaine dernière.
Le concours *L'orthographe facile* a été un succès.
L'orateur nous a parlé du programme *Risques limités* avec clarté et précision.
Nous avons visité l'exposition *Le mystérieux peuple des tourbières* hier soir.

Philatéliste cherche copine ayant un beau timbre de voix.

Villas

Dans un texte courant, les noms de villas, domaines, propriétés et maisons s'écrivent en italique et suivent les mêmes règles que les titres d'œuvres : capitale au premier mot.

> J'adore notre villa *La belle vie.*   Notre propriété *Belle vue* est agréable.
> Nous passons l'été à notre maison de campagne *Notre repos bien gagné.*

Écoles

Voici les conseils de la Commission de toponymie du Québec concernant l'écriture des noms d'écoles du système scolaire dans un texte courant.

Toujours un bas-de-casse initial au générique

On ne fait pas de différence entre la personne physique ou morale du bâtiment.

> l'école Micheline-Brodeur   l'école De Maisonneuve

Utilisation de la préposition *de*

Au lieu d'écrire comme dans la colonne de gauche, alors qu'on hésitait à mettre ou non le spécifique en italique et l'article avec une capitale, on utilise maintenant la préposition **de** et on écrit le tout en romain (colonne de droite).

écriture non recommandée	écriture recommandée
l'école Tourterelle	l'école de la Tourterelle
l'école *la Sapinière*	l'école de la Sapinière
l'école *Les Moussaillons*	l'école des Moussaillons
l'école le Parchemin	l'école du Parchemin

Si le nom de l'école est dans une langue étrangère, il s'écrit en romain.

> la Champlain High School

Casse et traits d'union dans les spécifiques

Tous les éléments ont une capitale initiale, sauf les articles et les prépositions. Ils sont reliés par un trait d'union, sauf les particules à l'intérieur du patronyme (dernière ligne).

> l'école des Hauts-Bois   l'école des Prés-Verts
> l'école du Petit-Chapiteau   l'école du Premier-Envol
> l'école du Lac-des-Deux-Montagnes   l'école Saint-Pie-X
> l'école Samuel-De Champlain   l'école Jean-De La Fontaine

Écoles n'appartenant pas au système scolaire

Les écoles privées et les grandes écoles suivent la règle mentionnée à l'entrée *Enseignement* : capitale s'il s'agit de l'aspect *moral,* bas-de-casse s'il s'agit de l'aspect *physique.* Si la dénomination est composée de noms communs, elle garde la capitale (à droite).

> *Moral :*   l'École Dupont   l'École polytechnique
> *Physique :* le toit de l'école Dupont   le toit de l'École polytechnique

Le générique *Université* garde toujours la capitale

Tous les noms des universités du Canada s'écrivent toujours avec une capitale initiale.

> l'Université de Montréal   l'Université McGill

François Ier était le fils de François zéro.

Nombres

Écriture des nombres en lettres

[L'orthographe traditionnelle est indiquée entre crochets. Choisissez.]

Définitions

Numéral cardinal (quantité) : un, deux, trois, dix-sept, vingt-cinq, cent, mille, etc.

Numéral ordinal (rang) : premier, deuxième, troisième, dix-septième, centième, etc.
Il n'y a évidemment jamais de trait d'union entre un numéral et le nom qu'il qualifie.

vingt-deux jours	*et non pas* : vingt-deux-jours
vingt-deuxième jour	*et non pas* : vingt-deuxième-jour

Fraction. Dans la fraction 25/100, le nombre 25 est le numérateur, et 100 est le dénominateur. Il n'y a jamais de trait d'union entre le numérateur et le dénominateur. Le dénominateur s'accorde en nombre.

1/4	un quart	3/4	trois quarts
1/5	un cinquième	3/5	trois cinquièmes
60/10	soixante dixièmes	25/100	vingt-cinq centièmes

Traits d'union

En nouvelle orthographe (à gauche), tous les éléments sont reliés par des traits d'union. En orthographe traditionnelle, ils sont parfois reliés par des traits d'union, parfois non.

Numéral cardinal (quantité)

cent-trente-deux	vingt-et-un	[cent trente-deux]	[vingt et un]
soixante-et-onze	quatre-vingt-un	[soixante et onze]	[quatre-vingt-un]

Numéral ordinal (rang)

soixante-dixième, vingt-et-unième	[soixante-dixième, vingt et unième]
deux-cent-cinquante-troisième	[deux cent cinquante-troisième]
Elle est arrivée deux-centième (200e)	[Elle est arrivée deux centième.]
Ils sont arrivés deux-centièmes (200es)	[Ils sont arrivés deux centièmes.]

Fractions. Jamais de trait d'union entre le numéral et le nom en *-ièmes.*

Ils sont arrivés avec trente-et-un centièmes de seconde de retard (31/100).
[Ils sont arrivés avec trente et un centièmes de seconde de retard (31/100).]

La nouvelle orthographe permet donc de différencier diverses fractions et un rang.

mille-cent-vingt septièmes	1120/7	[mille cent vingt septièmes]
mille-cent vingt-septièmes	1100/27	[mille cent vingt-septièmes]
mille cent-vingt-septièmes	1000/127	[mille cent vingt-septièmes]
mille-cent-vingt-septièmes	1127^{es}	[mille cent vingt-septièmes]

Chiffres et lettres mélangés

Il n'est pas conseillé de mélanger les chiffres et les lettres, sauf avec **million** et **milliard** quand ils sont employés **seuls.** On le fait pour éviter les nombreux zéros et ainsi faciliter la lecture. Dans ce cas, on n'utilise pas de trait d'union dans les deux orthographes.

120,3 millions de dollars	la somme de 28 milliards de dollars
mais pas : 120 millions 300 mille	*ni :* 27-milliards-six-cent-millions

---

Pour l'écriture des noms de bateaux, l'usage est flottant.

Noms sans traits d'union

Les noms suivants ne sont pas des numéraux. En nouvelle orthographe tout comme en orthographe traditionnelle [entre crochets], ils ne prennent pas de trait d'union avant ni après eux (sauf *demi* quand il est suivi d'un nom, comme dans *une demi-heure*).

neuvaine	quinzaine	quarantaine	centaine	demi
dizaine	vingtaine	cinquantaine	millier	tiers
douzaine	trentaine	soixantaine	moitié	quart

vingt-et-une douzaines d'œufs		[vingt et une douzaines d'œufs]
vingt-et-un tiers	21/3	[vingt et un tiers]
vingt et un tiers	20+1/3	[vingt et un tiers]
trente-et-un et quart	31¼	[trente et un et quart]
vingt-et-un trois quarts	21¾	[vingt et un trois quarts]

Les noms *million* et *milliard*

Ces noms prennent la marque du pluriel. En nouvelle orthographe, ils sont reliés aux autres mots par des traits d'union (à gauche). En orthographe traditionnelle, ils ne sont pas reliés aux autres mots par des traits d'union (à droite).

un-million-deux-cent-mille	[un million deux cent mille]
trois-millions-cent-vingt-six-mille	[trois millions cent vingt-six mille]
un-milliard-trois-cent-millions	[un milliard trois cents millions]
six-milliards-deux-cent-millions	[six milliards deux cents millions]

Accord de *cent*

Multiplié et suivi d'un nom	deux-cents dollars	[deux cents dollars]
Pas multiplié	mille-cent dollars	[mille cent dollars]
Suivi d'un numéral	deux-cent-trois	[deux cent trois]
Suivi de **mille** (numéral invariable)	deux-cent-mille	[deux cent mille]
Suivi de **millions** ou **milliards**	deux-cent-millions	[deux cents millions]
S'il s'agit d'un rang	la page deux-cent	[la page deux cent]

Accord de *quatre-vingt*

Suivi d'un nom	quatre-vingts dollars	[quatre-vingts dollars]
Suivi d'un numéral	quatre-vingt-deux	[quatre-vingt-deux]
Suivi de **mille** (numéral invariable)	quatre-vingt-mille	[quatre-vingt mille]
Suivi de **millions** ou **milliards**	quatre-vingt-millions	[quatre-vingts millions]
S'il s'agit d'un rang	la page quatre-vingt	[la page quatre-vingt]

Le mot *un*

Élision. Quand le mot **un** ou **une** est numéral cardinal, on ne fait généralement pas l'élision : on écrit *de un*. Quand il est article indéfini, on fait l'élision : *d'un*.

　　une pièce de un dollar (numéral)　　　　le chant d'un oiseau (article indéfini)

Trait d'union. Quand le mot **un** fait partie d'un numéral, il prend un trait d'union en nouvelle orthographe; il ne prend pas de trait d'union en orthographe traditionnelle, sauf dans *quatre-vingt-un*. Il n'en prend jamais quand il est article indéfini.

　　avoir un-million [un million] de dollars à la banque (numéral, somme exacte)
　　avoir un million [un million] de choses à faire (article indéfini, approximation)

La pérennité, c'est quand on devient père.

Emplois des nombres

Historique

Avant Jésus-Christ, les Arabes utilisaient des cailloux pour calculer. (Le mot *calcul* vient du latin *calculus,* qui signifie «caillou».) Leur système ne comprenait pas de zéro. Pour compter ses moutons, le berger posait par terre un caillou pour chaque mouton qui passait. Le soir, il comparait les cailloux avec les moutons. Au cinquième siècle après Jésus-Christ apparaît aux Indes l'emploi des dix chiffres de 0 à 9. Le mot *zéro* vient de l'arabe *sifr,* changé en *zero* en 1491 dans un traité de Florence. C'est à partir de 1440, grâce aux imprimeurs, que la forme des dix chiffres a été définitivement fixée.

Travaux juridiques

Dans les travaux juridiques, on écrit le nombre en lettres et on le répète en chiffres entre parenthèses. Si l'un des deux nombres devenait illisible par accident, l'autre donnerait alors la précision souhaitée.

Cette proposition expirera après un délai de quatre-vingt-dix (90) jours.

Travaux littéraires

Les nombres s'écrivent en lettres dans les travaux littéraires. Les nombres y sont peu nombreux et donnent rarement lieu à des comparaisons.

Mon âme aux mille voix, que le dieu que j'adore
Mit au centre de tout, comme un écho sonore. (Victor Hugo)

Travaux scientifiques

Les nombres s'écrivent en chiffres dans les travaux scientifiques. Ces ouvrages comportent de nombreux chiffres, et écrire ces derniers en lettres prendrait trop de place. Il faut dire que la lecture d'un nombre écrit en chiffres est toujours plus facile.

Le nombre π (3,141 592 653 5...) se retient en comptant les lettres des mots de ce poème :
Que j'aime à faire apprendre un nombre utile aux sages...

Travaux ordinaires

Dans les travaux ordinaires, quand les nombres n'entrent pas dans l'une des catégories mentionnées dans la section *Chiffres arabes,* page suivante, ils s'écrivent :

En lettres pour les nombres de *un* à *neuf* inclus

Elle avait huit ans à cette époque.

En chiffres pour les nombres à partir de 10 (s'ils sont entiers)

Elle avait 10 ans à cette époque.   Elle avait dix ans et demi à cette époque.

En chiffres si les deux cas se trouvent dans la même phrase

Elle avait entre 8 et 10 ans à cette époque.

Le phoque est un animal aéronaval parce qu'il rentre et sort de l'eau.

Chiffres arabes

Espacement des nombres

Nombre signifiant une quantité

Les nombres signifiant une quantité (et non pas un rang) sont séparés en groupes de trois chiffres détachés par une espace fine ou une espace insécable, même les décimales. Si le nombre n'a que quatre chiffres, on peut l'écrire avec ou sans espace. On met une espace insécable entre le nombre et le symbole.

23 234,78 $ 2 678 kg   *ou*   2678 kg   π = 3,141 592 653...

Nombre signifiant un rang

Les numéros d'adresses, d'années, d'articles, de circulaires, de loteries, de pages et de projets de lois s'écrivent en chiffres. On ne met pas d'espace entre les tranches de trois chiffres, car il ne s'agit pas d'une quantité mais d'un **rang.** (Une loi ne peut pas porter de numéro, seul le projet de loi le peut.)

12345, rue Dupont   l'année 2006   l'article 4234   la circulaire 8976
le billet 879809   la page 1456   le projet de loi 1056

Début d'une phrase

Un nombre au début d'une phrase s'écrit en lettres. On évitera cette tournure de phrase si le nombre est très grand.

Il y avait 25 personnes. Dix-huit d'entre elles appartenaient à la Société.
Il y avait 25 personnes, dont 18 appartenaient à la Société.

Âges

Les nombres dans les âges s'écrivent en lettres de *un* à *neuf* inclus, et en chiffres à partir de *dix*. Si le nombre n'est pas entier, on l'écrit en lettres.

Ce bébé a deux mois.   Victor Hugo est mort à 83 ans.
Geneviève a deux ans et trois mois.   François a dix-sept ans et demi.

Cartes à jouer

Les nombres des cartes à jouer s'écrivent en lettres.

le neuf de carreau   le dix de pique

Classes d'école

En lettres avec bas-de-casse initial aux classes d'école, de train ou d'avion.

la troisième C   la classe de quatrième
en deuxième année   voyager en première

Densités

Un nombre dans une densité s'écrit en chiffres. Il est décimal, donc avec une virgule.

Le plomb a une densité de 11,35 et il fond à 327,5 °C. Il bout à 1740 °C.

Il faisait un froid de six béries.

Degré

Le signe de degré (un petit cercle ° supérieur) s'emploie dans les domaines suivants : longitude et latitude, angles plans, degrés d'alcool et températures. Il ne peut être utilisé que lorsqu'il est précédé d'un nombre de quantité écrit en chiffres, et non d'un numéro d'ordre.

Il a fait 10° à l'ombre aujourd'hui.   Elle a été brulée au troisième degré.
Il fait plus chaud de quelques degrés.   Il est au 30ᵉ degré de latitude N.

Degrés d'alcool

Le signe ° est collé au nombre qui le précède (décimales comprises) et il est suivi d'une espace sécable. Ces valeurs sont décimales, donc avec la virgule.

un vin de 10° très fruité   un vin de 10,4° excellent

Degrés de température

Si la précision C ou F (Celsius ou Fahrenheit) n'est pas donnée, le signe ° est collé au nombre qui le précède (décimales comprises) et il est suivi d'une espace sécable ; si le signe est précisé par C ou F, il est détaché du nombre par une espace insécable. Ces valeurs sont décimales, donc avec une virgule.

Il a fait 26,7° aujourd'hui.   Il a fait 26,7 °C aujourd'hui.

Horaires

Les horaires de trains, d'avions ou d'autocars sont donnés en heures et en minutes. La journée commence à minuit. Dans un même jour, le premier train peut partir à 00:00 et le dernier à 23:59. On utilise toujours quatre chiffres. Voici les deux façons d'écrire les horaires, au choix :

00:00	*ou*	0000	minuit
01:01	*ou*	0101	une heure une minute du matin
12:15	*ou*	1215	midi et quart
15:00	*ou*	1500	quinze heures (trois heures de l'après-midi)
23:59	*ou*	2359	minuit moins une minute du jour suivant

Longitude, latitude, angles plans

Le signe ° est collé au nombre qui le précède. On met une espace insécable entre les éléments. Ces valeurs sont données en degrés, minutes d'angle et secondes d'angle. On ne met pas de zéro devant les chiffres inférieurs à dix. Il y a 360 degrés dans une circonférence, 60 minutes dans un degré et 60 secondes dans une minute.

Ce point est situé par 41° 8′ 25″ de latitude N.
Ce triangle a un angle de 43° 9′ 25″ exactement.
Un angle droit est un angle de 90° exactement.

Poésies

Les nombres s'écrivent en lettres.

Ce siècle avait deux ans. Rome remplaçait Sparte.
Déjà Napoléon perçait sous Bonaparte.

En cas de grossesse, on fait une chorégraphie.

Pourcentages

Dans les pourcentages, les nombres accompagnés du signe % s'écrivent en chiffres. Le signe % est détaché du nombre par une espace insécable, alors que les fractions (¼, ½ et ¾) sont collées au nombre qui les précède.

50 %   12½ %   6,125 %   3,5 p. 100   dix pour cent

On emploiera la forme % dans les textes scientifiques, les tableaux et les textes ordinaires. La forme *p. 100* sera utilisée sur demande de l'auteur seulement. Enfin, la forme *pour cent* sera utilisée dans les textes littéraires. Si le nombre n'est pas entier, il est préférable d'utiliser la forme avec la virgule plutôt que les fractions. Les mêmes règles peuvent s'appliquer à ‰ (pour mille).

Les signes % et $ peuvent être répétés ou non dans les exemples suivants :

un intérêt de 4 % à 6 % annuel   un gain de 100 $ à 150 $
un intérêt de 4 à 6 % annuel   un gain de 100 à 150 $

Il vaut mieux dire :

un quart pour cent (0,25 %)   *plutôt que :* un quart de un pour cent

Proverbes

Les nombres dans les proverbes s'écrivent en lettres.

Deux opinions valent mieux qu'une.   *Un homme averti en vaut deux.*

Statistiques

Les nombres dans les statistiques s'écrivent tous en chiffres.

Les travailleurs sont-ils pour ou contre les vacances ?

456 m'ont répondu : «Je suis pour.»
 34 m'ont répondu : «Je ne suis pas contre.»

Votes

Les nombres indiquant le résultat d'un vote s'écrivent tous en chiffres.

Le résultat du vote fut le suivant : 16 voix pour et 5 voix contre.

Arrêtons de passer du coq à l'âne et revenons à nos moutons.

Chiffres romains

Alignement

Dans un tableau, les chiffres arabes s'alignent sur la droite et les chiffres romains sur la gauche ou la droite. Dans une table des matières, ils s'alignent sur la droite.

Table des matières

1	I	9	IX	80	LXXX	I.	Abc de typographie
2	II	10	X	90	XC	II.	Capitales
3	III	20	XX	100	C	III.	Coupures
4	IV	30	XXX	200	CC	IV.	Italique
5	V	40	XL	300	CCC	V.	Nombres
6	VI	50	L	400	CD	VI.	Orthographe
7	VII	60	LX	500	D	VII.	Ponctuation
8	VIII	70	LXX	1000	M	VIII.	Typographie anglaise

I	peut se soustraire de V et X	Exemples :	IV	4	IX	9
X	peut se soustraire de L et C	Exemples :	XL	40	XC	90
C	peut se soustraire de D et M	Exemples :	CD	400	CM	900

Acte de théâtre

acte III, scène II   *ou* : acte III, scène ɪɪ (petites capitales)

Chapitre, tome, volume

le chapitre IV   le tome III   le volume II

Concile

le concile Vatican II   le concile de Latran IV

Manifestation commerciale

les XIXes Jeux olympiques   le XVe Salon de l'automobile

Millénaire

le IIIe millénaire   le Ier millénaire

Régime politique

la IVe République   le IIIe Reich

Siècle

le XXe siècle   LE XXe SIÈCLE (le ^e reste en bas-de-casse)

Souverain

Louis XIV   Jean XXIII

François Mitterrand a été le successeur de François Ier.

Orthographe

Introduction

Les langagiers

Ce chapitre *Orthographe* fait maintenant partie de ce livre de typographie. De nos jours, il est évident que les fonctions de rédacteur, de réviseur, de traducteur et de correcteur d'épreuves se sont entremêlées. Autrement dit, tous les langagiers doivent connaitre à la fois l'orthographe et la typographie.

La nomenclature traditionnelle

Ce chapitre n'est pas une grammaire complète. C'est plutôt un aide-mémoire présenté de façon claire et pratique. La nomenclature grammaticale est celle qui est utilisée dans le *Multidictionnaire,* le *Larousse* et le *Robert.* C'est celle qui a traversé les siècles, à l'abri des inventions éphémères et inutiles.

Dans le chapitre *Ponctuation,* qui fait partie des règles typographiques, j'explique par exemple qu'on ne doit pas séparer par une virgule le *verbe* de son *sujet* ni de son *complément d'objet direct.*

Pour être sûr que mon lecteur comprend bien ces termes en italique, j'ai donc rédigé ce chapitre *Orthographe.*

Abréviations utilisées dans ce livre

[ ]	le texte entre crochets indique l'orthographe traditionnelle
{ }	le texte entre accolades indique une commande
+	le signe + indique qu'il faut garder le doigt sur la touche, exemple : Ctrl+b
adj.	adjectif
adv.	adverbe
c.o.d.	complément d'objet direct
c.o.i.	complément d'objet indirect
exc.	exception
ex.	exemple
f.	féminin
f.p.	féminin pluriel
inv.	invariable
m.	masculin
m./f.	masculin ou féminin
m.p.	masculin pluriel
n.	nom
n.f.	nom féminin
n.f.p.	nom féminin pluriel
n.m.	nom masculin
n.m.p.	nom masculin pluriel
p. ex.	par exemple
p.p.	participe passé
ou PP	participe passé
var.	variable
v. imp.	verbe impersonnel
v.i.	verbe intransitif
v.t.	verbe transitif
v.t.i.	verbe transitif indirect

Nomenclature grammaticale simplifiée

Nom (mot variable qui désigne soit un être, soit une chose).

Genre	nom masculin (un sac), féminin (une vie), épicène (un, une élève).
Nombre	nom singulier (un chat, une table), pluriel (des chats, des tables).
Forme	nom simple (timbre, ciel), composé (timbre-poste, arc-en-ciel).
Sens	sens propre (une fleur des champs), figuré (la fleur de l'âge).
Acception	nom concret (enfant, maison), abstrait (confiance, fermeté).
Statut	nom commun (chien, fauteuil), propre (Dupont, Montréal).
Pluralité	nom individuel (rédacteur, banc), collectif (un groupe, une foule).

Déterminant (mot variable qui précise un nom et le précède).

Démonstratif	ce, cet, cette, ces.
Possessif	mon, ton, son, ma, ta, sa, mes, tes, ses, notre, votre, leur...
Interrogatif	quel, quelle, quels, quelles.
Indéfini	certains, certaines, aucun, aucune, plusieurs, divers, tout, toute...
Numéral	cardinal (un, deux, trois...), ordinal (premier, deuxième...).
Article	défini (le, la, les), indéfini (un, une, des), partitif (du, de la, des).

Pronom (mot variable qui sert à remplacer un nom déjà exprimé ou sous-entendu).

Démonstratif	ce, ceci, cela, celle, celle-ci, celle-là, celles, celles-ci, celles-là...
Possessif	le mien, le tien, le sien, la mienne, la tienne, la sienne...
Interrogatif	qui, que, quoi, ce qui, ce que, lequel, duquel, auquel, laquelle...
Indéfini	aucun, certains, plus d'un, personne, plusieurs, l'un, quelqu'un...
Personnel	je, tu, il, elle, on, nous, vous, ils, elles, me, te, se, moi, toi, soi...
Relatif	qui, que, quoi, dont, où, lequel, laquelle, lesquels, lesquelles...

Adjectif (mot variable qui qualifie le nom ou le pronom).

Qualificatif	épithète, attribut, apposition.
Verbal	venant d'un verbe (souriant, souriante).
De couleur	simple (bleu, rouge), formée d'un nom (cerise, noisette).

Verbe (mot variable qui, dans une proposition, exprime l'action ou l'état du sujet).

Procès	verbe d'action (marcher, parler), verbe d'état (être, sembler).
Voix	active (je lis), passive (le livre est lu), pronominale (je me lave).
Formes	affirmative, négative, interrogative, interro-négative.
Transitivité	transitif direct, transitif indirect, intransitif, impersonnel.
Groupes	premier en -*er*, deuxième en -*ir* -*issant*, troisième : les autres.
Personnes	1re (je, nous), 2e (tu, vous), 3e (il, elle, ils, elles, on).
Modes	infinitif, indicatif, conditionnel, subjonctif, impératif, participe.

Temps				
	présent	j'aime	passé composé	j'ai aimé
	imparfait	j'aimais	plus-que-parfait	j'avais aimé
	passé simple	j'aimai	passé antérieur	j'eus aimé
	futur	j'aimerai	futur antérieur	j'aurai aimé
	cond. présent	j'aimerais	cond. passé	j'aurais aimé
	subj. présent	que j'aime	subj. passé	que j'aie aimé

Adverbe (mot invariable qui modifie un verbe, un adjectif ou un autre adverbe).
Elle marche *vite*. Ils sont *peu* efficaces. Elle parle *très* bien.

Conjonction (mot invariable qui lie des mots ou des phrases de même nature).
Coordination (mais, ou, et, donc, or, ni, car), subordination (si, que, quand...).

Interjection (mot, ou groupe de mots, invariable qui sert à souligner une émotion).
Douleur ou joie (Ah! que je suis content!), regret (Hélas! il pleut.)

Préposition (mot invariable qui introduit un complément apportant une précision) :
à, de, en, sur, avec, par, pour... (Je vais *à* Québec. J'aime les chansons *de* Céline.

Pour savoir si on est en bonne santé, il faut passer un ketchup.

Fonctions du nom

Sujet

Il répond à la question **qui est-ce qui?** ou **qu'est-ce qui?** posée avant le verbe.

Caroline joue au tennis.   La *pluie* tombe.

Complément d'objet direct (c.o.d.)

Il répond à la question **qui?** ou **quoi?** posée après le verbe d'action. On dit alors que le verbe est *transitif direct.*

Paul appelle le *directeur.*   La jeune fille lit le *journal.*

Complément d'objet indirect (c.o.i.)

Il répond aux questions **à qui? à quoi? de qui? de quoi?** posées après le sujet et le verbe. Le verbe est alors *transitif indirect,* car il est construit avec une préposition. Un verbe qui n'a ni c.o.d. ni c.o.i. est dit *intransitif.*

Les soldats obéissent au *capitaine.*   La dame renonce à la *poursuite.*
Il se souvient de ses *parents.*   Je marche (*verbe intransitif*).

Complément circonstanciel

Il répond aux questions **où? quand? comment? combien?** posées après le verbe.

Je vais à la *mer.*   Je partirai *mardi.*
Je voyagerai en *train.*   Cela me coutera mille *dollars.*

Complément du nom

En général, il précise un nom ou un pronom à l'aide de la préposition **de.** Il définit :

l'auteur	une lettre de *Paul*	l'origine	du sucre de *betterave*
le contenu	un verre de *vin*	le possesseur	la bicyclette de *Paul*
la matière	un mur de *ciment*	le prix	un livre de *20 dollars*

Apostrophe rhétorique

Elle représente l'être ou la chose à qui l'on s'adresse.

Je t'en prie, *Luc,* viens ici.   *Montagnes,* je vous adore.

Apposition

Un nom est en apposition quand il est à côté d'un nom pour le préciser.

Madame Claire Dubé, *présidente,* a pris la parole.
Le professeur nous a montré des lettres *types* (*types* : apposition attachée).

Attribut

Il qualifie le sujet ou le c.o.d. par l'intermédiaire d'un verbe d'état.

Georges est le *fils* du ministre.   Je la croyais *architecte.*

Les croisades, c'était des voyages en bateaux organisés par le pape.

Accord du verbe

Avec le sujet

Le verbe s'accorde en personne et en nombre avec son sujet. Le sujet répond à la question **qui est-ce qui?** ou **qu'est-ce qui?** posée avant le verbe.

> La *fille* et le *garçon* s'avancent. *Je* les vois. *On* les voit.
>> qui est-ce qui s'avance? — la fille et le garçon (troisième personne du pluriel).
>> qui est-ce qui les voit? — je (première personne du singulier).
>> qui est-ce qui les voit? — on (troisième personne du singulier).

> *Ils* ont accepté les offres que leur avait faites la *ministre*.
>> qui est-ce qui a accepté les offres? — ils (troisième personne du pluriel).
>> qui est-ce qui a fait les offres? — la ministre (troisième pers. du singulier).

> *Ils* nous donneront les résultats quand *nous* les demanderons.
>> qui est-ce qui donnera les résultats? — ils (troisième personne du pluriel).
>> qui est-ce qui les demandera? — nous (première personne du pluriel).

> Toute la nombreuse *famille* était réunie.
>> qui est-ce qui était réunie? — la famille (même s'il y a plusieurs personnes).

Le sujet est un infinitif

Le verbe se met au singulier.

> *Pratiquer* différents sports est un exercice qui forme le corps et l'esprit.

Pronoms personnels différents

La première personne l'emporte sur la deuxième, et la deuxième sur la troisième.

> Toi et moi *chanterons.*   Vous et moi *chanterons.*
> Elle et moi *chanterons.*   Lui, toi et moi *chanterons.*
> Vous et lui *chanterez.*   Toi et lui *chanterez.*

Deux sujets de genre différent

Avec deux sujets de genre différent, l'accord se fait au genre non marqué.

> La fille et le garçon sont *arrivés.*   La table et le banc sont *bleus.*

Pronom relatif *qui*

Le verbe se met à la même personne et au même nombre que l'antécédent.

> Est-ce *toi* qui *as* frappé?   C'est *moi* qui *ai* dit cela.

Adverbe de quantité

Le verbe se met au pluriel seulement si ce qui suit peut se compter.

assez de	bien des	moins de	plus de	tant de
beaucoup de	combien de	peu de	que de	trop de...

Beaucoup de joueurs *riaient.*   Beaucoup de tendresse *illuminait* son regard.

Dans une course de vitesse, il faut courir à perdre la laine.

Accord de l'adjectif

Qualificatif

L'adjectif qualificatif, qu'il soit attribut (avec l'aide d'un verbe), épithète (sans l'aide d'un verbe) ou apposition (entre deux virgules), s'accorde en genre et en nombre avec le nom ou le pronom auquel il se rapporte.

Attribut	Ces robes sont *belles* ; elles sont même *magnifiques*.
Épithète	Les *beaux* jours sont arrivés.
Apposition	Toutes ces robes, très *belles,* sont à vendre.

Deux noms de même genre

L'adjectif qui se rapporte à deux noms singuliers s'accorde en genre et en nombre avec les noms ou le pronom auxquels il se rapporte.

Le chemin et le pont sont très *beaux.*   Ils sont très *beaux.*
La route et la rivière sont très *belles.*   Elles sont très *belles.*

Deux noms de genre différent

L'adjectif se met au masculin pluriel (genre non marqué).

Il portait une cravate et un manteau *noirs.*

La cravate et le manteau étaient noirs. Placer le nom masculin près de l'adjectif.

Un seul des noms

Si l'adjectif se rapporte à un seul des noms, l'accord se fait selon le sens.

Il portait une cravate et un manteau *noir.*

Seul le manteau était noir : l'adjectif s'accorde avec ce nom seulement.

Deux adjectifs pour un nom

L'accord des adjectifs se fait selon le sens. Il y a un seul gouvernement fédéral.

Les gouvernements *fédéral* et *provinciaux* sont représentés.

Deux noms unis par *de*

L'accord de l'adjectif se fait selon le sens.

une forêt de sapins *immense*   *c'est la forêt qui est immense*
une forêt de sapins *immenses*   *ce sont les sapins qui sont immenses*

un panier de cerises *solide*   *c'est le panier qui est solide*
un panier de cerises *rouges*   *ce sont les cerises qui sont rouges*

Adjectif employé comme adverbe

Cet adjectif reste invariable, comme un adverbe.

Léa parle *fort* (fortement).   Ces élèves comptent *juste* (justement).

C'est Richelieu qui fonda la Star Académie française.

Adjectif de couleur

Couleur simple

L'adjectif de couleur simple s'accorde en genre et en nombre avec le nom auquel il se rapporte. Liste partielle des adjectifs de couleur simples :

beige	brun	fauve	jaune	pourpre	vermeil
blanc	châtain	glauque	mauve	rose	vert
bleu	cramoisi	gris	noir	rouge	ultraviolet
blond	écarlate	incarnat	orangé	roux	violet...

des robes *bleues*

Couleur formée d'un nom

Liste partielle des noms pris comme adjectifs de couleur (invariables) :

abricot	bronze	coquelicot	groseille	nacre	pomme
amarante	café	crème	havane	noisette	prune
ardoise	caramel	cuivre	indigo	ocre	rouille
argent	carmin	ébène	ivoire	olive	safran
auburn	cerise	émeraude	jonquille	or	saumon
azur	châtaigne	fer	kaki	orange	sépia
bistre	chocolat	framboise	marron	pervenche	tomate
brique	citron	grenat	moutarde	pistache	turquoise...

des robes *citron,* des costumes *vert-de-gris*

Couleur suivie d'un nom

L'adjectif de couleur et le nom qui le suit sont invariables, sans trait d'union.

des robes *rouge cerise*

Couleur suivie d'un adjectif

L'adjectif de couleur et l'adjectif qui le suit sont invariables, sans trait d'union.

des robes *bleu clair*

Deux couleurs mélangées

Les deux couleurs simples sont invariables, avec trait d'union. Elles sont mélangées pour former une nouvelle couleur.

une encre *bleu-noir*

Deux couleurs additionnées

Les deux adjectifs de couleur restent invariables, et l'on utilise le mot **et** sans trait d'union. Ces photos ont chacune du noir et du blanc additionnés mais non mélangés.

des photos *noir et blanc*

Deux couleurs pour un seul nom

Il y a des rayures noires et des rayures blanches. Les deux adjectifs s'accordent.

des rayures *noires et blanches*

Indécis cherche bascule de précision pour peser le pour et le contre.

Propositions

Indépendante

Une proposition indépendante ne dépend d'aucune autre proposition.

> *J'irai au restaurant avec mon copain.*

Deux propositions indépendantes peuvent être coordonnées.

> *Nous sommes allés au restaurant* et *nous avons bien ri.*

Principale

Elle exprime l'idée principale de la phrase. On ne peut pas la supprimer.

> Quand le soleil est revenu, *nous sommes sortis.*

On ne peut pas supprimer la principale (*en italique*), car la phrase serait incomplète.

Subordonnée relative explicative

Elle est introduite par un pronom relatif : *qui, que, quoi, dont, où...* Entre deux virgules, elle «explique» que toutes les poires étaient mures.

> Les poires, *qui étaient mures,* ont été cueillies.

Subordonnée relative restrictive

Elle est introduite par un pronom relatif : *qui, que, quoi, dont, où...* Sans virgules, elle «restreint» le nombre de poires qui ont été cueillies.

> Les poires *qui étaient mures* ont été cueillies.

Subordonnée circonstancielle

Elle indique les circonstances qui entourent la principale. Il y a des circonstancielles...

de temps	*Quand le chat est parti,* les souris dansent.
de but	Je croise mes doigts *pour que tu réussisses.*
de cause	Tu dois prendre ton parapluie *parce que le temps se couvre.*
de condition	*Si je savais la réponse à cette question,* je vous la dirais.

Subordonnée participiale

Son verbe est un participe (présent ou passé).

> *Espérant une réponse,* je vous adresse mes sincères salutations.
> *Le beau temps revenu,* nous avons repris notre marche.

Incise et incidente

Proposition généralement courte, intercalée dans une autre, qui a le même effet qu'une parenthèse. L'incise (verbe indiquant qu'on rapporte des paroles) et l'incidente (intervention personnelle) sont entre deux virgules.

«Cette salade, *dit-elle,* est délicieuse.»	incise
«Ce cheval, *il me semble,* est nerveux.»	incidente

Au Moyen Âge, la bonne santé n'avait pas encore été inventée.

Participe

Participe présent

Le participe présent se termine toujours par **-ant** et reste invariable. On le reconnait quand on peut mettre **en** devant lui.

Il entra, *souriant* aux invités.   Elle entra, *souriant* aux invités.
Ils entrèrent, *souriant* aux invités.   Elles entrèrent, *souriant* aux invités.

Participe présent employé comme adjectif

Il s'accorde en genre et en nombre avec le nom auquel il se rapporte. On le nomme *adjectif verbal*.

Ces garçons *souriants* sont entrés.   Ces filles *souriantes* sont entrées.

Participe présent et adjectif verbal

Il existe parfois des différences orthographiques entre le participe présent et l'adjectif verbal ou le nom.

Part. présent	Adjectif ou nom	Part. présent	Adjectif ou nom
adhérant	adhérent	fabriquant	fabricant
affluant	affluent	fatiguant	fatigant
coïncidant	coïncident	fringuant	fringant
communiquant	communicant	influant	influent
confluant	confluent	intriguant	intrigant
convainquant	convaincant	naviguant	navigant
convergeant	convergent	négligeant	négligent
déférant	déférent	précédant	précédent
détergeant	détergent	présidant	président
différant	différent	provoquant	provocant
divergeant	divergent	résidant	résident
émergeant	émergent	somnolant	somnolent
équivalant	équivalent	suffoquant	suffocant
excellant	excellent	vaquant	vacant
expédiant	expédient	zigzaguant	zigzagant

Participe passé

On trouve le participe passé en conjuguant le verbe au passé composé.

Il a *fini* ses devoirs.   Elle est *arrivée* à l'heure.

Terminaisons du participe passé

En général, le participe passé masculin se termine par l'une des lettres **é, i, s, t, u.** Pour savoir la dernière lettre d'un participe passé masculin, on le prononce ou on l'écrit au féminin et on retranche le **e.**

une lettre arrivée   un message arrivé
une lettre finie   un message fini
une lettre permise   un message permis
une lettre écrite   un message écrit
une lettre lue   un message lu
une entente dissoute   un accord dissout [dissous]

C'est le cerveau qui donne les ordres, et les autres parties doivent obéir.

Accord du participe passé

Règles générales

1. **Le participe passé** est dans la liste des pages 142 et 143 .... **invariable**

    Les reines se sont *succédé.*
    Les filles se sont *plu* à raconter des anecdotes.
    Les garçons se sont *ri* des menaces qui leur étaient adressées.

2. **Sans auxiliaire**... **accord comme un adjectif**

    Il reçut enfin la lettre *attendue.*
    Celle-ci, *écrite* à la main, lui plut.
    Les feuilles *tombées* ont été ramassées.

3. **Avec c.o.d. placé avant** .... **accord avec le c.o.d.**

    La voiture que j'ai *achetée* est bleue.
    C'est la règle que lui a *fixée* son père.
    Ils se sont *blessés* à la tête.
    La table qu'il s'est *fabriquée* est bancale.
    Je les en ai *informés.*

4. **Avec c.o.d. placé après**... **invariable**

    J'ai *écrit* une lettre.
    Elle a *acheté* un livre.
    Elle s'est *acheté* une robe.
    Ils se sont *pardonné* leurs fautes.

5. **Avec *avoir*, sans c.o.d.**... **invariable**

    Elles ont beaucoup *attendu.*
    Ils ont *chanté* hier soir.
    Elles ont *lu* pendant une heure.
    Il vous en a *parlé.*
    Cette maison nous a *appartenu.*
    Elle a *rêvé* toute la nuit.
    Les rivières ont *débordé.*

6. **Avec *être*, sans c.o.d.**... **accord avec le sujet**

    Les joueuses sont *arrivées.*
    Toutes les personnes ont été *ravies.*
    On est *entré* chez moi par effraction.
    La bague et le bracelet ont été *vendus.*
    Elle est *allée* à Québec et elle en est *enchantée.*
    Ils se sont *souvenus* de leur enfance.
    Elle s'est *aperçue* de l'erreur.
    Elle s'est *attendue* à cette question.
    Elle s'est *trompée* d'escalier.

    Sauf si le pronom réfléchi (nous, vous, se) **est c.o.i.** .... **invariable**

    Nous nous sommes *parlé* (nous avons parlé l'une à l'autre).
    Vous vous êtes *téléphoné* (vous avez téléphoné l'une à l'autre).
    Elles se sont *écrit* (elles ont écrit l'une à l'autre).

Les grévistes de WonderBra recherchent un soutien.

Cas particuliers du participe passé

7. **Verbe impersonnel** (se conjugue seulement avec **il** neutre) .....**invariable**

   La décision qu'il a *fallu* prendre a été pénible.
   Les jours qu'il a *neigé,* c'était beau.
   La rumeur qu'il y a *eu* était exagérée.
   Les orages qu'il a *fait* ont tout gâché.

8. ***L'* neutre** ....**invariable**

   La photo est plus belle que je l'avais *craint.*
   La fleur est plus belle que je l'avais *cru.*
   Rendons justice à celui qui l'a *mérité.*
   Elle est fâchée, comme je l'avais *prévu.*

9. **PP suivi d'un infinitif, le c.o.d. fait l'action** .... **accord avec le c.o.d.**

   La dame que j'ai *vue* sourire était jolie.
   Ces barbares, je les ai *vus* piller.
   La chanteuse que j'ai *entendue* chanter avait une belle voix.
   Les feuilles que j'ai *vues* tomber.

10. **PP suivi d'un infinitif, le c.o.d. ne fait pas l'action** ....**invariable**

    La rue que j'ai *vu* réparer est ouverte.
    Ces victimes, je les ai *vu* piller.
    La chanteuse que j'ai *entendu* applaudir le méritait bien.
    Les feuilles que j'ai *vu* ramasser.

11. **PP suivi d'un infinitif sous-entendu** ....**invariable**

    J'ai fait les choses que j'ai *voulu* (sous-entendu : *faire.*)
    J'ai rendu les services que j'ai *pu.*
    Il a rempli les engagements qu'il a *dû.*

12. ***Fait* et *laissé* suivis d'un infinitif** ....**invariables**

    Elle s'est *fait* entendre. Ils se sont *fait* aimer.
    Elles se sont *laissé* convaincre.
    Les enfants que nous avons *laissé* jouer.

13. ***En,* quand il est c.o.d.** ....**invariable**

    De la confiture, j'en ai pris (j'ai pris quoi? — *en,* mis pour *confiture*).
    Des tomates, on en a *mis* beaucoup.
    Des poires, j'en ai *mangé.*
    Des pays, Ils en ont *visité.*

14. **Coucher, courir, couter, mesurer, peser, souffrir, valoir, vivre au sens intransitif** ....**invariable**

    La nuit que nous avons *couché* chez vous a été agréable.
    Il a neigé pendant l'heure qu'il a *couru.*
    Je ne regrette pas les dix dollars qu'a *couté* ce livre.

    au sens transitif direct ....**variable**

    Les enfants que nous avons *couchés* étaient fatigués.
    Les dangers qu'il a *courus* sont chose du passé.
    Je me souviens des efforts qu'a *coutés* ce travail.

«Le voleur a volé les pommes», où est le sujet? — «En prison.»

Participes passés invariables

Les verbes...

transitifs indirects	qui s'emploient avec une préposition	jouir de
intransitifs	qui n'ont pas de c.o.d. ni de c.o.i.	rire, diner
transitifs	employés au sens intransitif, marqués [1]	courir, couter
impersonnels	qui se conjuguent avec *il* seulement	falloir, neiger

...ne peuvent pas avoir de c.o.d. Les participes passés suivants sont donc invariables.

abondé	cohabité	dépéri	fraichi
abouti	coïncidé	déplu	fraternisé
aboyé	commercé	déraillé	frémi
accédé	comparu	dérapé	frétillé
acquiescé	compati	dérogé	frissonné
adhéré	complu	détalé	fructifié
afflué	concouru	détoné	fugué
agi	consisté	détonné	fureté
agonisé	contrevenu	devisé	galéré
aluni	contribué	dialogué	galopé
amerri	convergé	diné	gambadé
appartenu	conversé	discordé	gargouillé
atermoyé	convolé	discouru	gazouillé
attenté	coopéré	divagué	geint
atterri	copiné	divergé	gémi
babillé	correspondu	dormi	gesticulé
badiné	couché[1]	duré	giclé
baguenaudé	couru[1]	émané	gigoté
bâillé	cousiné	empiété	gouaillé
banqueté	couté[1]	enquêté	gravité
bataillé	crâné	équivalu	grêlé
batifolé	craqueté	erré	grelotté
bavardé	créché	été	grimacé
bénéficié	crépité	éternué	grincé
bifurqué	croulé	étincelé	grisonné
blêmi	croustillé	eu (il y a)	grogné
boité	crouté	excellé	guerroyé
bondi	crû (*croitre*)	excipé	haleté
bourlingué	culminé	existé	henni
brillé	daigné	explosé	herborisé
bronché	déambulé	exulté	hésité
cabriolé	déblatéré	faibli	hoqueté
capitulé	déchanté	failli	implosé
caqueté	déconné	fainéanté	influé
caracolé	découché	fait (impers.)	insisté
cessé	découlé	fallu	intercédé
chancelé	décru	fauté	interféré
cheminé	défailli	finassé	jailli
chialé	dégénéré	flamboyé	jasé
chinoisé	dégoutté	flanché	jeuné
chuté	déjeuné	flâné	jonglé
circulé	délibéré	foisonné	joui
clignoté	déliré	folâtré	jubilé
cliqué	démérité	fonctionné	langui
cliqueté	démordu	forci	larmoyé
coexisté	déparlé	fourmillé	légiféré

Tous les chiffres pairs peuvent se diviser par zéro.

lésiné	persévéré	résisté	sursis
louché	persisté	résonné	survécu
louvoyé	pesé[1]	resplendi	sympathisé
lui	pesté	ressemblé	tablé
lunché	pétaradé	retenti	tâché
lutté	pétillé	rêvassé	tangué
magasiné	philosophé	réveillonné	tardé
maraudé	pinaillé	ri	tâtonné
médit	pioncé	ricané	tempêté
menti	piqueniqué	ricoché	temporisé
mesuré[1]	pirouetté	rigolé	tergiversé
mésusé	pivoté	rivalisé	testé
miaulé	planché	rôdé	titubé
milité	pleurniché	ronchonné	tonitrué
minaudé	plu (plaire)	ronflé	tonné
miroité	plu (pleuvoir)	roté	topé
monologué	poireauté	roupillé	tourbillonné
moussé	polémiqué	rouspété	tournoyé
mugi	pontifié	rugi	toussé
musardé	potiné	ruisselé	toussoté
nasillé	pouffé	salivé	transigé
navigué	pouliné	sangloté	transparu
neigé	prédominé	sautillé	transpiré
niaisé	préexlsté	scintillé	trébuché
nui	préludé	scrabblé	tremblé
obtempéré	procédé	séjourné	trembloté
obvié	profité	semblé	trépigné
œuvré	progressé	sévi	tressailli
officié	proliféré	siégé	triché
opiné	prospéré	skié	trimé
opté	pu	sombré	trinqué
oscillé	pué	sommeillé	triomphé
ovulé	pullulé	songé	trôné
pactisé	queuté	souffert[1]	trotté
palabré	radoté	soupé	trottiné
palpité	raffolé	sourcillé	vacillé
papillonné	ragé	souri	vagabondé
papoté	râlé	spéculé	valu[1]
paradé	rampé	sprinté	vaqué
paressé	randonné	stagné	vécu[1]
parlementé	réagi	statué	végété
participé	rechigné	subsisté	venté
pataugé	récidivé	subvenu	verdoyé
pâti	récriminé	succédé	vivoté
patienté	reflué	succombé	vogué
patrouillé	regorgé	suffi	voisiné
pausé	rejailli	suppuré	volé (en l'air)
péché	relui	surabondé	voleté
pédalé	remédié	surenchéri	voltigé
perduré	renâclé	surgi	voyagé
péri	renchéri	suri	vrombi
périclité	répugne	surnagé	zézayé
péroré	résidé	sursauté	zigzagué

1. Participe passé invariable quand il est employé intransitivement.

À vendre : un lit vertical plus un recueil d'histoires à dormir debout.

Préfixes des mots

anti– Tous sans trait d'union : *antialcoolique, antiaérien.* Sauf devant un **i** : *anti-infectieux, anti-intellectualisme.* Mots créés pour la circonstance : *anti-artiste, anti-usure.*

archi– Tous sans trait d'union : *archiprêtre, archiduchesse, archimillionnaire.* Mots créés pour la circonstance : *archi-ennuyeux, archi-indépendant.*

arrière– Invariable et avec trait d'union : *arrière-grands-pères, arrière-boutiques.*

au– Avec trait d'union : *au-dessus, au-dessous, au-dedans, au-dehors, au-delà, au-devant.*

auto– Tous sans trait d'union : *autoadhésif, autoallumage, autocensure, autocollant.* Devant un **i** : *auto-infection, auto-immunité.*

avant– Invariable et avec trait d'union : *avant-dernières, avant-coureurs.*

bi– Tous sans trait d'union. Devant une consonne : *bifocal, bidirectionnel, bimensuel.* Devant une voyelle, on ajoute un **s** : *bisaïeul, bisannuel.*

bio– Tous sans trait d'union : *bioélectricité, biocarburant, biodégradable.* Sauf devant un **i** : *bio-industrie.*

co– Tous sans trait d'union : *coéditeur, cofabriqué, colocataire, coprésident.* Devant un **i** : *coïnculpé, coïncidence.* Mais *coincer* (*co* n'est pas préfixe).

en– Sans trait d'union : *en dedans, en dehors, en dessus, en dessous.*

ex– Tous avec trait d'union : *ex-femme, ex-étudiant, ex-itinérant.*

extra Tous sans trait d'union : *extraconjugal, extrajudiciaire, extralucide.* Sauf quand la soudure changerait la prononciation : *extra-utérin.*

hyper– Tous sans trait d'union : *hyperémotivité, hyperacidité, hyperactive.*

hypo– Tous sans trait d'union : *hypodermique, hypotendu, hypoesthésie.*

inter– Tous sans trait d'union : *interurbain, une réunion interentreprises.*

intra– Tous sans trait d'union : *intramusculaire, intraveineux, intraoculaire.* Sauf quand la soudure changerait la prononciation : *intra-utérin.*

méga– Tous sans trait d'union : *mégacôlon, mégalithe, mégaphone.*

méta– Tous sans trait d'union : *métacentre, métacognition, métaconnaissance.*

mi– Tous avec trait d'union : *mi-bas, mi-figue, mi-janvier, mi-session.*

micro– Tous sans trait d'union : *microédition, microfiche, microbus.* Sauf devant **i** : *micro-informatique.*

mini– Tous sans trait d'union : *minibus, minigolf, minijupe, minicassette.* Sauf devant **i, a** et **o** : *mini-incision, mini-accessoire, mini-ordinateur.* Placé après, sans trait d'union et invariable : *des shorts mini.*

mono– Tous sans trait d'union : *monoparental, monoplace.* Devant un **i** : *monoïque.*

multi– Tous sans trait d'union : *multiethnique, multiutilisation, multirisque.*

non– Devant un adj., p.p. ou adv. : *non célèbre, non apprise, non entièrement.* Devant un nom ou un infinitif : *non-agression, non-lieu, non-recevoir.*

omni– Tous sans trait d'union : *omnidirectionnel, omnipraticien, omniprésent.*

pan– Tous sans trait d'union : *panafricain, panchromatique, panoptique.*

Victor Hugo écrivait des publicités pour les pauvres misérables.

par-	Sans trait d'union : *par ailleurs, par contre, par en bas, par en haut, par l'avant, par l'arrière, par ici, par terre.* Avec trait d'union : *par-ci, par-là, par-devant, par-derrière, par-dessus, par-dessous.*
para-	Tous sans trait d'union : *parafiscalité, parahospitalier, parasexualité.* Sauf quand la soudure changerait la prononciation : *para-universitaire.*
poly-	Tous sans trait d'union : *polyalcool, polyiodure, polyurie, polycopie.*
post-	Tous sans trait d'union : *postnatal, postindustriel, postscriptum.* Devant un nom propre : *la post-Renaissance.*
pré-	Tous sans trait d'union : *prééminence, préoccuper.* Sauf devant un nom propre : *la pré-Renaissance,* et les mots de circonstance : *la pré-guerre.*
pro-	Tous sans trait d'union : *proasiatique, procréation.* Sauf devant un sigle : *pro-ONU.*
pseudo-	Devant tout nom pour signifier «faux» : *pseudo-médecin, pseudo-pain.*
quasi-	Devant un adj., p.p. ou adv. : *quasi fatal, quasi fini, quasi entièrement.* Devant un nom, trait d'union : *quasi-contrat, quasi-délit, quasi-totalité.*
radio-	Tous sans trait d'union : *radioactif, radiodiffusion, radiotaxi.* Sauf devant un **i** : *radio-immunologie,* et devant une capitale : *Radio-Canada.*
re-, ré-	Devant une voyelle : *récrire* ou *réécrire, ranimer* ou *réanimer,* etc. Devant une consonne : *reboucher, refaire, revenir, revisser.* Devant un **h,** on trouve : *réhabituer, rehausser, rhabiller.* Les règles étant très anarchiques, il vaut mieux consulter le dictionnaire.
sans-	Tous avec trait d'union : *sans-emploi, sans-abri, sans-gêne, sans-le-sou.*
semi-	Tous avec trait d'union : *semi-automatique, semi-rural, semi-voyelle.*
simili-	Tous sans trait d'union : *similibronze, similicuir, similiforme, similimarbre.*
socio-	Tous sans trait d'union : *sociobiologie, socioculturel, sociodrame, sociolinguistique, socioéconomique, socioéducatif.*
sous-	Tous avec trait d'union : *sous-directrice, sous-alimenter, sous-entendre.* Exceptions : *souscrire* et *soustraire* (ainsi que leurs dérivés).
stéréo-	Tous sans trait d'union : *stéréochimie, stéréométrie, stéréophonie, stéréoscopie.* Sauf devant un **i** : *stéréo-isométrie, stéréo-isomère.*
super-	Tous sans trait d'union : *superacide, superbénéfice, superordinateur.* Mots créés pour la circonstance : *super-représentant.* Adj. inv. : *des filles super.* Adv. inv. : *des filles super sympas, des robes super haut de gamme.*
supra-	Tous sans trait d'union : *supranational, suprasensible, supraterrestre.*
sur-	Tous sans trait d'union : *suramplificateur, suremploi, surimposition.*
sus-	Tous sans trait d'union : *suscription, susdit, susmentionner, susnommer.* Sauf : *sus-dénommé, sus-dominante, sus-hépatique, sus-jacent, sus-tonique.*
télé-	Tous sans trait d'union : *téléavertisseur, téléfilm, téléski.*
tri-	Signifiant «trois», tous sans trait d'union : *triangle, trière, trithérapie.*
ultra-	Tous sans trait d'union : *ultraléger, ultrasensible, ultrahaute gamme.* Sauf les mots créés pour la circonstance : *ultra-actif, ultra-imposant, ultra-occupé, ultra-universel.*
vice-	Tous avec trait d'union, invariable : *des vice-présidentes, des vice-consuls.*

Il m'a donné un coup de pied alors que je lui donnais un coup de main.

Féminisation des textes

Généralités

La féminisation demeure toujours facultative

Pour l'Office québécois de la langue française, la féminisation des textes demeure toujours facultative (brochure *Au féminin,* 1991, page 5).

Les formes tronquées sont à exclure (*Au féminin,* page 16)

les parenthèses	les ingénieur(e)s retraité(e)s
les barres obliques	les étudiant/e/s inscrit/e/s
les virgules	les chirurgien,ne,s
les traits d'union	les directeur-trice-s

Note explicative (*Au féminin,* page 34)

On peut recourir à une note explicative au début du texte pour indiquer que la forme masculine non marquée désigne aussi bien les femmes que les hommes.

Nom et titre du supérieur immédiat.

Charte des droits et libertés de la personne (Québec)

Article 10. — Toute personne a droit à la reconnaissance et à l'exercice, en pleine égalité, des droits et libertés de la personne, sans distinction, exclusion ou préférence fondée sur la race, la couleur, le sexe...

Loi canadienne sur les droits de la personne (Canada)

Article 2, a). — Tous ont droit, dans la mesure compatible avec leurs devoirs et obligations au sein de la société, à l'égalité des chances d'épanouissement, indépendamment des considérations fondées sur la race, l'origine nationale ou ethnique, la couleur, la religion, l'âge, le sexe...

Méthode traditionnelle

Grevisse : Nouvelle grammaire française

Les noms qui connaissent la variation en genre d'après le sexe de la personne désignée sont employés au masculin dans les circonstances où ils visent aussi bien des êtres masculins que des êtres féminins. En effet, le genre masculin n'est pas seulement le genre des êtres mâles, mais aussi le genre indifférencié, le genre asexué.

Il a quatre beaux enfants : deux garçons et deux filles.
L'héritier qui renonce est censé n'avoir jamais été héritier.

Larousse : La nouvelle grammaire du français

Le masculin s'emploie pour désigner n'importe quel représentant de l'espèce, sans considération de sexe ; c'est le masculin générique.

L'homme est un être doué de raison (homme = homme + femme).
Les enseignants se sont réunis hier (enseignants = enseignants + enseignantes).

Pour empêcher les nobles de se tuer en duel, Richelieu les fit décapiter.

Méthode de féminisation

Le texte qui suit est un extrait du *Guide de féminisation,* de l'UQAM.

Utilisation des doublets

Une étudiante ou un étudiant. Les enseignants et enseignantes.

Stratégies de rédaction (*en italique*)

En plus d'assumer les responsabilités de tuteur...
En plus d'assumer les responsabilités de tutorat...

Un archiviste est responsable de la conservation des documents.
Le Service des archives est responsable de la conservation des documents.

La réunion d'information aura lieu demain pour les employés du secrétariat.
La réunion d'information aura lieu demain pour le personnel du secrétariat.

On demande la collaboration de chacun des membres.
On demande la collaboration de chaque membre.

Les étudiants ont été conviés à cette réunion. Plusieurs étudiants y ont assisté.
Les étudiants et étudiantes ont été conviés à cette réunion. Plusieurs y ont assisté.

L'étudiant pour lequel la demande a été formulée...
L'étudiante ou l'étudiant pour qui la demande a été formulée...

...les travaux des étudiants seront remis à ces derniers.
...les travaux des étudiants et étudiantes leur seront remis.

Le ou la responsable invitera les membres de son équipe à participer...
Les responsables inviteront les membres de leur équipe à participer...

...équivalence entre l'expérience et un cours du programme de l'étudiant.
...équivalence entre l'expérience et un cours du programme choisi.

...avec obligation pour eux de diffuser...
...avec obligation de leur part de diffuser...

Un des membres assurera la présidence. Il sera nommé par l'assemblée.
Un ou une des membres assurera la présidence. L'assemblée verra à sa nomination.

...en cas d'absence du cadre. Si l'absence de celui-ci se prolongeait...
...en cas d'absence du ou de la cadre. Si son absence se prolongeait...

Si l'étudiant n'est pas satisfait de sa note, il peut faire...
Si l'étudiante ou l'étudiant n'est pas satisfait de sa note, il lui est possible de faire...

Un étudiant pourra changer de groupe sans qu'il ait à débourser des frais.
Un étudiant ou une étudiante pourra changer de groupe sans encourir de frais.

Les cadres ne doivent pas s'y inscrire et, s'ils le font, on annulera leur inscription.
Les cadres ne doivent pas s'y inscrire et, le cas échéant, on annulera leur inscription.

Chers collègues, vous êtes convoqués, par la présente, à la réunion...
Chers et chères collègues, nous vous convoquons, par la présente, à la réunion...

L'étudiant doit en faire lui-même la demande.
L'étudiante ou l'étudiant doit en faire la demande.

Le directeur vérifie la demande et il la transmet...
La directrice ou le directeur vérifie la demande et la transmet...

Il mettra fin à sa collaboration, s'il le juge nécessaire...
Il ou elle mettra fin à sa collaboration, si cette décision s'avère nécessaire...

Voir aussi :　*Au féminin, féminisation des titres de fonction et des textes, OQLF*
　　　　　　　　Pour un genre à part entière, rédaction de textes non sexistes, MEQ

Quand on apprend tout seul à conduire sa moto, on est un motodidacte.

Féminisation des fonctions

Cette liste est tirée de la brochure *Au féminin : guide de féminisation des titres de fonction et des textes,* dans laquelle l'Office québécois de la langue française propose des féminins. L'usage dira lesquelles parmi ces formes se seront imposées.

une accordeuse	une camionneuse	une créatrice
une acquéreuse	une canoteuse	une critique
une acuponctrice	une capitaine	une débardeuse
une adjudante	une caporale	une débosseleuse
une administratrice	une cardiologue	une découvreuse
une agente	une carreleuse	une décrocheuse
une agricultrice	une catalogueuse	une délatrice
une aiguilleuse	une cégépienne	une déléguée
une ajusteuse	une censeure	une délinquante
une amatrice	une chapelière	une demanderesse
une aménageuse	une chargée de cours	une demandeuse
une amirale	une chargeuse	une dentiste
une animatrice	une charpentière	une dépanneuse
une annonceure	une chaudronnière	une députée
une apicultrice	une chauffeuse	une dessinatrice
une apparitrice	une chef	une détective
une applicatrice	une chercheuse	une détentrice
une arbitre	une chiropraticienne	une diététiste
une arboricultrice	une chirurgienne	une diffuseuse
une architecte	une chômeuse	une diplomate
une archiviste	une chroniqueuse	une docteure
une armurière	une chronométreuse	une écrivaine
une arpenteuse	une cimentière	une éditorialiste
une artisane	une clown	une éleveuse
une artiste	une collègue	une émettrice
une assesseure	une colonelle	une employeuse
une assureure	une commandante	une emprunteuse
une astrologue	une commis	une encodeuse
une astronome	une commissaire	une enquêteuse
une attachée	une communicatrice	une entraineure, sport
une auteure	une compositrice	une entraineuse
une avicultrice	une conceptrice	une entrepreneuse
une avocate	une conductrice	une équarrisseuse
une ayant droit	une conseil	une essayeuse
une banquière	une consule	une estimatrice
une bâtonnière	une contractuelle	une évaluatrice
une bénéficiaire	une contremaitresse	une examinatrice
une bottière	une contrôleuse	une experte-comptable
une boursière	une coopérante	une exploitante
une brigadière	une coordonnatrice	une fabricante
une briqueteuse	une cordonnière	une factrice
une bruiteuse	une coroner	une femme-grenouille
une buandière	une correctrice	une ferblantière
une bucheronne	une coureuse	une ferrailleuse
une câbleuse	une courrière	une finisseuse
une cadre	une courtière	une fondeuse
une cadreuse	une couseuse	une foreuse
une camelot	une couvreuse	une fournisseuse

Il a volé la voiture de ma sœur qui était peinte en rouge.

une fraiseuse	une manœuvre	une réviseure
une franchiseuse	une maraichère	une sapeuse-pompière
une garde	une marguillère	une sauveteuse
une garde forestière	une marin	une savante
une générale	une matelot	une scrutatrice
une généticienne	une médecin	une sculpteure
une géophysicienne	une meneuse	une sénatrice
une gérante	une menuisière	une sergente
une gouteuse	une metteure en scène	une serrurière
une gouverneure	une ministre	une soigneuse
une graveuse	une monteuse	une soldate
une greffière	une notaire	une solliciteuse
une guide	une officière	une soudeuse
une horlogère	une oratrice	une souffleuse
une horticultrice	une orienteuse	une sous-chef
une hôte (est reçue)	une pasteure	une sous-ministre
une hôtesse (reçoit)	une pêcheuse	une spectatrice
une huissière	une peintre	une stagiaire
une illustratrice	une pharmacienne	une substitut
une imprésario	une physicienne	une successeure
une imprimeuse	une pilote	une supérieure
une indicatrice	une piscicultrice	une superviseure
une industrielle	une plâtrière	une surintendante
une ingénieure	une plombière	une syndique
une inspectrice	une poète	une tailleuse
une installatrice	une policière	une tanneuse
une instructrice	une pompière	une tapissière
une intendante	une porte-parole	une technicienne
une interlocutrice	une potière	une téléphoniste
une interne	une prédécesseure	une témoin
une intervenante	une préfète	une teneuse de livres
une intervieweuse	une première ministre	une tisserande
une investisseuse	une préposée	une titulaire
une jardinière	une présentatrice	une tôlière
une jockey	une principale	une topographe
une juge	une procureure	une tourneuse
une jurée	une professeure	une traiteuse
une juriste	une programmeuse	une trappeuse
une lamineuse	une promotrice	une travailleuse
une lectrice	une proposeuse	une tricoteuse
une législatrice	une prospectrice	une trieuse
une lettreuse	une puéricultrice	une tutrice
une lieutenante	une rapporteuse	une tuyauteuse
une lieutenante-	une réalisatrice	une typographe
gouverneure	une recenseuse	une universitaire
une locutrice	une réceptrice	une usagère
une lotisseuse	une recruteuse	une utilisatrice
une luthière	une rectifieuse	une vainqueur
une maçonne	une rectrice	une vérificatrice
une magasinière	une rédactrice	une vice-présidente
une magistrate	une régisseuse	une vitrière
une mairesse	une réparatrice	une voyagiste
une maitre	une répartitrice	une voyante
une malfaitrice	une répétitrice	une xénophile
une mannequin	une reporteuse	une zootechnicienne

Futur du verbe «je bâille» : «je dors».

Genres à retenir

abaque, m.	astérisque, m.	gens bons, m.p.	ozone, m.
abatis, m.	astragale, m.	bonnes gens, f.p.	palabre, f.
abscisse, f.	athénée, m.	gent, f.	pantomime, f.
abysse, m.	atmosphère, f.	girofle, m.	pâque juive, f.
acné, f.	augure, m.	glaire, f.	Pâques, m./f.
acoustique, f.	auspices, m.p.	granule, m.	parka, m./f.
acrostiche, m.	autoclave, f.	haltère, m.	paroi, f.
agrume, m.	autographe, m.	hémicycle, m.	pastiche, m.
aigle, m./f.	automne, m.	hémisphère, m.	patère, f.
albâtre, m.	avant-midi, m./f.	hémistiche, m.	pénates, m.p.
alcôve, f.	azalée, f.	holocauste, m.	pendule, m./f.
alèse, f.	camée, m.	hyménée, m.	penne, f.
algèbre, f.	câpre, f.	hymne, m./f.	perce-neige, m./f.
alvéole, f.	cent (*mon.*), m.	immondices, f.p.	périgée, m.
amalgame, m.	chrysalide, f.	insigne, m.	pétale, m.
ambre, m.	cookie, m.	interfrange, m.	pétoncle, m.
améthyste, f.	cuticule, f.	interligne, m.	planisphère, m.
amiante, m.	débâcle, f.	interstice, m.	polichinelle, m.
amibe, f.	décombres, m.p.	interview, m./f.	postiche, m.
ammoniac, m.	délice, m.	ivoire, m.	prémices, f.p.
amour, m.	délices, f.p.	jade, m.	prémisse, f.
amours, f.p.	ébène, f.	job, m.	primevère, f.
ampère, m.	ébonite, f.	jute, m.	psyché, f.
anagramme, f.	ecchymose, f.	libelle, m.	quadrille, m.
anathème, m.	échappatoire, f.	lobule, m.	réglisse, f.
ancre, f.	écharde, f.	mandibule, f.	relâche, m./f.
anicroche, f.	écritoire, f.	méandre, m.	satire, f.
ankylose, f.	effluve, m.	métatarse, m.	satyre, m.
antichambre, f.	égide, f.	météorite, f.	sbire, m.
antidote, m.	embâcle, m.	molécule, f.	sex-shop, m.
antifumée, m.	emblème, m.	moustiquaire, f.	sex-symbol, m.
apanage, m.	encaustique, f.	nacre, f.	sitcom, m./f.
aphte, m.	entête, m.	narcisse, m.	sit-in, m.
apogée, m.	entracte, m.	nimbe, m.	spore, f.
apologue, m.	enzyme, m./f.	oasis, f.	stalactite, f.
apostrophe, f.	éphéméride, f.	obèle, m.	stalagmite, f.
apothéose, f.	épice, f.	obélisque, m.	starting-gate, f.
appendice, m.	épigramme, f.	obsèques, f.p.	strate, f.
appendicite, f.	épigraphe, f.	ocre, f.	ténèbres, f.p.
après-guerre, m.	épitaphe, f.	octave, f.	tentacule, m.
après-midi, m./f.	épithète, f.	odyssée, f.	termite, m.
arabesque, f.	épitre, f.	office, m.	testicule, m.
arachide, f.	équinoxe, m.	omoplate, f.	topaze, f.
arcane, m.	équivoque, f.	once, f.	trampoline, m.
aréna, m.	escarre, f.	orbite, f.	trial (moto), f.
argile, f.	esclandre, m.	orge, m./f.	trial (sport), m.
armistice, m.	espace, m./f.	orgue, m.	tubercule, m.
arnaque, f.	évangile, m.	orgues, f.p.	ulcère, m.
arnica, m./f.	exergue, m.	oriflamme, f.	uréthane, m.
aromate, m.	fiasque, f.	orteil, m.	urticaire, f.
arpège, m.	gélule, f.	ouïe, f.	vermicelle, m.
asphalte, m.	gemme, f.	ovule, m.	viscère, m.

La fiancée : « Mon futur, ici présent, n'est pas imparfait ; il est plus que parfait. »

Noms composés et leur pluriel

Bien noter les pluriels des noms composés suivants et leurs traits d'union.

à-côté	à-côtés	moyen-courrier	moyen-courriers
amour-en-cage	amours-en-cage	moyen-métrage	moyens-métrages
amour-propre	amours-propres	nid-de-poule	nids-de-poule
année-lumière	années-lumière	non-dit	non-dit
arc-en-ciel	arcs-en-ciel	nouveau-née	nouveau-nées
arrière-boutique	arrière-boutiques	nu-propriétaire	nus-propriétaires
attaché-case	attachés-cases	nue-propriété	nues-propriétés
avant-centre	avants-centres	pause-café	pauses-café
avant-dernier	avant-derniers	pied-à-terre	pied-à-terre
avion-cargo	avions-cargos	pied-de-poule	pieds-de-poule
bande-annonce	bandes-annonces	point-virgule	points-virgules
bande-son	bandes-son	pot-au-feu	pot-au-feu
bateau-mouche	bateaux-mouches	pot-de-vin	pots-de-vin
bébé-éprouvette	bébés-éprouvette	prêt-à-porter	prêts-à-porter
blanc-seing	blancs-seings	prie-Dieu	prie-Dieu
bloc-notes	blocs-notes	pur-sang	pur-sang
bouton-pression	boutons-pression	queue-de-cheval	queues-de-cheval
carte-réponse	cartes-réponse	raz-de-marée	raz-de-marée
centre-ville	centres-villes	reine-claude	reines-claudes
chef-d'œuvre	chefs-d'œuvre	reine-marguerite	reines-marguerites
cheval-vapeur	chevaux-vapeur	rez-de-chaussée	rez-de-chaussée
chevau-léger	chevau-légers	sac-poubelle	sacs-poubelle
cité-dortoir	cités-dortoirs	saint-bernard	saint-bernard
Coca-Cola	Coca-Cola	saint-honoré	saint-honoré
compte-chèque	comptes-chèques	sainte-nitouche	saintes-nitouches
compte-rendu	comptes-rendus	soutien-gorge	soutiens-gorge
cou-de-pied	cous-de-pied	station-service	stations-services
coupon-réponse	coupons-réponse	stylo-feutre	stylo-feutres
croc-en-jambe	crocs-en-jambe	tête-à-queue	tête-à-queue
cul-de-sac	culs-de-sac	tête-à-tête	tête-à-tête
dessous-de-plat	dessous-de-plat	tête-de-nègre	tête-de-nègre
dessus-de-porte	dessus-de-porte	tiers-monde	tiers-mondes
dos-d'âne	dos-d'âne	timbre-quittance	timbres-quittances
double-croche	doubles-croches	tire-au-flanc	tire-au-flanc
eau-de-vie	eaux-de-vie	tiroir-caisse	tiroirs-caisses
fait-divers	faits-divers	touche-à-tout	touche-à-tout
faux-filet	faux-filets	tout-à-l'égout	tout-à-l'égout
faux-fuyant	faux-fuyants	tout-en-un	tout-en-un
franc-parler	francs-parlers	tout-petit	tout-petits
guet-apens	guets-apens	tout-puissant	tout-puissants
haut-commissaire	hauts-commissaires	trompe-l'œil	trompe-l'œil
haut-de-forme	hauts-de-forme	trop-perçu	trop-perçus
hors-d'œuvre	hors-d'œuvre	trop-plein	trop-pleins
hors-la-loi	hors-la-loi	va-et-vient	va-et-vient
libre-échange	libres-échanges	vice-président	vice-présidents
loi-cadre	lois-cadres	ville-champignon	villes-champignons
long-courrier	long-courriers	ville-dortoir	villes-dortoirs
long-métrage	longs-métrages	voiture-restaurant	voitures-restaurants
main-d'œuvre	mains-d'œuvre	vol-au-vent	vol-au-vent
mort-né	mort-nés	wagon-restaurant	wagons-restaurants

Maman, je veux une petite sœur. — Papa ne veut pas. — Faisons-lui la surprise.

Modes et temps : emplois à noter

Indicatif imparfait

avec *si*, et un conditionnel   Si j'**avais** réfléchi, je n'**aurais** pas dit cela.
une atténuation polie   Je **voulais** vous demander quelque chose.

Indicatif futur

une action qui se produira plus tard   L'an prochain, j'**entrerai** au secondaire.
un ordre   Tu **viendras** chaque matin ouvrir la porte.
une action passée, dans les récits   Le round suivant **verra** le réveil du boxeur.
une hypothèse   Qui a cassé l'arbre ? Ce **sera** le vent.

Indicatif passé composé

une action passée, terminée   Annie **a voyagé** dans tout le Québec.
une action qui va finir bientôt   J'**ai fini** ma lettre dans cinq minutes.
avec *si*, au lieu du futur   Si demain la fièvre **a monté,** appelez-moi.

Conditionnel présent

sous certaines conditions   S'il faisait beau, nous **ferions** du bateau.
une imagination   On se **croirait** dans un avion.
un souhait   J'**aimerais** te connaitre davantage.
un doute   Ce **serait** des empreintes de dinosaure ?
l'indignation   Selon vous, je **serais** malhonnête !

Subjonctif présent

Le subjonctif s'emploie quand le verbe de la principale exprime :

l'admiration   Je m'émerveille que vous **soyez** primé.
la concession   Je conçois que vous **soyez** sceptique.
le consentement   Je consens que vous **soyez** admise.
la crainte   Je crains que vous **soyez** perdant.
la dénégation   Je nie que vous **soyez** fautif.
le doute   Je doute que vous **soyez** satisfaite.
l'indignation   Je m'indigne que vous **soyez** inculpé.
la possibilité   Il se peut que vous **soyez** choisi.
le regret   Je regrette que vous **soyez** malade.
le souhait   Je souhaite que vous **soyez** guérie.
la surprise   Je suis surprise que vous **soyez** en retard.
la volonté   Je veux que vous **soyez** présente.

Le subjonctif s'emploie aussi après les locutions suivantes :

à moins que	bien que	en admettant que	pourvu que
à supposer que	de crainte que	en attendant que	quoique
afin que	de peur que	jusqu'à ce que	sans que
avant que	d'ici à ce que	pour que	

Aujourd'hui, dans le français courant :

Le subjonctif imparfait   Il craignait **que je parlasse.**
est remplacé par le subjonctif présent   Il craignait **que je parle.**

Le subjonctif plus-que-parfait   Il craignait **que j'eusse parlé.**
est remplacé par le subjonctif passé   Il craignait **que j'aie parlé.**

Le conditionnel passé seconde forme   Si tu l'avais désiré, **j'eusse parlé.**
est remplacé par le conditionnel passé   Si tu l'avais désiré, **j'aurais parlé.**

Les devoirs conjugaux sont les verbes qu'on doit conjuguer à la maison.

Orthographes à retenir

accusation (à la cour), l'
acquis (avantage obtenu)
acquit (quittance)
amande (fruit)
amende (contravention)
ammoniac (gaz)
ammoniaque (solution)
appâts (charmes féminins)
appât (pour le poisson)
ayons, ayez (jamais de *i*)
bailler, seulement dans :
vous me la baillez belle
bayer aux corneilles
bâiller (ouvrir la bouche)
balade (promenade)
ballade (poème)
ban (proclamation)
ban de tambour
ban (sentence d'exclusion)
banc pour s'assoir
banc de sable
banc de poissons
baptiste (égl. protestante)
batiste (toile de lin)
basilic (plante aromatique)
basilique (église)
bérets rouges, les
box (compartiment)
boxe (sport)
Brigades internationales
buté (obstiné)
butée (butée de pont)
buter (heurter)
butter (garnir de terre)
cadran (d'une montre)
quadrant (¼ de circonf.)
cahot (rebond)
chaos (désordre)
cal (durillon)
cale (pièce d'arrêt)
cap (partie de côte)
cape (manteau)
Casques bleus, les
catarrhe (gros rhume)
cathare (d'une secte)
céans (ici)
séant (convenable)
cendre (qui a brulé)
sandre (poisson)
cep (pied de vigne)
cèpe (champignon)

cession (donation)
session (période)
chas (trou d'une aiguille)
chemineau (vagabond)
cheminot (du train)
Chemises noires, les
chorale (société musicale)
corral (lieu pour le bétail)
colline parlementaire, la
cols blancs ou bleus, les
Couronne (à la cour), la
cours (allée)
court (terrain de tennis)
datte (fruit du dattier)
défense (à la cour), la
dessin (de dessiner)
dessein (but, intention)
détoner (exploser)
détonner (chanter faux)
différend (désaccord)
différent (distinct)
écho (répétition du son)
écot (contribution)
éthique (morale)
étique (maigre)
étrier (anneau en métal)
étriller (brosser)
exaucer (satisfaire)
exhausser (surélever)
exprès (le faire exprès)
express (un café)
express (un train)
express (une voie)
expresse (une condition)
flan (entremets)
flanc (partie du corps)
fonction publique, la
fond (partie la plus basse)
fonds (de commerce)
fonts (baptismaux)
for (mon for intérieur)
fors (excepté)
foret (outil de perçage)
front commun, le
gué (pour passer à pied)
guet (faire le guet)
heur (chance)
heurt (choc)
jarre (urne de terre cuite)
jars (mâle de l'oie)
livre blanc, le

marines, les
martyr (une personne)
martyre (grande douleur)
mess (pour les officiers)
Métis, les
mines antipersonnel
n'eût été (avec un flexe)
palier (plateforme)
pallier (verbe tr. dir.)
pâté (hachis de viande)
pâtée (pour animaux)
pause (du verbe pauser)
pose (du verbe poser)
pêcher (arbre)
pêcher la truite
pécher (fauter)
pêne (partie de serrure)
penne (longue plume)
pers (des yeux pers)
plain (de plain-pied)
plastic (explosif)
plastique (arts plastiques)
pool (groupement)
pore (orifice de la peau)
pouls (battement artériel)
prémices (premiers fruits)
prémisse (de syllogisme)
prou (peu ou prou)
proue (avant d'un navire)
puits (trou pour l'eau)
puy (montagne)
qui l'eût cru ?
rainette (grenouille)
reinette (pomme)
rendu compte (invariable)
rêne (pr guider le cheval)
renne (animal)
repaire (refuge)
repère (pour trouver)
salon rouge, le
satire (critique)
satyre (homme vicieux)
sceau (cachet officiel)
soyons, soyez (jamais de *i*)
taie (d'oreiller)
tapis rouge, le
tribut (payer un tribut)
union sociale, l'
verni, vernie (adjectif)
vernis (nom)
Verts, les

La vache a des veaux grâce au taureau qui est une vache sans mamelles.

Difficultés orthographiques

Les entrées sont données par ordre alphabétique.

Accents

On distingue 12 sortes d'accents. (L'accent circonflexe se dit *flexe* en imprimerie.)

| Accent aigu | **é** | Accents circonflexes | **â, ê, î, ô, û** |
| Accents graves | **à, è, ù** | Trémas | **ë, ï, ü** |

à	pour éviter les confusions	a/à, la/là, ça/çà
â	pour éviter les confusions	acre/âcre, mat/mât, tache/tâche
é	devant une syllabe non muette	irrémédiable, problématique, régner
è	devant une syllabe muette	remède, problème, je règnerai [régnerai]
ê	remplace souvent un ancien **s**	bête (beste), fête (feste)
ë	dans certains noms propres	Noëlle, Raphaël, Israël, Citroën
î	au passé simple et au subjonctif	nous fîmes, qu'elle fît
ï	pour prononcer séparément	haïr, maïs, Haïti, Adélaïde
ô	remplace souvent un ancien **s**	hôpital (hospital), hôte (hoste)
û	au passé simple et au subjonctif	nous fûmes, qu'elle fût
ù	pour éviter la confusion	ou/où (*où* indique le lieu)
ü	pour prononcer séparément	aigüe, argüer, gageüre

attendu – excepté – ôté – vu

Placés avant le nom, ces mots sont des prépositions. Ils sont donc invariables.

> Attendu les évènements, la fête est annulée.
> Nous avons cueilli les pommes, excepté les vertes.
> Le livre de cet auteur est bien écrit, ôté l'introduction.
> Je vous signale que, vu les difficultés, nous renonçons à ce projet.

Placés après le nom, ils sont des participes passés et ils s'accordent avec le nom.

> Les évènements attendus ne se sont pas produits.
> Nous avons cueilli les pommes, les vertes exceptées.
> L'introduction ôtée, ce livre est acceptable.
> Les difficultés, vues sous cet angle, sont surmontables.

aucun

Le mot qui suit *aucun* est au singulier, sauf si le singulier n'existe pas.	Aucun effort n'a été épargné, et il n'y aura aucuns frais.

aussi tôt – aussitôt

Substitution par *aussi tard*	Pourquoi es-tu venu aussi tôt ?
Substitution impossible	Je partirai aussitôt que tu arriveras.

avoir l'air

Substitution de *l'air* par *l'air d'être*	Elle a l'air heureuse dans son travail.
Substitution impossible	Elle a l'air heureux des gens calmes.

c cédille

devant	**a**	ça	avança	pour obtenir le son **s**
pas devant	**e**	ce	cela	on a déjà le son **s**
pas devant	**i**	ci	merci	on a déjà le son **s**
devant	**o**	ço	façon	pour obtenir le son **s**
devant	**u**	çu	gerçure	pour obtenir le son **s**

L'expression « veiller au grain » veut dire « guetter son avoine ».

ça – çà – ç'a – c'en – ceci – cela

ça	substitution de *ça* par *cela*	Ça va bien (pour avoir le son **s**).
çà	dans l'expression *çà et là* seulement	Il s'en allait çà et là.
ç'a	contraction de *cela a*	Ç'a été dur (**ç** devant un **a**).
c'en	contraction de *cela en*	C'en est touchant (**c** devant un **e**).
ceci	introduit ce qui suit	Il faut donc éviter la formule «ceci dit».
cela	renvoie à ce qui précède	Vous êtes étonné, cela se comprend.

c'est – ce sont

Avec un nom singulier : *c'est*. Avec un nom pluriel : *ce sont*.

C'est une belle voiture.   Ce sont de belles voitures.

Avec *moi, toi, lui, elle, nous, vous,* on emploie *c'est*.

C'est moi, c'est toi, c'est lui, c'est elle, c'est nous, c'est vous.

Avec *eux, elles,* on peut employer *ce sont* ou *c'est*.

Ce sont eux qui ont perdu.   C'est elles qui ont gagné.

c'était – s'était

Substitution de *c'* par *cela*	Comme c'était permis,
Substitution impossible	il s'était assis dans l'herbe.

chef

Placé avant le nom : var. sans trait d'union	des chefs traducteurs
Placé après le nom : var. avec trait d'union	des adjudants-chefs
Avec *en* : invariable	des infirmières en chef

chez

Quand ce n'est pas un nom commun	chez moi, chez toi, chez soi
Quand il fait partie d'un nom commun	mon chez-moi, ton chez-toi, un chez-soi

ci-annexé – ci-inclus – ci-joint

Adj. inv. s'ils sont placés avant le nom	Veuillez trouver ci-joint les épreuves.
Adj. var. s'ils sont placés après le nom	Veuillez trouver les épreuves ci-jointes.

combien en

Si *combien* est placé avant *en* : p.p. variable	Des livres, combien en a-t-il lus ?
Si *combien* est placé après *en* : p.p. invariable	Des livres, il en a lu combien ?

comme

Avec deux virgules, au singulier	Le cinéma, comme le théâtre, me plait beaucoup.
Sans virgules, verbe au pluriel	Le cinéma comme le théâtre me plaisent beaucoup.

compris – non compris

Placés avant le nom : invariables	8 $, compris la taxe ; 8 $, non compris la taxe
Placés après le nom : variables	8 $, taxe comprise ; 8 $, taxe non comprise

dans – d'en

Substitution par *à l'intérieur de*	J'ai des bonbons dans ma poche, car
Substitution impossible	je viens d'en mettre.

L'eau potable est celle qu'on peut mettre dans un pot.

de

Quand deux noms sont unis par **de,** la difficulté consiste à savoir si l'on doit mettre le second nom au singulier ou au pluriel. Le **second nom** est :

au singulier s'il donne l'idée d'**unicité**

des chefs de bureau	des couvertures de lit
des comités d'entreprise	des peaux de mouton

au pluriel s'il donne l'idée de **pluralité**

un carnet de chèques	un règlement de comptes
un chiffre d'affaires	une divergence de gouts

au singulier avec **gelée, jus, liqueur** ou **sirop**

des gelées de groseille	des liqueurs de framboise
des jus de pomme	des sirops de fraise

au pluriel avec **compote, confiture, marmelade** ou **pâte**

de la compote de poires	de la marmelade d'abricots
de la confiture de fraises	de la pâte de coings

demi

Avant un nom : invariable, avec trait d'union	Il me téléphone toutes les demi-heures.
Après un nom : accord en genre seulement	La réunion a duré deux heures et demie.
à demi + adj. ou p.p. : inv., sans trait d'union	Une tasse à demi pleine, à demi remplie.

de même que

Avec deux virgules, verbe au singulier	L'art, de même que le sport, me plait.
Sans virgules, verbe au pluriel	L'art de même que le sport me plaisent.

des plus

Substitution par *parmi les plus*	C'est un homme des plus désagréables.
Substitution impossible	Cela devient des plus désagréable.

dont – d'on

Substitution de *d'on* par *de on*	La nouvelle vient d'on ne sait où.
Substitution par *de qui* ou *de quoi*	C'est la personne dont je t'ai parlé.
Ne pas écrire :	*Mais écrire :*
Le gars dont j'ai marché sur les pieds.	Le gars sur les pieds de qui j'ai marché.
L'auteur dont je m'intéresse à l'œuvre.	L'auteur à l'œuvre de qui je m'intéresse.
L'église dont on aperçoit son clocher.	L'église dont on aperçoit le clocher.

double

Adjectif : accord normal	un double foyer, des doubles foyers
Adverbe = doublement : invariable	Les gens ivres voient double.
Nom : accord normal	faire des doubles, les doubles au tennis

é – er

Essayer *prendre.* Si l'on obtient *pris* ou *prise* : p.p. Si l'on obtient *prendre* : infinitif.

Sa collation *terminée,* il s'est mis à *chausser* ses patins.

échappé belle

Toujours invariable	Ces jeunes filles l'ont échappé belle.

L'Inde est peuplée d'hindous, mais il y a aussi des skis.

en – en n'

Substitution de *n'* par *ne*
C'est la liaison qu'on entend

En n'arrivant pas tôt, on rate le train.
En arrivant tôt, on trouve une place.

et surtout

Avec deux virgules, le verbe est au singulier. Sans virgules, le verbe est au pluriel.

Le sport, et surtout la course, m'attire énormément.
Le sport et surtout la course m'attirent énormément.

étant donné

Placé avant le nom : invariable. Placé après le nom : accord avec ce dernier.

Étant donné les circonstances, la réunion sera reportée.
Ces précisions étant données, nous avons pu discuter de l'affaire.

faux

Avec un trait d'union : faux-bord, faux-cul, faux-filet, faux-fuyant, faux-monnayeur, faux-semblant, faux-sens. Sans trait d'union : faux bond, faux cils, faux témoignage.

fin

Employé comme adverbe   Elles sont fin prêtes.   Ils sont fin prêts.

fleurs

Fleurs d'une même espèce   un poirier en fleur   des poiriers en fleur
Fleurs d'espèces diverses   un pré en fleurs   des prés en fleurs

genre non marqué

Il s'emploie pour désigner les deux sexes et il a la même forme que le masculin.

joueur = joueur *ou* joueuse   Le joueur doit suivre les règles du jeu.
étudiants = étudiants *et* étudiantes   Les étudiants se sont réunis hier.

grand

Employé comme adverbe : variable   des portes grandes ouvertes
Noms composés : variables en nombre   des grands-pères, des grands-mères

hors-

Quand il signifie *en dehors de*   Ces joueurs étaient hors jeu.
Quand c'est un nom commun : trait d'union   Ils ont commis des hors-jeux.

là – ci

Si **là** ou **ci** touche le mot auquel il se rapporte : trait d'union.

cette robe-là   cette idée-ci
ces deux-là   ces trois enfants-ci

Si **là** ou **ci** ne touche pas le mot auquel il se rapporte : pas de trait d'union.

cette robe d'été là   cette tarte aux fraises ci
(*là* se rapporte à *robe,* non à *été*)   (*ci* se rapporte à *tarte,* non à *fraises*)

la plupart

Le verbe se met au pluriel.   La plupart des soldats sont courageux.

Je me réveille et, à ma grande surprise, je suis encore vivant.

le plus – le moins – le mieux

Avec comparaison : l'article **le** est variable.

> C'est la fille **la** plus brillante, **la** moins rusée, **la** mieux préparée de sa classe.

Sans comparaison : l'article **le** est invariable.

> C'est à l'oral qu'elle a été **le** plus brillante, **le** moins rusée, **le** mieux préparée.

le plus... que – le moins... que

Avec le subjonctif quand on veut insister sur le côté exceptionnel. Avec l'indicatif quand on veut montrer simplement la réalité d'un fait.

> C'est la personne la plus extraordinaire que j'aie rencontrée.
> C'est la personne la plus extraordinaire que j'ai rencontrée.

le premier qui – le seul qui

Avec le subjonctif quand on veut insister sur le côté exceptionnel. Avec l'indicatif quand on veut montrer simplement la réalité d'un fait.

Tu es le premier qui ait compris.	Elle est la seule qui ait compris.
Tu es le premier qui a fini son devoir.	Elle est la seule qui a fini son devoir.

leur – leurs

Déterminant possessif : variable en nombre. Quand **leur** est le pluriel de **lui** : invariable.

Les enfants jouent avec leur balle.	Ils retroussent leurs manches.
Je leur ai répondu.	Je les leur donne.

leur – son

Avec *chacun* : *son* ou *leur*.   Ils sont partis chacun de son (leur) côté.

l'un et l'autre

Le verbe peut se mettre au singulier ou au pluriel.

L'un et l'autre cas est admis.	L'un et l'autre cas sont admis.

l'un ou l'autre

Si c'est l'un des deux, verbe au singulier.   L'un ou l'autre cas est acceptable.

même

Adjectif : accord en nombre avec le nom ou le pronom démonstratif.

le même jour	la même nuit	les mêmes jours	les mêmes nuits
le garçon même	la fille même	les garçons mêmes	ceux-là mêmes

Pronom personnel : trait d'union et accord en nombre.

lui-même	elle-même	eux-mêmes	elles-mêmes

Adverbe qu'on peut remplacer par **aussi** : invariable.

Même les hommes sont mortels.	Ils se disaient même médecins.
Les hommes même sont mortels.	Elles voulaient même l'épouser.

moins de deux

Le verbe se met au pluriel.   Moins de deux mois se sont écoulés.

Passé simple de *faire* : je fus, tu fusses, il fut, nous fumons, vous fumez, ils futent.

ne... que

Cette locution se met à la forme négative. Si on la remplace par *seulement,* on la met à la forme affirmative. Ces deux exemples ont donc la même signification.

> On *n*'emploie son parapluie *que* s'il pleut.   (forme négative)
> On emploie son parapluie *seulement* s'il pleut. (forme affirmative)

ni – n'y

Substitution par *ne y*   Nous n'y pouvons rien,
Substitution impossible   ni toi ni moi.

ni... ni – ni l'un ni l'autre

Le verbe peut se mettre au singulier ou au pluriel.

> Ni son père ni sa mère ne chante.   Ni son père ni sa mère ne chantent.
> Ni l'un ni l'autre cas n'est admis.   Ni l'un ni l'autre cas ne sont admis.

nom collectif

Collectif : nom qui, au singulier, désigne un ensemble. Liste partielle des collectifs qui suivent la même règle :

assemblée	cortège	groupe	masse	nuée	série
bande	ensemble	infinité	meute	paquet	tas
caravane	équipe	lot	multitude	poignée	totalité
comité	foule	majorité	nombre	quantité	troupe

Si l'on considère l'ensemble global, le verbe se met au singulier.
Si l'on considère le nombre d'êtres ou de choses, le verbe se met au pluriel.

> Le groupe des manifestants grossissait lentement.
> Un groupe de manifestants chantaient divers slogans.

> Elle découvrit un paquet de lettres qui était bien ficelé.
> Elle découvrit un paquet de lettres qui étaient toutes manuscrites.

nom de quantité

Liste des mots suivant la même règle :

dizaine	cinquantaine	quinzaine	soixantaine	trentaine	tiers
douzaine	centaine	vingtaine	quarantaine	quart	moitié

S'il s'agit d'un nombre précis, le verbe se met au singulier.
S'il s'agit d'un nombre approximatif, le verbe se met au pluriel.

> La douzaine d'œufs coute de plus en plus cher.
> La douzaine de membres présents ont applaudi.

> Exactement le quart des membres a voté pour la proposition.
> Environ le quart des membres ont voté pour la proposition.

non seulement..., mais

Le verbe est au singulier si le second sujet est au singulier. Le verbe est au pluriel si le second sujet est au pluriel.

> Non seulement ses richesses, mais tout son *honneur* a disparu.
> Non seulement son honneur, mais toutes ses *richesses* ont disparu.

Une montre est divisée en douze fuseaux horaires d'égale intensité.

nous d'humilité

Si **nous** = **je,** le verbe se met au pluriel, le participe passé reste au singulier.

> Dans ce livre, nous nous sommes efforcé d'être clair.

on

Si **on** = **quelqu'un,** le verbe et le participe passé se mettent au singulier.

> *On* s'est introduit dans ma maison. = *Quelqu'un* s'est introduit dans ma maison.

Si **on** = **nous** (dans la langue familière), le verbe reste au singulier. Le participe passé ou l'adjectif s'accorde.

en langue écrite normale	Nous sommes allés faire une marche.
en langue familière	On *est* allés faire une marche.

on – on n'

Forme affirmative	On attend des invités.
Forme négative	On n'attend pas d'invités.

ou

Si *ou* signifie un choix entre deux termes, le verbe se met au singulier. Si *ou* signifie «et», le verbe se met au pluriel.

> Le maire ou le secrétaire fera un discours (l'un des deux).
> Un choc physique ou une émotion peuvent lui être fatals (tous les deux).

ou – où

Substitution par *ou bien*	Préfères-tu l'été ou l'hiver ?
Substitution impossible	Voici l'école où j'ai étudié.

par ce que – parce que

Substitution par *par la chose que*	Je suis intéressé par ce que tu me dis.
Substitution par *puisque*	Tu réussiras parce que tu es intelligent.

pas – sans

Au singulier ou au pluriel après la question : *s'il y en avait, y en aurait-il plusieurs ?*

Ces tricots n'ont pas de col.	*s'ils en avaient, ils n'en auraient qu'un*
Ces tricots sont sans col.	*s'ils en avaient, ils n'en auraient qu'un*
Ce tricot n'a pas de manches.	*s'il en avait, il en aurait deux*
Ce tricot est sans manches.	*s'il en avait, il en aurait deux*

passé (préposition)

Substitution par *après* : invariable	Passé l'église, tournez à droite.
Substitution par *après* : invariable	Passé cette date, vous serez pénalisé.

peu importe – qu'importe

Le verbe s'accorde avec son sujet ou reste invariable. Les deux sont permis.

Peu importent les menaces.	Peu importe les menaces.
Qu'importent les dangers.	Qu'importe les dangers.

peut-être – peut être

Substitution par *probablement*	Elle arrivera peut-être demain.
Substitution par *pouvait*	Jean peut être fier de sa victoire.

Une langue morte est une langue qui n'est parlée que par les morts.

pluriel des noms propres

Familles normales	inv.	les Dupont, les Tremblay, les Maréchal
Familles célèbres	var.	les Tudors, les Bourbons, les Condés
Œuvres célèbres	var.	des Renoirs, des Rembrandts, des Picassos
Journaux, livres, pas d'article	inv.	deux *Presse*, trois *Parisien libéré*
Toponymes, s'il en existe plusieurs	var.	les Amériques, les Savoies, les Corées
Toponymes en général	inv.	les Montréal sont nombreux en France
Noms de marques	inv.	deux Chevrolet, trois Boeing, deux Peugeot

• La tendance est aujourd'hui à l'invariabilité pour tous ces cas.

plus d'un

Le verbe se met au singulier.   Plus d'un élève fut surpris.

plutôt – plus tôt

Substitution par *de préférence*   Je viendrai plutôt demain.
Substitution par *plus tard*   J'arriverai plus tôt que toi.

plutôt que

Le verbe se met au singulier.   La gloire, plutôt que l'argent, l'intéresse.

possible

Substitution par *qu'il est possible*   Nous ferons le moins de fautes possible.
Substitution par *qui sont possibles*   Nous ferons tous les efforts possibles.

pour cent

Suivi d'un nom singulier : verbe au singulier et accord de l'adj. et du p.p. avec le nom.

    Dix pour cent de la *population* est contente et soulagée.

Suivi d'un nom pluriel : verbe au pluriel et accord de l'adj. et du p.p. avec le nom.

    Dix pour cent des *joueuses* sont contentes et soulagées.

Précédé de *les, mes, ces* : verbe au pluriel ; adj. et p.p. au masculin pluriel.

    Les dix pour cent de la population sont contents et soulagés.

pourquoi – pour quoi

Substitution par *pour quelle raison*   Pourquoi vous habillez-vous ?
Substitution impossible   Pour quoi faire vous habillez-vous ?

quelque – quel que

Substitution par *n'importe quel*   Pour quelque motif que ce soit...
Substitution par *une quelconque*   Il faut faire quelque chose.
Substitution par *plusieurs*   J'ai cueilli quelques pommes.
Substitution par *environ*   J'ai cueilli quelque soixante pommes.
Substitution par *aussi*   Quelque bonnes qu'elles soient...
Devant *être* au subjonctif, accord   Quel que soit le lieu, quelle que soit la date, quels que soient les périls, quelles que soient les peines.

quelquefois – quelques fois

Substitution par *parfois*   Quelquefois, il venait me voir.
Substitution par *plusieurs fois*   Ce soir-là, il a ri quelques fois.

George Sand était une homosexuelle qui aimait les hommes.

qui

Si le pronom relatif *qui* a pour antécédent un pronom personnel, le verbe se met à la même personne et au même nombre que l'antécédent.

> C'est *nous* qui *avons* perdu.   C'est *vous* qui *avez* gagné.

Si *qui* a pour antécédent un attribut se rapportant à un pronom personnel de la 1re ou de la 2e personne, on accorde le verbe avec le pronom (tu) ou avec l'attribut (élève).

> Tu es une élève qui *étudies* bien.   Tu es une élève qui *étudie* bien.

quoique – quoi que

Substitution par *bien que*   Quoique cela soit difficile, elle persiste.
Substitution impossible   Quoi que tu en penses, je viendrai.

si (concordance des temps)

Verbe de la principale au futur : celui de la subordonnée se met au présent.

> Je sortirai demain s'il fait beau.   (*et non pas* : s'il fera beau)

Verbe de la principale au conditionnel : celui de la subordonnée se met à l'imparfait.

> J'irais avec toi si tu le voulais.   (*et non pas* : si tu le voudrais)

si tôt – sitôt

Substitution par *si tard*   Je ne pensais pas que tu viendrais si tôt.
Substitution par *aussitôt*   Sitôt dit, sitôt fait.

soi-disant

Ne peut s'utiliser qu'avec des personnes.   Une fille soi-disant instruite.
Cette locution est elle-même invariable.   Des filles soi-disant instruites.

soussigné

Sans virgules et accord avec le sujet.   Nous soussignés reconnaissons...
Avec virgules autour d'une apposition.   Je soussignée, Marie Dupont, reconnais...

sur-le-champ

Substitution par *immédiatement*   Nous avons réagi sur-le-champ.
Substitution impossible   Il a mis de l'engrais sur le champ de maïs.

tel

tel s'accorde en genre et en nombre avec le nom qui suit.

> J'ai vu que tel était son désir.   Une telle volonté me surprend.

tel que s'accorde en genre et en nombre avec le nom qui précède.

> Un animal tel que la girafe...   Des animaux tels que les girafes...

tel quel signifie *sans changement* et s'accorde en genre et en nombre.

> J'ai emprunté vos lunettes en bon état ; je vous les rends telles quelles.

terminaisons du subjonctif

Le subjonctif présent de tous les verbes (excepté **être** et **avoir**) se termine toujours par **-e -es -e -ions, -iez, -ent** : que je croie, que tu croies, qu'il croie, qu'elle croie, que nous croyions, que vous croyiez, qu'ils croient, qu'elles croient.

Si je lui ai cassé une dent, c'est parce qu'il me cassait les pieds.

terminaisons de l'impératif

Les verbes dont la terminaison est muette à l'impératif (*chante*) se terminent par :

    -e   **-ons** **-ez**   chante, chantons, chantez   cueille, cueillons, cueillez

Les verbes dont la terminaison n'est pas muette à l'impératif se terminent par :

    -s   **-ons** **-ez**   finis, finissons, finissez   prends, prenons, prenez

Devant **en** et **y,** on ajoute un **s** euphonique pour faciliter la prononciation.

    chantes-en, chantes-y, cueilles-en, cueilles-y

t euphonique

Pour faciliter la prononciation	Vainc-t-il ? Viendra-t-il ? A-t-on sonné ?
Pas après un **d**	Prend-elle du thé ? Répond-elle souvent ?
Pas après un **t**	Veut-il venir me voir ? Sort-elle avec lui ?
Attention à l'élision de **toi**	Va-t'en. Achète-t'en une. Garde-t'en un.

tout

Adjectif : accord en genre et en nombre avec le nom.

    tout le jour   toute la nuit   tous les matins   toutes les heures

Adverbe signifiant *entièrement* : invariable devant un adjectif ou un participe passé...

    Ils sont tout contents.   Elle est tout attristée.

... mais variable s'il s'agit d'un *féminin* débutant par une consonne ou.un **h** aspiré.

    Elle est toute contente.   Elle est toute honteuse.

un de ceux qui – un des... qui

Le verbe se met au pluriel.   Vous êtes un de ceux qui ont été élus.
    Vous êtes un des auteurs qui ont été élus.

villes

Noms de villes débutant par **Le** ou **La** : même genre que cet article.

    Le Gardeur est beau.   La Pocatière est belle.

Noms de villes finissant par **-e** ou **-es** : genre féminin.

    Saint-Jérôme est belle.   Trois-Rivières est belle.

Noms de villes finissant autrement que par **-e** ou **-es** : genre masculin.

    Québec est beau.   Montréal est beau.

vive

Interjection invariable.   Vive les gens d'esprit !

vous de politesse

Quand **vous** est mis à la place de **tu,** le verbe se met au pluriel, mais le participe passé ou l'adjectif reste au singulier.

    Vous êtes *arrivée* toute seule.   Vous semblez *contente* du résultat.

L'homme marchait dans la rue, les mains derrière le dos, en lisant son journal.

Nouvelle orthographe : règles

- Pour plus de détails, visitez le site www.orthographe-recommandee.info.
- Au Canada, on peut obtenir la brochure *Vadémécum de l'orthographe recommandée* en écrivant à nouvelle.orthographe@videotron.ca ou en appelant Chantal Contant au 514-987-3324, poste 9046 (prix de la brochure : 2 $).
- Le *Dictionnaire de l'Académie française* (9e édition) rappelle qu'aucune des deux graphies (ni l'ancienne ni la nouvelle) ne peut être tenue pour fautive. C'est aussi la position de l'Office québécois de la langue française (communiqué du 3 mai 2004).
- La nouvelle orthographe ne concerne ni les noms propres ni leurs dérivés.
- Les règles G du *Vadémécum* concernent surtout les auteurs de dictionnaires.
- [L'orthographe traditionnelle est indiquée entre crochets.]
- **L'écriture des nombres en lettres se trouve à la page 124.**

1.   L'accent grave

Devant une syllabe muette, on écrit è et non é. Cela concerne notamment tous les verbes qui ont à l'infinitif un é accent aigu sur l'avant-dernière syllabe (ex. : *abréger*).

sècheresse	[sécheresse]	j'abrègerai	[j'abrégerai]
crèmerie	[crémerie]	je cèderai	[je céderai]
règlementaire	[réglementaire]	ils règleraient	[ils régleraient]

Exceptions : a) les préfixes *dé-* et *pré-* : *dégeler, prévenir* ; b) les é initiaux : *échelon, élever* ; c) les mots *médecin* et *médecine*.

2.   L'accent circonflexe

L'accent circonflexe disparait sur *i* et *u*. On le maintient dans les terminaisons du passé simple et du subjonctif, et dans ces cas d'ambiguïté : les masculins singuliers *dû, mûr, sûr* ; le mot *jeûne(s)* pour ne pas le confondre avec *jeune(s)* ; les formes de *croitre* qui, sinon, se confondraient avec celles de *croire* : *je crois en toi, je croîs en sagesse*.

il connait	[il connaît]	surcroit	[surcroît]
elle buche	[elle bûche]	voute	[voûte]
nous finîmes	nous fûmes	qu'elle finit	qu'elle fût

3.   Le tréma

Le tréma est déplacé sur la lettre *u* prononcée dans les suites *-güe* et *-güi-* et il est ajouté dans quelques mots pour éviter des prononciations défectueuses.

aigüe, ambigüe	[aiguë, ambiguë]	gageüre	[gageure]
ambigüité	[ambiguïté]	vergeüre	[vergeure]
exigüe	[exiguë]	argüer	[arguer]

4.   Le trait d'union

La soudure s'impose en particulier : a) dans les mots composés de *contr(e)-* et *entr(e)-* ; b) dans les onomatopées et dans les mots d'origine étrangère ; c) dans les mots composés avec des éléments «savants», en particulier en *-o* (ex. : *autoécole*).

contrappel	[contre-appel]	entretemps	[entre-temps]
tictac, guiliguili	[tic-tac, guili-guili]	holdup, cowboy	[hold-up, cow-boy]
microéconomie	[micro-économie]	agroalimentaire	[agro-alimentaire]

L'orateur faisait de grands gestes, tout en parlant du bras droit.

5. Les noms composés

Dans les noms composés du type *pèse-lettre* (verbe + nom) ou *sans-abri* (préposition + nom), le second élément prend la marque du pluriel lorsque le mot est au pluriel.

un essuie-main	[un essuie-mains]	des essuie-mains	[des essuie-mains]
un porte-avion	[un porte-avions]	des porte-avions	[des porte-avions]
un sans-emploi	[un sans-emploi]	des sans-emplois	[des sans-emploi]
un après-midi	[un après-midi]	des après-midis	[des après-midi]

6. Les mots empruntés

Les mots empruntés forment leur pluriel de la même manière que les mots français et sont accentués conformément aux règles qui s'appliquent aux mots français.

des matchs	[des matches]	des pésos	[des pesos]
des révolvers	[des revolvers]	des toréros	[des toreros]
des édelweiss	[des edelweiss]	des raviolis	[des ravioli]

7. Les verbes en *-eler* ou *-eter*

Ces verbes se conjuguent sur le modèle de *peler* ou de *acheter*. Les noms dérivés se terminant en *-ment* de ces verbes suivent la même règle.

j'amoncèle	[j'amoncelle]	elle ruissèle	[elle ruisselle]
amoncèlement	[amoncellement]	ruissèlement	[ruissellement]
tu époussèteras	[tu époussetteras]	je cachète	[je cachette]

Exceptions : *appeler, jeter* et leurs composés (y compris *interpeler* [*interpeller*]).

8. Les mots en *-olle* et les verbes en *-otter*

Les mots anciennement en *-olle* et les verbes anciennement en *-otter* s'écrivent avec une consonne simple. Les dérivés du verbe ont aussi une consonne simple.

corole	[corolle]	guibole	[guibolle]
frisoter	[frisotter]	greloter	[grelotter]
frisotis	[frisottis]	cachotière	[cachottière]

Exceptions : Les mots *colle, folle, molle,* et les mots de la même famille qu'un nom en *-otte,* comme *botter,* de *botte.*

9. Les anomalies corrigées

Certaines anomalies ont été corrigées pour correspondre à la prononciation ou pour les rapprocher de leur famille. Voici une liste partielle d'exemples :

absout, absoute	[absous, absoute]	papèterie	[papeterie]
assoir, il s'assoit	[asseoir, il s'assoit]	persiffler	[persifler]
bonhommie	[bonhomie]	prudhomme	[prud'homme]
combattif	[combatif]	prudhommie	[prud'homie]
dissout, dissoute	[dissous, dissoute]	quincailler	[quincaillier]
douçâtre	[douceâtre]	recéleur	[receleur]
féérie	[féerie]	relai	[relais]
imbécilité	[imbécillité]	serpillère	[serpillière]
joailler, joaillère	[joaillier, joaillière]	sursoir	[surseoir]
ognon	[oignon]	vilénie	[vilenie]

Le chat a quatre pattes : deux devant pour courir, deux derrière pour freiner.

Nouvelle orthographe : liste principale

- Les numéros à droite renvoient aux règles des pages 164-165. Le *s* ou le *x* s'ajoute au mot pour former le pluriel. Abréviations : *dér.* = *dérivés* ; (n.) = *nom*. Les formes de haute fréquence sont en caractères gras. Cette liste exclut les mots rares.

- Les verbes comportant un *é* accent aigu sur l'avant-dernière syllabe de l'infinitif (par exemple : *abréger*) changent ce *é* en *è* accent grave au futur et au conditionnel : *j'abrègerai, j'abrègerais*. Je n'ai cité qu'un exemple, au futur, pour gagner de la place.

- Les mots **ile** et **chaine** sont parfois des toponymes. La Commission de toponymie pour le moment garde le *î* circonflexe dans ces deux noms quand ils sont toponymes.

- Le mot **aout.** Vérifiez si votre logiciel l'a entré ainsi, afin qu'il se place au bon endroit dans un tri par date. Microsoft l'entrera en nouvelle orthographe prochainement.

- **Cette liste ne comprend pas les mots latins, qui se trouvent à la page 116.**

abaisse-langue, s	5	altèrerai (j')	1	autoérotique	4	bossèlement, s	7
abat-jour, s	5	ambigu, ambigüe	3	autoévaluation, s	4	bottèle (je)	7
abat-son, s	5	ambigüité, s	3	autostop, s	4	bouche-pore, s	5
abat-vent, s	5	amoncèle (j')	7	avant-gout, s	5	bouiboui, s	4
abime + *dér.*	2	amoncèlement, s	7	avant-midi, s	5	boursouffler + *dér.*	9
abrègement, s	1	ampèreheure, s	4	avèrera (il s')	1	boutentrain, s	4
abrègerai (j')	1	amuse-gueule, s	5	baby, s	6	boyscout, s	4
absout, absoute	9	antiâge	4	babyboum, s	4	braintrust, s	4
accèderai (j')	1	**aout** + *dér.*	2	babyfoot, s	4	branlebas	4
accélérando, s	6	à-pic, s	5	balloter + *dér.*	8	braséro, s	6
accélèrerai (j')	1	**apparaitre**	2	banquète (je)	7	brevète (je)	7
accroche-cœur, s	5	appâts	9	barcarole, s	8	briquèterie, s	9
accroche-plat, s	5	appuie-livre, s	5	barman, s	6	brise-copeau, x	5
accroitre	2	appuie-main, s	5	baseball	4	brise-glace, s	5
adagio, s	6	appuie-nuque, s	5	basketball	4	brise-jet, s	5
adhèrerai (j')	1	appuie-tête, s	5	bassecour, s	4	brise-lame, s	5
aèrerai (j')	1	après-diner, s	5	bat-flanc, s	5	brise-mariage, s	5
affèterie, s	1	après-midi, s	5	belcanto, s	6	brise-menotte, s	5
affrèterai (j')	1	après-rasage, s	5	bélitre, s	2	brise-motte, s	5
affut + *dér.*	2	après-ski, s	5	béluga, s	6	brisetout, s	5
agglomèrerai (j')	1	après-vente, s	5	benoit + *dér.*	2	brise-vent, s	5
agrègerai (j')	1	arcbouter + *dér.*	4	bésicles	9	brule-bout, s	5
aide-mémoire, s	5	**argüer**	3	bestseller, s	4	brule-gueule, s	5
aigu, aigüe	3	arioso, s	6	bienaimé, s	4	brule-parfum, s	5
aiguiller, s	9	arrachepied (d')	4	bienaimée, s	4	**bruler** + *dér.*	2
aimè-je	1	arrière-gout, s	5	bienfondé, s	4	**buche** + *dér.*	2
ainé, ainée	2	artéfact, s	6	bigbang, s	4	cachecache	4
ainesse	2	assècherai (j')	1	bizut, s	9	cache-cœur, s	5
alèserai (j')	1	assènerai (j')	1	blasphèmerai (je)	1	cache-col, s	5
aliènerai (j')	1	assidument	2	bluejean, s	4	cache-corset, s	5
allècherai (j')	1	assiègerai (j')	1	body, s	6	cache-entrée, s	5
allègement, s	1	**assoir**	9	**boite** + *dér.*	2	cache-flamme, s	5
allègerai (j')	1	asti, s	6	bolchéviste + *dér.*	6	cache-misère, s	5
allègrement	1	attèle (j')	7	bonhommie	9	cache-museau, x	5
allégretto, s	6	attrape-mouche, s	5	bonnèterie, s	9	cache-pot, s	5
allégro, s	6	attrape-nigaud, s	5	boss, des boss	6	cache-prise, s	5
allèguerai (j')	1	audiovisuel	4	bossanova, s	6	cache-sexe, s	5
allume-feu, x	5	autoécole, s	4	bossèle (je)	7	cache-tampon, s	5

La vigne a servi à la nourriture des hommes et à leur habillement.

cachète (je)	7	cisèle (je)	7	coupe-faim, s	5	**déplait** (il/elle)	2
cachoterie + *dér.*	8	clairevoie, s	4	coupe-feu, x	5	dérèglementation	1
cafétéria, s	6	clergyman, s	6	coupe-file, s	5	dérèglerai (je)	1
cahincaha	4	cliquète (je)	7	coupe-gorge, s	5	désagrègerai (je)	1
cahutte, s	9	cliquètement, s	7	coupe-papier, s	5	désaltèrerai (je)	1
cale-pied, s	5	clochepied (à)	4	coupe-vent, s	5	despérado, s	6
callgirl, s	4	**cloitre** + *dér.*	2	**cout** + *dér.*	2	dessècherai (je)	1
caméraman, s	6	coincoin, s	4	couvrepied, s	4	diésel, s	6
cannelloni, s	6	collète (je me)	7	covergirl, s	4	diffèrerai (je)	1
capte-suie, s	5	combattivité + *dér.*	9	**cowboy, s**	4	digèrerai (je)	1
caquète (je)	7	commèrerai (je)	1	craquèle (je)	7	dime, s	2
carènerai (je)	1	comparaitre	2	craquèlement, s	7	diminuendo, s	6
carrèle (je)	7	complait (il/elle)	2	craquète (je)	7	**diner** + *dér.*	2
casse-cou, s	5	complèterai (je)	1	craquètement, s	7	**disparaitre**	2
casse-croute, s	5	compte-fil, s	5	crècerelle	1	dissèquerai (je)	1
casse-cul, s	5	compte-goutte, s	5	crècherai (je)	1	dissout, dissoute	9
casse-graine, s	5	compte-tour, s	5	**crèmerie, s**	1	djébel, s	6
casse-gueule, s	5	concèderai (je)	1	crescendo, s	6	donjuan, s	4
casse-noisette, s	5	condottière, s	6	crève-cœur, s	5	donquichotte, s	4
casse-patte, s	5	confèrerai (je)	1	croitre, il croitra	2	douçâtre	9
casse-pied, s	5	conglomèrerai (je)	1	croquemadame, s	4	duetto, s	6
casse-pierre, s	5	congrument	2	croquemonsieur, s	4	dument	2
casse-pipe, s	5	**connaitre**	2	croquemort, s	4	ébrècherai (j')	1
casse-tête, s	5	considèrerai (je)	1	crosscountry, s	4	échevèle (j')	7
cèderai (je)	1	contigu, contigüe	3	**croute** + *dér.*	2	écrèmerai (j')	1
célèbrerai (je)	1	contigüité, s	3	crument	2	édelweiss	6
cèleri, s	1	continument	2	cuisseau, x	9	égo, s	6
chachacha, s	4	contrallée, s	4	cure-dent, s	5	emboiter + *dér.*	2
chaine + *dér.*	2	contrappel, s	4	cure-ongle, s	5	embottèle (j')	7
chancèle (je)	7	contrattaque, s	4	cure-oreille, s	5	embuche, s	2
charriot + *dér.*	9	contrattaquer	4	cyclocross	4	empaquète (j')	7
chasse-clou, s	5	contrecourant, s	4	daredare	4	empiètement, s	1
chasse-marée, s	5	contrefeu, x	4	déblatèrerai (je)	1	empièterai (j')	1
chasse-neige, s	5	contrefilet, s	4	déboiter + *dér.*	2	encas	4
chasse-roue, s	5	contrejour, s	4	débossèle (je)	7	enchainer + *dér.*	2
chauffe-bain, s	5	contremaitre, s	2	décachète (je)	7	encours	4
chauffe-eau, x	5	contremaitresse, s	2	décèderai (je)	1	encrouter + *dér.*	2
chauffe-pied, s	5	contremesure, s	4	déchainer + *dér.*	2	ensorcèle (j')	7
chauffe-plat, s	5	contrenquête, s	4	déchèterie, s	1	ensorcèlement, s	7
chaussepied, s	4	contrepied, s	4	déchiquète (je)	7	entête, s	4
chaussetrappe, s	9	contrépreuve, s	4	déciller	9	entraimer (s')	4
chauvesouris	4	contreproposition	4	décolèrerai (je)	1	**entrainer** + *dér.*	2
chéchia, s	6	contrerévolution	4	décollète (je)	7	entrapercevoir	4
checkup, s	4	contrespionnage	4	décrescendo, s	6	entredéchirer (s')	4
cherry, s	6	contrevérité, s	4	décrèterai (je)	1	entredeux	4
chichekébab, s	4	contrevoie, s	4	décroitre + *dér.*	2	entredévorer (s')	4
chistéra, s	6	contrexpertise, s	4	défèrerai (je)	1	entrégorger (s')	4
chlamydia, s	6	contrindiquer	4	dégénèrerai (je)	1	entrejambe, s	4
chowchow, s	4	controffensive, s	4	**dégout** + *dér.*	2	entretemps	4
cicérone, s	6	coopèrerai (je)	1	délèguerai (je)	1	entretuer (s')	4
ci-git	2	corolaire, s	8	délibèrerai (je)	1	énumèrerai (j')	1
cigüe, s	3	corole, s	8	dénivèle (je)	7	envouter + *dér.*	2
cinéclub, s	4	corrèlerai (je)	1	dénivèlement, s	7	épèle (j')	7
cinéparc, s	4	coucicouça	4	dentelier, s	7	épitre, s	2
cinéroman, s	4	coupe-circuit, s	5	dentelière, s	7	époussète (j')	7

Le chauffeur s'endort ; le camion se couche.

espèrerai (j')	1	gageüre	3	harakiri, s	4	joailler, joaillère	9
essuie-glace, s	5	gagne-pain, s	5	harcèle (je)	7	jukebox	4
essuie-main, s	5	gagnepetit, s	4	hautecontre, s	4	jumèle (je)	7
étincèle (j')	7	**gaité** + *dér.*	2	hautefidélité, s	4	kakémono, s	6
étincèlement, s	7	galègerai (je)	1	hautparleur, s	4	kana, s	6
étiquète (j')	7	galèrerai (je)	1	hébètement, s	1	kayak, s	6
eussè-je	1	ganadéria, s	6	hébèterai (j')	1	kibboutz	6
évènement + *dér.*	1	gangrènerai (je)	1	hèlerai (je)	1	kifkif	4
éviscèrerai (j')	1	garde-barrière, s	5	héroïcomique	4	kilomètrerai (je)	1
exagèrerai (j')	1	garde-boue, s	5	hifi, s	4	knockout, s	4
exaspèrerai (j)	1	garde-chasse, s	5	hihan, s	4	kolkhoze, s	6
excèderai (j')	1	garde-côte, s	5	hippie, s	6	ksar, s	6
exècrerai (j')	1	garde-feu, x	5	hippy, s	6	lacèrerai (je)	1
exéma + *dér.*	9	garde-fou, s	5	hobby, s	6	lady, s	6
exigu, exigüe	3	garde-frein, s	5	holdup, s	4	laiche, s	2
exigüité	3	garde-malade, s	5	hoquète (je)	7	lance-flamme, s	5
exonèrerai (j')	1	garde-manger, s	5	hors-bord, s (n.)	5	lance-grenade, s	5
extra, s	6	garde-meuble, s	5	hors-champ, s (n.)	5	lance-missile, s	5
extradry, s	4	garden-partie, s	6	hors-jeu, x (n.)	5	lance-pierre, s	5
extrafin	4	garden-party, s	6	hors-norme, s (n.)	5	lance-roquette, s	5
extralarge	4	garde-pêche, s	5	hors-piste, s (n.)	5	lance-torpille, s	5
fairepart, s	4	garrotage, s	8	hors-texte, s (n.)	5	lapilli, s	6
fairplay, s	4	garroter	8	hotdog, s	6	largo, s	6
faite (n.) + *dér.*	2	gastroentérite, s	4	huitre + *dér.*	2	lasagne, s	6
faitout, s	4	gay, s	6	hypothèquerai (j')	1	lave-linge, s	5
fastfood, s	4	gélinotte, s	9	**ile** + *dér.*	2	lave-vaisselle, s	5
fatma, s	6	gentleman, s	6	imbécilité, s	9	lazzarone, s	6
favéla, s	6	gèrerai (je)	1	impètrerai (j')	1	lazzi, s	6
fédayin, s	6	girole, s	8	imprègnerai (j')	1	lèche-botte, s	5
fédèrerai (je)	1	git (il), ci-git	2	imprésario, s	6	lèche-cul, s	5
féérie + *dér.*	9	**gite** + *dér.*	2	incarcèrerai (j')	1	lèche-vitrine, s	5
fellaga, s	6	globetrotter, s	4	incinèrerai (j')	1	lècherai (je)	1
ferry, s	6	gobe-mouche, s	5	incongrument	2	légato, s	6
ferryboat, s	4	gobète (je)	7	indifférerai (j')	1	légifèrerai (je)	1
feuillète (je)	7	golden, s	6	indument	2	lèguerai (je)	1
ficèle (je)	7	goulument	2	infrason + *dér.*	4	leitmotiv, s	6
fiftyfifty	4	**gout** + *dér.*	2	ingèrerai (j')	1	lento, s	6
finish, s	6	graffiti, s	6	innommé, s	9	lèse-majesté, s	5
flash, s	6	grainèterie, s	9	innommée, s	9	lèserai (je)	1
flashback, s	6	gratte-ciel, s	5	inquièterai (j')	1	lève-glace, s	5
flècherai (je)	1	gratte-papier, s	5	insèrerai (j')	1	levreau, x	9
fleurète (je)	7	greloter + *dér.*	8	intègrerai (j')	1	libèrerai (je)	1
flute + *dér.*	2	grille-pain, s	5	intercèderai (j')	1	libretto, s	6
fortissimo, s	6	grole, s	8	interférerai (j')	1	lied, s	6
fourmilion, s	4	grommèle (je)	7	interpeler	9	lieudit, s	4
foxtrot, s	4	grommèlement, s	7	interpelons (nous)	9	linga, s	6
fraiche + *dér.*	2	gruppetto, s	6	interprèterai (j')	1	lobby, s	6
frèterai (je)	1	guérilléro, s	6	jamborée, s	6	lockout, s	4
fricfrac, s	4	guibole, s	8	jazzman, s	6	lombosciatique, s	4
frisoter + *dér.*	8	guiliguili, s	4	jean, s	6	louvète (je)	7
froufrou, s	4	guillemèterai (je)	1	jeanfoutre, s	4	lunch, s	6
fumerole, s	8	hache-légume, s	5	jeûne, s (*diète*)	2	lunetier, s	9
furète (je)	7	hache-viande, s	5	jeuner	2	lunetière, s	9
fussè-je	1	halète (je)	7	jeuneur, jeuneuse	2	macèrerai (je)	1
fut (*tonneau*)	2	handball	4	jiujitsu	4	macroéconomie	4

Louis XVI s'enfuit, mais les gendarmes découvrent le poteau rose.

maharadja, s	6	**mûr,** mure, murs	2	pénalty, s	6	portemanteau, x	4
mainforte, inv.	4	mure, s (*fruit*)	2	pénètrerai (je)	1	portemonnaie, s	4
maitre + *dér.*	2	**murir** + *dér.*	2	pèquenaud, s	1	porte-parole, s	5
maitresse, s	2	musèle (je)	7	perce-neige, s	5	porte-serviette, s	5
maitrise + *dér.*	2	musèlement, s	7	perce-oreille, s	5	portevoix	4
mangeoter	8	muserole, s	8	pérestroïka, s	6	possèderai (je)	1
mangetout, s	4	**naitre** + *dér.*	2	perpètrerai (je)	1	postindustriel	4
maniacodépressif	4	négrospiritual, s	4	persévèrerai (je)	1	postmoderne	4
maraicher, s	2	nénufar, s	9	persiffler + *dér.*	9	postnatal	4
maraichère, s	2	Néocalédonien (n.)	4	pèse-alcool, s	5	potpourri, s	4
marengo, s	6	néocalédonien	4	pèse-bébé, s	5	pourlècherai (je)	1
marguiller, s	9	néoclassicisme	4	pèse-lettre, s	5	pousse-café, s	5
marguillère, s	9	Néohébridais (n.)	4	pèse-personne, s	5	poussepousse, s	4
mariole, s	8	néohébridais	4	péséta, s	6	précèderai (je)	1
markéting, s	6	Néozélandais (n.)	4	pèse-vin, s	5	prêchiprêcha, s	4
marquète (je)	7	néozélandais	4	péso, s	6	préemballé, s	4
marquèterie, s	6	newlook, s	4	pèterai (je)	1	préemballée, s	4
match, s	6	nivèle (je)	7	pickup, s	4	préfèrerai (je)	1
méconnaitre	2	nivèlement, s	7	picolo, s	6	presqu'ile, s	2
médailler, s (n.)	9	noroit, s	2	piègerai (je)	1	presse-citron, s	5
média, s	6	nument	2	piéta, s	6	presse-papier, s	5
médicolégal	4	nurserie, s	6	pince-fesse, s	5	presse-purée, s	5
méhari, s	6	oblitèrerai (j')	1	pingpong	4	prestissimo, s	6
melba, s	6	obsèderai (j')	1	pinup, s	4	primadonna, s	4
mêletout, s	4	obtempèrerai (j')	1	pipeline, s	4	procèderai (je)	1
mélimélo, s	4	offshore, s	4	pique-assiette, s	5	profèrerai (je)	1
ménin, ménine	6	ognon + *dér.*	9	pique-feu, x	5	prolifèrerai (je)	1
mésa, s	6	oligoélément, s	4	piquenique + *dér.*	4	prospèrerai (je)	1
mètrerai (je)	1	open, s (adj.)	6	pique-note, s	5	protègerai (je)	1
microampère, s	4	opèrerai (j')	1	piquète (je)	7	prudhommal	9
microanalyse, s	4	ossobuco, s	4	piqure, s	2	prudhomme	9
microéconomie, s	4	otorhino, s	4	pissefroid, s	4	prudhommie	9
microonde, s	4	ouvre-boite, s	5	pisse-vinaigre, s	5	prunelier, s	9
microordinateur, s	4	ouvre-huitre, s	5	pizzicato, s	6	pseudobulbaire	4
milkshake, s	4	paitre + *dér.*	2	placébo, s	6	puiné, puinée	2
millefeuille, s	4	panèterie, s	9	plait (il/elle/on)	2	puissè-je, puissè-je	6
millepatte, s	4	papèterie, s	9	platebande, s	4	pullover, s	4
millepertuis	4	**paraitre**	2	plateforme, s	4	putsch, s	6
minicassette, s	4	pare-balle, s	5	playback, s	4	quantum, s	6
minichaine, s	4	pare-brise, s	5	playboy, s	4	québracho, s	6
minijupe, s	4	pare-choc, s	5	pleure-misère, s	5	quincailler, s	9
miss, des miss	6	pare-étincelle, s	5	plumpouding, s	4	quincaillère, s	9
modérato, s	6	pare-feu, x	5	pochète (je)	7	quotepart, s	4
modèrerai (je)	1	parquèterie, s	9	policeman, s	6	rabat-joie, s	5
monte-charge, s	5	pasodoble, s	4	ponch, s	9	radiotaxi, s	4
monte-pente, s	5	passe-droit, s	5	pondèrerai (je)	1	**rafraichir** + *dér.*	2
morcèle (je)	7	passe-lacet, s	5	pop, s	6	ragout + *dér.*	2
morcèlement, s	7	passepartout, s	4	popcorn, s	6	ramasse-miette, s	5
morigènerai (je)	1	passepasse, s	4	porte-avion, s	5	ramasse-pâte, s	5
motocross	5	passetemps	4	porte-bagage, s	5	ranch, s	6
mouchète (je)	7	pècherai (*fauter*)	1	porte-bonheur, s	5	rapiècerai (je)	1
moudjahidine, s	6	pècheresse	1	porte-carte, s	5	rase-motte, s	5
mout, s	2	pédigrée, s	6	porteclé, s	4	rassérènerai (je)	1
mu (*mouvoir*)	2	pêlemêle, s (n.)	4	porte-drapeau, x	5	rassoir	9
muléta, s	6	pellèterai (je)	1	porte-malheur, s	5	râtèle (je)	7

Le chef voulait refaire les forces de ses hommes fatigués par un repas chaud.

réaffuter, raffuter	2	ronéo, s	6	**soul** + *dér.*	2	tolèrerai (je)	1
réapparaitre	2	rouspèterai (je)	1	sous-main, s	5	tord-boyau, x	5
recèlerai (je)	1	royaltie, s	6	sous-seing, s	6	toréro, s	6
recéleur, s	9	rugbyman, s	6	sous-verre, s	5	tory, s	6
recéleuse, s	9	ruissèle (je)	7	soutasse, s	4	tragicomédie, s	4
reconnaitre	2	ruissèlement, s	7	speech, s	6	tragicomique	4
reconsidèrerai (je)	1	rush, s	6	spermaceti, s	6	**trainer** + *dér.*	2
recordman, s	6	saccarifier + *dér.*	9	staccato, s	6	**traitre** + *dér.*	2
recordwoman, s	6	sacrosaint, s	4	standard, s	6	transfèrerai (je)	1
recru (*recroitre*)	2	sagefemme, s	4	stratocumulus	6	trémolo, s	6
récupèrerai (je)	1	sandwich, s	6	striptease + *dér.*	4	trole, s	8
réfèrerai (je)	1	sans-abri, s	5	subaigu, subaigüe	3	trouble-fête, s	5
reflèterai (je)	1	sans-cœur, s	5	succèderai (je)	1	tsétsé, s	4
réflex (*en photo*)	6	sans-culotte, s	5	suggèrerai (je)	1	tsointsoin, s	4
réfrènement, s	1	sans-emploi, s	5	sulky, s	6	tue-mouche, s	5
réfrènerai (je)	1	sans-façon, s	5	superman, s	6	turbo, s	6
régénèrerai	1	sans-faute, s	5	**sûr,** sure, surs	2	tutti frutti	6
règlement + *dér.*	1	sans-gène, s	5	suraigu, suraigüe	3	tuttis fruttis (des)	6
règlerai (je)	1	sans-papier, s	5	**surcroit, s**	2	ulcèrerai (j')	1
règnerai (je)	1	sans-patrie, s	5	surement	2	ultrachic, s	4
réinsèrerai (je)	1	sans-souci, s	5	surentrainement, s	2	ultracourt, s	4
réintègrerai (je)	1	sati, s	6	surentrainer	2	ultracourte, s	4
réitèrerai (je)	1	saufconduit, s	4	**sureté, s**	2	ultrasensible, s	4
reitre, s	2	saute-mouton, s	5	sursoir	9	ultraviolet, s	4
relai, s	9	scampi, s	6	tachète (je)	7	vanupied, s	4
relèguerai (je)	1	scénario, s	6	taille-crayon, s	5	vatout, s	4
remboiter + *dér.*	2	scotch, s	6	taliatelle, s	6	végèterai (je)	1
remue-ménage, s	5	sèche-cheveu, x	5	tamtam, s	4	vélotaxi, s	4
remue-méninge, s	5	sèche-linge, s	5	tapecul, s	4	vénèrerai (je)	1
rémunèrerai (je)	1	sècherai (je)	1	tâte-vin, s	5	vènerie, s	1
renaitre + *dér.*	2	**sècheresse, s**	1	teeshirt, s	4	ventail, s	9
renouvèle (je)	7	sècherie, s	1	téléfilm, s	4	vergeüre, s	3
renouvèlement, s	7	sécrèterai (je)	1	tempèrerai (je)	1	vide-ordure, s	5
répartie, s	9	séniorita, s	6	tempo, s	6	vide-poche, s	5
repèrerai (je)	1	serpillère, s	9	tennisman, s	6	vide-pomme, s	5
répèterai (je)	1	serre-frein, s	5	ténuto	6	vilénie, s	9
repose-tête, s	5	serre-joint, s	5	téquila, s	6	vitupèrerai (je)	1
résout, résoute	9	serre-livre, s	5	terreplein, s	4	vocéro, s	6
ressemèle (je)	7	serre-tête, s	5	têtebêche	4	vocifèrerai (je)	1
rétrocèderai (je)	1	sexy, s	6	tèterai (je)	1	volète (je)	7
réveille-matin, s	5	sidèrerai (je)	1	teufteuf, s	4	volètement, s	7
révèlerai (je)	1	siègerai (je)	1	tictac, s	4	volleyball	4
révèrerai (je)	1	sketch, s	6	tifosi, s	6	volteface, s	4
révolver, s	6	snackbar, s	4	tirebouchon, s	4	vomito négro	6
ricrac	4	socioculturel	4	tirebouchonner	4	vomitos négros	6
riesling, s	6	socioéducatif	4	tire-fesse, s	5	**voute** + *dér.*	2
rince-bouche, s	5	socioprofessionnel	4	tirefond, s	4	water, s	6
rince-doigt, s	5	sombréro, s	6	tire-lait, s	5	waterpolo	4
ripiéno, s	6	soprano, s	6	tirelarigot (à)	4	weekend, s	4
risquetout, s	4	sosténuto	6	tire-ligne, s	5	whisky, s	6
rivète (je)	7	sottie, s	9	tocade, s	9	yéyé, s	4
romancéro, s	6	soufflète (je)	7	toccata, s	6	yoyo, s	4
rondpoint, s	4	souffre-douleur, s	5	tohubohu, s	4	zèbrerai (je)	1

Pendant la guerre, la résistance passive était très active.

Ponctuation

Faces de la ponctuation

Ponctuation basse   . , …

Le point, la virgule et les points de suspension reposent tout seuls sur la ligne de base. La ponctuation basse reste toujours dans la même face que le mot qui la précède, qu'elle appartienne au mot ou au reste de la phrase.

> En typographie, on utilise *l'italique,* **le gras,** le romain, ***le gras italique,*** etc.
> Il faut un point abréviatif au mot latin *ibid…*

Les virgules appartiennent à la phrase et devraient être composées en romain, mais elles restent toujours dans la face du mot ou du signe qui les précède. La même règle s'applique pour le point et les points de suspension. Le point abréviatif se confond avec les points de suspension (il n'y a donc jamais quatre points de suite).

Ponctuation haute   : ; ? !

On appelle ainsi les quatre signes de ponctuation qui ne reposent pas seuls sur la ligne de base : le deux-points, le point-virgule, le point d'interrogation et le point d'exclamation. La ponctuation haute appartient soit au mot qui la précède, soit au reste de la phrase. On la met donc dans la face de l'un ou de l'autre.

> La centième partie du dollar est le *cent* ; celle de l'euro est le *centime.*
> Le titre du livre est le suivant : *Le théâtre aujourd'hui ; son rôle dans la société.*

Dans le premier exemple, le point-virgule appartient au reste de la phrase et non pas au mot *cent.* Il reste donc en romain. Dans le second exemple, il appartient au titre du livre, qui doit se mettre en italique. Le point-virgule est donc lui aussi en italique.

Ponctuation double   ( ) « » { } [ ] — —

Soit les parenthèses, les guillemets (chevrons), les accolades, les crochets et les tirets longs. Ces signes doivent rester tous deux dans la même face, de préférence le romain.

> Gabrielle Roy (avec son roman *Bonheur d'occasion*) a gagné le prix Femina.
> On écrit en italique le mot *idem* (*ibidem* également).

Premier exemple : la parenthèse fermante a pris la même face que l'ouvrante.
Deuxième exemple : la parenthèse ouvrante a pris la même face que la fermante.
En cas d'hésitation, il vaut mieux mettre les deux parenthèses en romain.

Casse après la ponctuation

Dans un texte courant, on mettra au premier mot après

le point final	*une capitale*
la virgule	*un bas-de-casse*
le point-virgule	*un bas-de-casse*
le deux-points	*un bas-de-casse si c'est une énumération* *une capitale si c'est une citation, un titre d'œuvre ou une* *phrase indépendante*

le point d'interrogation, le point d'exclamation, les points de suspension
              une capitale si la phrase est finie ; sinon, un bas-de-casse

---

Marcel Pagnol se servait de son accent pour écrire.

Espacements de la ponctuation

En typographie de qualité, il faut utiliser l'espace fine. Cependant, certains logiciels de traitement de texte ne la possèdent pas. C'est la raison pour laquelle le tableau ci-dessous offre des choix marqués *****, selon que l'on dispose de l'espace fine ou non.

	Espace avant	Espace après
Apostrophe dans l'élision normale	rien	rien
Apostrophe dans l'élision exceptionnelle	rien	sécable
Appels de note et astérisque	fine *ou* rien*	sécable
Arithmétique + - × ÷ : / = ± ≠	insécable	insécable
Barre oblique /	rien	rien
Crochet ouvrant [	sécable	rien
Crochet fermant]	rien	sécable
Deux-points	insécable	sécable
Deux-points dans les heures numériques	rien	rien
Guillemet ouvrant «	sécable	fine *ou* inséc.*
Guillemet fermant »	fine *ou* inséc.*	sécable
Guillemet anglais ouvrant "	sécable	rien
Guillemet anglais fermant "	rien	sécable
Petit guillemet ouvrant "	sécable	rien
Petit guillemet fermant "	rien	sécable
Parenthèse ouvrante (	sécable	rien
Parenthèse fermante)	rien	sécable
Point d'exclamation et point d'interrogation	fine *ou* rien*	sécable
Point final d'une phrase et point abréviatif	rien	sécable
Point-virgule	fine *ou* rien*	sécable
Points de suspension, toujours collés entre eux	rien	sécable
Points elliptiques quand ils sont entre crochets	rien	rien
Pourcentage %	insécable	sécable
Préfixes d'unités k, M, G : 12 ko, 2 M$, 8 Go, etc.	insécable	rien
Symbole $ et symbole €	insécable	sécable
Symbole h dans une heure complexe : 16 h 15	insécable	insécable
Symboles d'unités : cl, m, cm, km, kg, ko, Mo	insécable	sécable
Tiret court dans un toponyme surcomposé (–)	rien	rien
Tiret long à l'intérieur d'un texte (—)	sécable	sécable
Trait d'union (-)	rien	rien
Tranches de trois chiffres dans une quantité	fine *ou* inséc.*	fine *ou* inséc.*
Virgule	rien	sécable
Virgule décimale	rien	rien

Je vous ai adressé une réclamation en bonnet d'uniforme.

Cas particuliers de la ponctuation

a commercial

Le *a* commercial et l'arobas sont représentés par le même signe : @. Le *a* commercial signifie le prix unitaire d'un article ; il est donc inutile d'y ajouter le mot *chacune* quand on l'utilise. Les deux exemples suivants sont corrects :

> deux chemises @ 30 $ deux chemises à 30 $ chacune

Arobas @

L'arobas est utilisé dans les adresses de courriels. On prononce le **s** final. On dira donc : *a* commercial s'il s'agit de prix unitaire, *arobas* dans une adresse de courriel.

Apostrophe

Espacement de l'élision normale

Dans l'élision normale, l'apostrophe ne prend pas d'espace avant ni après.

mot	exemple	mot	exemple	mot	exemple
ce	c'est	le	l'os	que	qu'elle
de	d'une	me	m'a	se	s'ôte
je	j'ai	ne	n'a	te	t'as
la	l'aube			tu	t'as

jusque	élision toujours devant une voyelle : jusqu'à, jusqu'ici, jusqu'alors
lorsque	élision seulement devant : il, ils, elle, elles, on, un, une, en
puisque	élision seulement devant : il, ils, elle, elles, on, un, une, en
quoique	élision seulement devant : il, ils, elle, elles, on, un, une, en
quelque	élision seulement devant : un, une
si	élision seulement devant : il, ils
presque	élision seulement dans : presqu'île [presqu'île]

Espacement de l'élision exceptionnelle

Dans une élision exceptionnelle, c'est-à-dire une élision en dehors de la liste donnée ci-dessus, l'apostrophe ne supprime pas les espaces entre les mots.

> *L'opéra de quat' sous*

Apostrophe devant un nom propre

Il faut faire l'élision devant un nom propre. Mais l'apostrophe ne peut jamais se trouver en fin de ligne. Il faut donc éviter de faire l'élision (à droite). Quand le mot commence par un **H**, il n'existe pas de règle précise. Il faut consulter le dictionnaire pour voir si le **H** est aspiré. (On trouvera cela en consultant la liste des adjectifs correspondants.)

> Racine est l'auteur d'*Athalie.*   L'orchestre sera sous la direction de
> le ciel d'Haïti, le ciel de Hongrie   ARTHUR BAGUETTE

Apostrophe inutile

L'apostrophe remplace souvent une ou plusieurs lettres manquantes. Il ne faut donc pas l'utiliser là où il ne manque pas de lettre, en langage familier.

> Y a beaucoup de monde.   *et non pas :* Y'a beaucoup de monde

---

La lecture permet à l'homme de devenir myope.

Astérisque

- L'astérisque placé après un mot signifie souvent *voir ce mot.*
- Dans les dictionnaires *Larousse*, il indique un *h* aspiré : *haricot.
- Dans le *Multidictionnaire,* il indique une impropriété : haricot vert (*non* *petite fève).
- Il peut servir d'appel de note dans les travaux scientifiques.
- Il est un signe de multiplication dans certains logiciels.
- En linguistique, il signifie *agrammatical* (non correct) : *Va-t-en. *aréoport.
- L'astérisque peut aussi avoir d'autres significations spéciales. Dans ces cas, on doit mentionner en bonne place, au début de l'imprimé, ce qu'il signifie.

Barre oblique

Barre oblique dans les fractions

La barre oblique (/), sans espace avant ni après, est le symbole de la division dans les fractions. Elle signifie *divisé par* ou simplement *par.*

60 km/h	soixante kilomètres par heure	*ou*	soixante kilomètres à l'heure
15 $/kg	quinze dollars par kilogramme	*ou*	quinze dollars le kilogramme

Barre oblique dans les fractions de temps décimal

Après les secondes, on utilise les dixièmes ou les centièmes de seconde. On ne met pas de lettres supérieures (e, es), bien qu'on prononce les *ièmes.*

Elle a terminé à 12/100 de seconde de la gagnante.
On prononce : Elle a terminé à douze centièmes de seconde de la gagnante.

Les fractions s'écrivent en toutes lettres quand elles ne sont pas précises.

La distance est d'environ trois quarts de kilomètre.

Barre oblique pour opposition et traduction

Avec espace autour d'elle si le texte de chaque côté de la barre oblique est long. Pas d'espace si le texte est court. L'oblique *inversée* est utilisée en informatique.

Proofreading / Correction d'épreuves   Marche/Arrêt   c:\winword\typo

Barre oblique signifiant *sur*

La barre oblique sert à indiquer les deux chiffres de la pression artérielle.

Ce patient a une pression artérielle de 140/90.

Barre oblique dans *et/ou*

Il faut éviter d'employer cette forme. C'est par l'accord au singulier ou au pluriel que l'on montrera ce que l'on veut dire.

Pierre ou Paul est le bienvenu.	(*l'un ou l'autre*)
Pierre ou Paul sont les bienvenus.	(*l'un ou l'autre ou les deux*)

Barre oblique pour les sauts de ligne

Pour indiquer l'endroit où l'on désire la fin d'une ligne et le début de l'autre.

Ce siècle avait deux ans, Rome remplaçait Sparte./Déjà Napoléon perçait sous Bonaparte...

L'enfant avait un trou à son pantalon, qui laissait entrevoir une famille pauvre.

Crochets

Emplois des crochets

Les crochets servent à isoler une partie qui est à l'intérieur de parenthèses.

> L'auteur étudié (Lamartine [1790-1869]) a plu à tous.

Interruption dans une citation

Les crochets servent à marquer une interruption dans une citation. Les points sont dits *elliptique*s et le tout signifie *plus loin.* On écrit *sic* en romain et entre parenthèses.

> Le *Fichier français de Berne* a écrit : «Il faut bien reconnaitre, hélas! que l'emploi inconsidéré de la majuscule compte parmi les manifestations de la grandiloquence qui boursouffle le style actuel. [...] À force de galvauder (sic) la majuscule, on finit par lui enlever toute valeur grammaticale.»

Deux-points

Casse après le deux-points

Bas-de-casse au premier mot s'il s'agit d'une énumération. Capitale s'il s'agit d'une citation, d'un titre d'œuvre ou d'une phrase indépendante complète.

> Ce livre traite des sujets suivants : les capitales, les coupures, les nombres, etc.
> Un lunetier m'a dit : «Qui veut voyager loin ménage sa monture.»
> Titre du roman : *Les fous de Bassan.*
> Avis : Les vêtements doivent obligatoirement être accrochés aux portemanteaux.

Emplois du deux-points

Quand un mot ou un groupe de mots résume une énumération, on met un deux-points avant ce mot. D'autre part, le deux-points peut souvent remplacer **car** ou **parce que.** Il faut éviter d'utiliser deux fois le deux-points dans la même phrase.

> Il aimait Anna. Son regard, sa voix, sa conversation : tout en elle le fascinait.
> Je ne sortirai pas, car il va pleuvoir. Je ne sortirai pas : il va pleuvoir.

Esperluette (&)

L'esperluette, ou perluète, ou *et* commercial se met dans une raison sociale entre deux patronymes ainsi que devant les mots suivants et leur pluriel : *Frère, Sœur, Fils, Fille, Associé, Associée.* Même règle pour Cie.

> Menuiserie Dupont & Durand inc.   Société Jean Dupont & Associés
> Librairie Jean Durand & Filles ltée   Plomberie Dubois & Cie (ou Cie)

En dehors de ces cas, on utilise le mot **et** :   Ceintures et sacs de cuir inc.

Guillemets ou chevrons

Guillemets pour émettre un doute

S'il y a une citation incluse, on utilise les guillemets anglais ou petits guillemets.

> L'arbitre n'a pas cru à la «blessure» du joueur.
> L'arbitre a dit : «Je n'ai pas cru à la "blessure" du joueur.»

Un angle de 170° est un angle obscène.

Guillemet fermant et ponctuation

Si la partie entre guillemets débute par un bas-de-casse (excepté les noms propres), la ponctuation finale se place *à l'extérieur*. Si la partie entre guillemets débute par une capitale, la ponctuation finale se place *à l'intérieur*.

> Vous me dites qu'il est dommage que «les roses aient des épines».
> Je vous réponds : «Heureusement, les épines ont des roses.»

Guillemets dans les titres de subdivision

Titre en romain avec une capitale initiale et entre guillemets si on cite le livre. Sinon, en italique sans guillemets.

> Le titre «Mise en page» se trouve dans *Le Ramat de la typographie.*
> Voir la section *Mise en page.*

Guillemets dans les citations

Guillemet ouvrant («) au début, puis guillemet ouvrant **à chaque alinéa** jusqu'à la ponctuation finale qui est suivie d'un guillemet fermant. S'il y a une **citation incluse** (citation à l'intérieur de la citation), guillemets anglais (" ") ou petits guillemets (" ").

«...   «...
....
«...   «.................... "incluse ....
....fin de l'incluse"
«...   «...
.... "Incluse ....
....»   .... fin de l'incluse."»

Si l'incluse est à la fin, son guillemet fermant subsiste ainsi que le chevron. Le point final se place avant le guillemet si la phrase de l'incluse est complète (avec une capitale), et à l'extérieur si la phrase n'est pas complète : "début de l'incluse... fin de l'incluse".»

Guillemets dans les dialogues

Deux méthodes : 1. On commence le dialogue par un guillemet ouvrant. À chaque changement d'interlocuteur, on va à la ligne et on met un tiret long suivi d'une espace insécable. On termine le dialogue par un guillemet fermant **après** la ponctuation finale. 2. On peut aussi supprimer les guillemets et commencer par un tiret long (à droite).

«...   — ....
....
— ....
....
....
— ....   — ....
....
....»   ....

Guillemets de répétition dans les catalogues

En Amérique du Nord, on utilise le guillemet (ou chevron) fermant pour la répétition. Prix non déterminé : **n.d.** (En France, on utilise le tiret long pour la répétition.)

> Canne à pêche sans moulinet 25,50
> »   »   avec moulinet .... n.d.

Un bras de mer est un bout de mer en forme de bras.

Guillemets et limites

Les guillemets se limitent aux mots que l'on veut faire ressortir.

On l'appelle «la terreur du village».   On l'appelle «la terreur», dans le village.

Choisir les guillemets ou l'italique

On utilise **l'italique** pour faire ressortir un ou plusieurs mots. (Si l'on rédige dans un courriel, on ne pourra utiliser l'italique qu'en Enrichi. En Brut, on utilisera les guillemets.)

Les mots *million* et *milliard* sont traités dans ce livre.

On utilise les **guillemets** pour nuancer ou relativiser. Souvent, pour montrer qu'il s'agit de guillemets, nous faisons le geste de lever et agiter les deux doigts de chaque main.

Quand j'ai signé mon premier autographe, j'ai vu que j'étais «célèbre».

Point

Point précédant les points de conduite

On ne doit pas mettre de point ni de deux-points après le mot qui précède les points de conduite (ou points de suite). Il est préférable de mettre une sécable avant les points.

Liste des employés 245

Point et tiret long

Si l'on veut utiliser un tiret long dans une énumération, on met un point après le signe.

III. — Ponctuation   A. — Signes   4. — Principes

Point dans un titre

On ne met pas de point final dans un titre ou un sous-titre à l'intérieur d'un journal ou d'une revue. On peut aussi utiliser les guillemets autour de la citation.

Tout le monde doit participer   «Tout le monde doit participer
à la prévention, estime le ministre   à la prévention», estime le ministre

Point dans une légende ou à la fin des exemples

On ne met un point aux légendes et aux exemples que si la phrase est complète.

La photo montre le château Frontenac.   La place de la Concorde

Point-virgule

Point-virgule et mot suivant

On met un bas-de-casse au premier mot suivant un point-virgule.

Nous sommes partis assez tôt; le soleil brillait.

Point-virgule dans les énumérations horizontales

On met un point-virgule à la fin de chaque partie, puis un point final.

Il faudra considérer : *a*) le lieu; *b*) la date; *c*) l'heure.

Un litre d'eau à 20° + un litre d'eau à 30° = deux litres d'eau à 50°.

Point d'interrogation, d'exclamation

Seulement si l'interrogation ou l'exclamation est directe (à gauche).

Quel temps fait-il ?	Je vous demande quel temps il fait.
Quel beau temps !	Je m'émerveille de ce beau temps.

Point d'exclamation et interjection

Le point d'exclamation se met après l'interjection et se répète à la fin, si la partie qui suit le premier point d'exclamation est elle aussi exclamative.

Hé ! Loïse !	Ah ! que la vie est belle !

mais on écrira : Non ! je ne répondrai pas à cette question.

Quand l'interjection est répétée, le point d'exclamation se place après la dernière et on met une virgule entre les répétitions. Après *hélas,* on peut utiliser soit un point d'exclamation sans virgule, soit une virgule si l'on veut atténuer l'exclamation.

Ah, ah ! vous y êtes arrivé !	Il faudra, hélas, punir cet enfant.

Significations des interjections

Voici, en général, ce qu'expriment certaines interjections :

Ah !	douleur	Ah ! que vous me faites mal !
	joie	Ah ! je suis content de vous voir !
Ha !	surprise passagère	Ha ! vous voilà !
Oh !	admiration, étonnement	Oh ! que la nature est belle !
Eh !	surprise	Eh ! jamais je n'aurais cru ça !
Eh bien,	dans le sens de « alors »	Eh bien, qu'avez-vous à répondre ?
Hé !	pour appeler	Hé ! Pinard !
Ho !	pour appeler	Ho ! venez ici !
Ô	interpellation	Ô rage ! ô désespoir !

Point d'interrogation ou d'exclamation suivis d'une capitale

Seulement s'ils terminent la phrase.

Viendrez-vous au bal ? Je me le demande.
Vous aviez dit : « Je viendrai ! » et vous êtes venue.

Points de suspension

Points de suspension avec la virgule

On place la virgule après les points de suspension.

Tu t'amusais, fillette..., tu t'amusais même beaucoup.

Le mot *fillette* est une apostrophe rhétorique, donc entre deux virgules. L'auteur veut indiquer que la pause à la seconde virgule est plus longue.

Points de suspension avec le point d'interrogation ou d'exclamation

En général, les points de suspension se placent après.

Qu'est-ce que vous dites ?...	La belle affaire !...

La guerre de Cent Ans a duré de 1914 à 1918.

Points de suspension pour marquer un effet

On utilise les points de suspension pour marquer une surprise, un doute ou une crainte. Dans ces cas, ils ne prennent pas de capitale après eux.

J'ai fébrilement ouvert le paquet et j'ai trouvé... un mot.

Points de suspension pour mutisme

Dans un dialogue, les points de suspension indiquent que l'interlocuteur ne dit rien.

— Qu'en pensez-vous?
— ...

Points de suspension à la place de *etc.*

Les points de suspension indiquent qu'une énumération n'est pas finie, comme *etc.*

Les récompenses comprenaient des ballons, des poupées, des jouets...

Points de suspension pour tourner la page

Quand on désire que le lecteur continue à lire sur la page suivante.

.../...

Tirets

Il ne faut jamais appeler un trait d'union «tiret», et inversement.

trait d'union (-)
    se tape comme une autre lettre du clavier : *grand-père, timbre-poste*
tiret long ou tiret cadratin (—) (Alt 0151)
    utilisé dans un dialogue pour les changements d'interlocuteur
    utilisé parfois à la place des parenthèses
tiret court ou tiret demi-cadratin (–) (Alt 0150)
    pour joindre deux éléments comportant un trait d'union : *Trois-Rivières–Montréal*
    pour comparer deux homophones : *dans – d'en* (ou barre oblique : *dans/d'en*)

Ponctuation des tirets longs

Les tirets longs se ponctuent de la même façon que les parenthèses, mais le second tiret disparait s'il se trouve à la fin de la phrase.

Si vous aimez les émotions (et qui ne les aime pas?), allez vite voir la course.
Si vous aimez les émotions — et qui ne les aime pas? —, allez vite voir la course.
Nous nous sommes levés tôt (il faisait à peine jour).
Nous nous sommes levés tôt — il faisait à peine jour.

Inconvénients des tirets longs

Je ne conseille pas d'utiliser les tirets au lieu des parenthèses dans un texte. En effet :

a) les tirets étant précédés et suivis d'une espace sécable, le second tiret risque de se trouver au début d'une ligne ;

b) comme un tiret ouvrant a la même forme qu'un tiret fermant, on ne peut pas distinguer l'un de l'autre quand ils sont très éloignés ;

c) si l'on utilise des tirets pour noter les changements d'interlocuteur sans retour à la ligne, il sera difficile d'utiliser aussi des tirets à la place des parenthèses.

La nuit, pour éviter les moustiques, il faut dormir avec un mousquetaire.

Trait d'union

Espacement du trait d'union

Le trait d'union s'écrit sans espace avant ni après. Il indique :

une relation	le dialogue Canada-France (entre le Canada *et* la France)
un affrontement	la guerre Iran-Irak (Iran *contre* Irak)
une distance	le trajet Québec-Montréal (de Québec *à* Montréal)
une durée	ouverture : lundi-vendredi (de lundi *à* vendredi)

Si l'un des éléments comporte déjà un trait d'union, ou s'il s'écrit en plusieurs mots, on met un tiret court entre les éléments.

Saguenay–Lac-Saint-Jean (toponyme administratif surcomposé)
Dimanche aura lieu la partie Trois-Rivières–Le Gardeur (tiret court collé).

Trait d'union dans les horaires de programmes

1. Dans la méthode de gauche, il faut aligner les traits d'union (non collés), ainsi que les heures et les minutes. On n'utilise pas de 0 (zéro) devant les heures. Pour aligner, on met un demi-cadratin devant le 7 et le 9 (sur l'écran, on ne peut pas toujours voir le bon alignement, mais il est correct sur papier) ; 2. Dans la méthode de droite, on ne se sert pas du symbole **h** et les heures ainsi que les minutes ont toutes deux chiffres. Je conseille la méthode de droite, qui est plus facile à composer et plus lisible.

7 h 05 - 9 h 00	Inscription	07:05 - 09:00	Inscription
13 h 15 - 14 h 05	Conférence	13:15 - 14:05	Conférence

Trait d'union avec les fonctions ou métiers

Si les deux éléments sont d'égale valeur, donc quand l'un ne qualifie pas l'autre, on met un trait d'union et le pluriel se met aux deux éléments.

des aides-cuisinières	des horlogers-bijoutiers
des boulangers-pâtissiers	des ingénieurs-conseils
des chirurgiens-dentistes	des linguistes-informaticiennes
des expertes-comptables	des présidents-directeurs généraux

Si l'un des éléments qualifie l'autre, pas de trait d'union et pluriel aux deux éléments.

des apprenties cuisinières	des gardes forestiers
des chefs correcteurs	des maitres imprimeurs
des directrices adjointes	des médecins assistants
des élèves maitres	des présidentes fondatrices

Trait d'union et capitale

Capitale à chacun des éléments quand il s'agit d'une règle d'emploi de la capitale, par exemple un nom d'habitants. Sinon, le deuxième élément reste en bas-de-casse.

les Sud-Américains   Secrétaire-trésorière : Lise Dupont

Trait d'union dans les prénoms

Trait d'union s'il s'agit d'un prénom composé. S'il s'agit de deux prénoms, on ne met pas de trait d'union. Espace insécable entre les deux prénoms distincts abrégés (à droite).

Jean-Paul Riopelle   Louis Joseph Papineau   L. J. Papineau

La pesanteur, c'est que, s'il n'y en avait pas, on s'envolerait.

Noms en apposition attachée

avec trait d'union

bénéfice	déjeuner-bénéfice	déjeuners-bénéfice
cadeau	bon-cadeau	bons-cadeaux
»	chèque-cadeau	chèques-cadeaux
»	emballage-cadeau	emballages-cadeaux
»	idée-cadeau	idées-cadeaux
»	paquet-cadeau	paquets-cadeaux
causerie	diner-causerie	diners-causeries
choc	argument-choc	arguments-chocs
débat	petit-déjeuner-débat	petits-déjeuners-débats
hésitation	valse-hésitation	valses-hésitations
orchestre	homme-orchestre	hommes-orchestres
ressource	personne-ressource	personnes-ressources
spectacle	souper-spectacle	soupers-spectacles
surprise	cadeau-surprise	cadeaux-surprises
valise	mot-valise	mots-valises
vedette	article-vedette	articles-vedettes

sans trait d'union

aiguille	talon aiguille	talons aiguilles
bidon	élection bidon	élections bidon
butoir	date butoir	dates butoirs
cible	auditeur cible	auditeurs cibles
clé	mot clé ou mot-clé	mots clés ou mots-clés
couleur	photo couleur	photos couleurs
couverture	page couverture	pages couverture
éclair	guerre éclair	guerres éclair
étudiant	prêt étudiant	prêts étudiants
fantaisie	lettre fantaisie	lettres fantaisie
fantôme	ville fantôme	villes fantômes
foire	prix foire	prix foire
frontière	poste frontière	postes frontière
limite	vitesse limite	vitesses limites
maison	tarte maison	tartes maison
matin	dimanche matin	dimanches matin
mère	maison mère	maisons mères
ministre	bureau ministre	bureaux ministres
minute	clé minute	clés minute
miroir	œuf miroir	œufs miroir
modèle	maison modèle	maisons modèles
mystère	mot mystère	mots mystères
photo	appareil photo	appareils photo
pilote	projet pilote	projets pilotes
réclame	panneau réclame	panneaux réclames
record	temps record	temps records
soir	samedi soir	samedis soir
sœur	âme sœur	âmes sœurs
sport	veste sport	vestes sport
standard (adj.)	pièce standard	pièces standards
suicide	attentat suicide	attentats suicides
synthèse	rapport synthèse	rapports synthèses
témoin	lampe témoin	lampes témoins
type	exemple type	exemples types

Le mercure est le seul liquide imbuvable parce qu'il est solide.

Trait d'union entre le prénom et le nom dans un spécifique

On met un trait d'union entre le prénom et le nom dans les dénominations suivantes. (Le trait d'union est facultatif dans l'entrée *Sociétés* seulement.)

Bâtiments	l'aréna Maurice-Richard
Enseignement	le cégep André-Laurendeau
Menus de restaurant	le consommé Christophe-Colomb
Récompenses	le prix Émile-Nelligan
Sociétés	la galerie Michel-Duc *ou* la galerie Michel Duc
Sports	la coupe Jules-Rimet
Textes juridiques	la loi Frédéric-Falloux
Toponymie	le boulevard René-Lévesque

Trait d'union avec les verbes à l'impératif

L'impératif est joint par un trait d'union au pronom personnel (ou à **y, en**) qui le suit, même si ce pronom précède un infinitif.

Chante-moi un air.	Laissez-le partir.	Vas-y.	Parle-m'en
Parlez-leur en français.	Laissez-vous faire.	Va-t'en.	Parles-en

On omet le trait d'union si le pronom se rattache au deuxième verbe.

Va le chercher.	Venez le voir.	Veuillez lui dire cela

Si le second pronom se rattache à l'infinitif qui le suit, pas de trait d'union.

Allez-vous en prendre ?	Laissez-moi vous dire merci

Si deux pronoms suivent l'impératif, on met deux traits d'union.

Allez-vous-en.	Parlez-lui-en.	Donnez-nous-en deux
Donnez-le-moi.	Faites-le-lui faire.	Mettez-vous-y

D'abord le pronom complément d'objet direct, puis le complément d'objet indirect.

Donnez quoi ? — le (c.o.d.)	Donnez à qui ? — à moi (c.o.i.), donc :
Donnez-le-moi.	*et non pas :* Donnez-moi-le

Trait d'union avec *-né*

Trait d'union et accord, sauf avec *nouveau* (mis pour *nouvellement*).

des chanteurs-nés	une artiste-née	des nouveau-nées

Trait d'union avec un chiffre

Dans l'écriture courante, on ne met évidemment pas de trait d'union entre un chiffre et un nom (à gauche). Mais si ce chiffre et ce nom deviennent ensemble un nom, on utilise un trait d'union (à droite). La règle ne change pas si le chiffre est en lettres.

J'ai trois disques de 45 tours.	J'ai trois 45-tours
Ce journal comprend 24 pages.	Ce journal est un 24-pages
Ce maillot de bain a deux pièces.	Ce maillot de bain est un deux-pièces

Trait d'union pour préfixes et suffixes

On met un trait d'union après le préfixe, et un trait d'union avant le suffixe.

auto-	de soi-même	autodidacte	-algie	douleur	névralgie

Dans le cinéma muet, les acteurs parlaient avec des mots qu'ils écrivaient sur le film.

Parenthèses

Parenthèses et casse

Si la phrase entre parenthèses est complète, capitale initiale et ponctuation finale à l'intérieur. Si elle n'est pas complète, bas-de-casse initial et ponctuation à l'extérieur.

Nous avons pris le train du matin. (J'avais réservé les places.)
Nous avons pris le train du matin (après avoir réservé les places).

Parenthèses pour indiquer les prénoms

Dans les entrées des dictionnaires *Larousse,* les parenthèses entourent les prénoms et le titre d'une personne.

Pompadour (Jeanne Antoinette Poisson, marquise de)

Parenthèses pour s'adresser au lecteur

L'auteur met un point d'interrogation entre parenthèses pour transmettre un doute au lecteur. Il peut aussi lui signifier que deux orthographes sont possibles (seconde ligne).

Jean Dupont a gagné cette course en 1988 (?) et il est célèbre depuis.
Les grand(s)-mères... (la parenthèse ouvrante est collée au mot qui la précède).

Virgule

proposition explicative ou restrictive

Une *explicative* est entre deux virgules, elle *explique* (1re ligne des exemples).
Une *restrictive* est sans virgules, elle *restreint* (2e ligne des exemples).

qui
Les enfants, qui avaient faim, mangèrent (tous les enfants).
Les enfants qui avaient faim mangèrent (seuls ceux qui avaient faim).

que
Les enfants, que je connaissais, ont obéi (tous les enfants).
Les enfants que je connaissais ont obéi (seuls ceux que je connaissais).

dont
Les enfants, dont je savais le nom, sont sortis (tous les enfants).
Les enfants dont je savais le nom sont sortis (seuls ceux dont je savais le nom).

où
Les phrases, où j'ai hésité, étaient difficiles (toutes les phrases).
Les phrases où j'ai hésité étaient difficiles (seules les phrases où j'ai hésité).

participe passé
Les enfants, épuisés, se sont assis (tous les enfants).
Les enfants épuisés se sont assis (seuls ceux épuisés).

participe présent
Les enfants, souffrant du mal de mer, sont descendus (tous les enfants).
Les enfants souffrant du mal de mer sont descendus (seuls ceux souffrant).

adjectif
Les enfants, très intelligents, ont compris (tous les enfants).
Les enfants très intelligents ont compris (seuls ceux très intelligents).

nom
Les enfants, philosophes, ont accepté (tous les enfants).
Les enfants philosophes ont accepté (seuls les enfants philosophes).

Le porc s'appelle *cochon* parce qu'il n'est pas propre.

entre le sujet et le verbe

On ne met pas de virgule seule entre le sujet et le verbe. Il peut y en avoir deux.

> Celui qui a les dents longues ne doit pas avoir la vue courte.
> Celui qui a les dents longues, en général, ne doit pas avoir la vue courte.
> *Et non pas :* Celui qui a les dents longues, ne doit pas avoir la vue courte.

entre le verbe et le complément d'objet direct

On ne met pas de virgule entre le verbe et son complément d'objet direct.

> Tu entends Marie?   Tu entends, Marie?

Le mot *Marie,* dans l'exemple de gauche, est complément d'objet direct. Si l'on met une virgule, il devient une apostrophe rhétorique (personne à qui l'on s'adresse).

apostrophe rhétorique

Je la nomme ainsi pour la distinguer du mot *apostrophe* tout court, qui désigne le signe « ' » servant à indiquer une élision. L'apostrophe rhétorique (l'être ou la chose personnifiée à qui l'on s'adresse) se place entre deux virgules, sauf si elle commence ou termine la phrase.

> Je t'en prie, Ida, ferme la porte.   Ida, ferme la porte.   Je m'adresse à toi, Ida.

apposition

Un nom (ou un adjectif) est en apposition quand il est placé à côté d'un nom (propre ou commun) pour le préciser. L'apposition est entre deux virgules, sauf si elle termine ou commence la phrase. La virgule subsiste devant **et** (dernier exemple).

> Guy Mauve, poète, a récité des vers.
> La séance a été levée par le docteur Max Hilaire, dentiste.
> Décorateur, Alain Térieur a dessiné sa maison.
> Jean Rougy, timide, ne s'est pas prononcé.
> « Je ne fais pas de promesses », a répondu le ministre, prudente.
> Assoiffée, Daisy Dratey a bu un grand verre d'eau.
> Claire Delune, astronome, et Tony Truant, chanteur, étaient présents.

nom propre en apposition

Un nom propre est en apposition quand il peut se retrancher de la phrase et que celle-ci reste précise. Il est alors entre virgules (exemple de gauche). À gauche, nous n'avons qu'une fille. À droite, nous avons plusieurs filles et c'est Élise qui est venue.

> Notre fille, Élise, est venue.   Notre fille Élise est venue.

Voici deux exemples avec une ou deux virgules

> Selon l'adjointe à la rectrice, Ève Dubé, il faut agir.   (*Ève Dubé est l'adjointe.*)
> Selon l'adjointe à la rectrice Ève Dubé, il faut agir.   (*Ève Dubé est la rectrice.*)

ellipse

Une ellipse est une suppression de mot qui évite une répétition (dans cet exemple, le mot *préfère*). On met une virgule à l'endroit de l'ellipse.

> François préfère le football ; Georges, le rugby.

Une racine carrée est une racine dont les quatre angles sont égaux.

inversion

On ne met pas de virgule quand il y a inversion du sujet.

> Après l'automne, les grands froids arrivèrent.   (*sujet non inversé*)
> Après l'automne arrivèrent les grands froids.   (*sujet inversé*)

subordonnée circonstancielle

Virgule après une subordonnée circonstancielle placée avant la principale. Si la circons-tancielle est très courte (*hier*), on peut supprimer la virgule (seconde ligne).

> Quand on est parti de zéro pour arriver à rien, on n'a de merci à dire à personne.
> Hier j'ai lu toute la journée.

subordonnée participiale

Virgule après une participiale (introduite par un participe présent ou passé). Le sujet de la participiale doit être le même que celui de la principale.

> Espérant une réponse favorable, je vous adresse une demande d'emploi.
> *Et non :* Reconnu coupable, le juge condamne l'inculpé à deux ans de prison.

Dans le premier exemple, la même personne *espère* et *adresse*. La seconde phrase est fautive, car elle laisse entendre que c'est le juge qui est coupable.

incise – incidente

L'incise (verbe indiquant qu'on rapporte des paroles) et l'incidente (intervention per-sonnelle) sont entre deux virgules, mais la première disparait si elle est précédée d'un point d'interrogation ou d'exclamation (incises à gauche, incidentes à droite).

> Entrez, dit-elle, asseyez-vous.   Il faut, je pense, prendre cette voie.
> Quoi ? s'étonna-t-il, vous êtes ici ?   J'aimais, t'en souviens-tu ? rire avec toi.
> Bravo ! s'écria-t-elle, je vous félicite.

incise avec guillemets

Si l'incise est courte, elle est isolée par deux virgules. Si elle est longue, on ferme la citation avant elle et on la rouvre après.

> « Il va pleuvoir, dit l'éléphant, j'ai reçu une goutte sur le dos. »
> « Il va pleuvoir », dit l'éléphant en italien et en colère parce qu'il était polyglotte et qu'il avait la peau douce, « j'ai reçu une goutte sur le dos. »

redondance expressive

Ces constructions sont des redondances expressives. Bien noter la virgule.

> J'en veux, du café !   Ce gars-là, je l'ai vu au cinéma.
> J'y vais, au restaurant.   Moi, j'aime le thé.

ainsi que – avec

Avec deux virgules : verbe au singulier. Pas de virgules : verbe au pluriel.

> La politesse, ainsi que la sincérité, est une grande vertu.
> La politesse ainsi que la sincérité sont deux grandes vertus.
> Le monsieur, avec son chien noir, est arrivé en voiture.
> Le monsieur avec son chien noir sont arrivés en voiture.

Chien à vendre. Mange n'importe quoi ; aime les enfants.

car – mais

Virgule avant ces mots. Si les termes autour de *mais* sont rapprochés, pas de virgule.

> Les plages sont pleines, car tout le monde y va en été.
> J'aimerais passer la soirée à la discothèque, mais je n'ai plus un sou.
> Le temps est beau mais froid. Elle procède lentement mais surement.

c'est

On met une virgule avant *c'est* dans l'exemple suivant :

> La jeunesse, c'est de refuser la place qu'on vous offre dans le métro.

c'est-à-dire

On met une virgule avant *c'est-à-dire* quand on veut donner une explication.

> Gutenberg a inventé la typographie, c'est-à-dire l'impression par caractères mobiles en plomb.

entre le nom et le prénom

Dans une bibliographie ou dans une liste, on met une virgule entre le nom et le prénom.

> ROBERT, Guy. *Une histoire vraie...*   Tchaïkovski, Petr Ilitch

de – avec

Virgule pour éviter les ambigüités.

> J'ai adoré les cuisses de grenouille, de l'apprenti cuisinier Paul Cuistot.
> C'est une comédie réalisée par Woody Allen, avec Mia Farrow.

Sans virgule, Paul Cuistot sauterait bien loin. Sans virgule, Woody Allen et Mia Farrow ont réalisé ensemble la comédie ; avec la virgule, Mia Farrow était l'actrice.

points d'interrogation et d'exclamation

En principe, on ne met pas de virgule après ces points. Mais, dans le cas suivant, on mettra une virgule pour bien distinguer les titres d'œuvres. D'autre part, le mot **etc.** comporte toujours une virgule avant lui.

> Je vous conseille de lire *Aimez-vous Brahms ?, Faut le faire !,* etc.

et – et ce

Énumération : la virgule entre les deux derniers termes est remplacée par *et*.

> Il vaut mieux être beau, riche et jeune que laid, pauvre et vieux.

Virgule avant *et* pour rompre l'énumération ou s'il y a risque d'ambigüité.

> Enfin cessèrent la pluie et le vent, et le soleil revint.
> Lise adore cuisiner, et faire la vaisselle l'ennuie.

Virgule avant et après *et ce.*

> Nous allons changer les règlements, et ce, dès demain matin.

La Fontaine a écrit les fables de multiplication.

ni – ou

On ne met pas de virgule avec deux *ni* rapprochés, mais on met des virgules quand il y en a trois ou plus. La même règle s'applique pour *ou*.

> Ce repas n'est ni bon ni mauvais. Il n'y a ni vin, ni saucisse, ni boudin.
> La météo : ou il pleut ou il neige. La météo : ou il pleut, ou il neige, ou il vente.

que élidé

On met deux virgules ou on n'en met aucune dans le cas suivant :

> J'espère que, un jour, quelqu'un inventera la ficelle à lier les sauces.
> J'espère qu'un jour quelqu'un inventera la ficelle à lier les sauces.

soit

On met une virgule dans les cas suivants :

Quand *soit* veut dire «d'accord»	Soit, j'accepte votre proposition.
Quand *soit* veut dire «c'est-à-dire»	C'est un dollar, soit environ 0,70 euro.
Quand *soit* veut dire «ou bien»	Je viendrai soit lundi, soit mardi.

autrement dit

On met une virgule avant cette locution, mais on n'en met pas après, excepté quand elle est au début de la phrase.

> Je veux participer à ce débat, autrement dit j'irai à la réunion.
> Je veux participer à ce débat. Autrement dit, j'irai à la réunion.

sinon

On met une virgule avant cette conjonction, qui s'écrit en un seul mot.

> Venez nous voir dimanche, sinon vous le regretterez.

index

Dans un index, la virgule signale une inversion.

> Ponctuation, emploi de la

tête de phrase

Virgule après les locutions ci-dessous quand elles commencent la phrase.

Ainsi,	D'une part,	En outre,	Pourtant,
Aussi,	De plus,	Enfin,	Sans doute,
Cependant,	Donc,	Néanmoins,	Toutefois,
Certes,	Du reste,	Or,	
D'ailleurs,	En effet,	Par conséquent,	
D'autre part,	En fait,	Par exemple,	

Le premier groupe comprend les verbes qui se terminent par **er.** Exemple : grandir.

Virgule déplacée ou supprimée

Ces phrases changent de sens si les virgules sont déplacées ou supprimées.

«L'entraineur, dit ce joueur, est excellent.»
L'entraineur dit : «Ce joueur est excellent.»

Avez-vous du filet mignon?
Avez-vous du filet, mignon?

Vu que c'est un imbécile, comme vous je crois qu'il faudra sévir.
Vu que c'est un imbécile comme vous, je crois qu'il faudra sévir

Comme je vous l'ai dit cet après-midi, je verrai votre père.
Comme je vous l'ai dit, cet après-midi je verrai votre père.

Il est interdit de jouer au ballon avec les pieds, sur la plage.
Il est interdit de jouer au ballon, avec les pieds sur la plage.

J'essaie de comprendre, ce qui, je l'espère, arrivera un jour ou l'autre.
J'essaie de comprendre ce qui, je l'espère, arrivera un jour ou l'autre.

Je vous prie d'excuser Mireille, qui a été malade, d'avoir manqué la classe.
Je vous prie d'excuser Mireille, qui a été malade d'avoir manqué la classe.

La dame dit aux invités : «Venez manger, mes amis.»
La dame dit aux invités : «Venez manger mes amis.»

Le bateau glissait sur le canal, muet.
Le bateau glissait sur le canal muet.

Le poète n'est pas mort, comme on l'a dit.
Le poète n'est pas mort comme on l'a dit.

Ma chère amie, la pluie n'a cessé de tomber.
Ma chère amie la pluie n'a cessé de tomber.

La municipalité tiendra ses engagements, en partie grâce à votre concours.
La municipalité tiendra ses engagements en partie, grâce à votre concours.

Un record : en une heure seulement, neuf kilomètres.
Un record : en une heure, seulement neuf kilomètres.

Qu'est-ce qu'on mange, papa?
Qu'est-ce qu'on mange : papa?

Si vous faites cela encore une fois, vous serez puni.
Si vous faites cela, encore une fois vous serez puni.

Un homme entra, sur la tête un chapeau de paille, aux pieds des souliers vernis, à la main un vrai bouquet de fleurs.
Un homme entra sur la tête, un chapeau de paille aux pieds, des souliers vernis à la main : un vrai bouquet de fleurs.

Les Québécoises, qui savent parler le chinois, sont peu nombreuses.
Les Québécoises qui savent parler le chinois sont peu nombreuses.

La Fontaine était aimable et poli, parce qu'il était un homme affable.

Plusieurs ponctuations de suite

Ponctuations à éviter *(à gauche, en gras) ; les exemples sont corrects*

. »,	«Je suis content d'être ici», dit-il.	*Le point final de la citation s'en va.*
!). »,	«J'ai réussi (quel bonheur!)», dit-elle.	*Le point final de la citation s'en va.*
!,	— Bonjour! dit-il.	*Le point d'exclam. annule la virgule,*
! »,	«Bonjour!» dit-elle.	*même s'il y a un guillemet.*
! :	J'oubliais les présentations : Jean...	*Le point d'exclam. avant : disparait.*
! » !	Vive celle qui a crié «Bravo!»	*Choisir la ponctuation la plus utile.*
! » ?	Qui donc a crié «Hélas»?	*Choisir la ponctuation la plus utile.*
?,	— Pourquoi? demanda-t-il.	*Le point d'inter. annule la virgule,*
? »,	«Pourquoi?» demanda-t-elle.	*même s'il y a un guillemet.*
? :	Sais-tu? tu as une très belle voix!	*Le deux-points après le ? disparait.*
? » !	Arrêtez donc de crier «Pourquoi?»	*Choisir la ponctuation la plus utile.*
? » ?	Qui a demandé : «Quel temps fait-il?»	*Choisir la ponctuation la plus utile.*

Ponctuations permises *(à gauche, en gras) ; les exemples sont corrects.*

!).	J'ai réussi (quel bonheur!).	*La parenthèse ne supprime rien.*
!). »	«J'ai gagné la partie (quelle chance!). »	*La parenthèse ne supprime rien.*
...).	J'ai réussi (quel bonheur...).	*La parenthèse ne supprime rien.*
... »,	«Je suis content d'être ici... », dit-il.	*Les points de suspension subsistent.*
... ».	Il dit que «les gens sont fous... ».	*Les points de suspension subsistent.*
?).	J'ai réussi (qui l'eût cru?).	*La parenthèse ne supprime rien.*
?)!	J'ai réussi (qui l'eût cru?)!	*La parenthèse ne supprime rien.*
? ».	Il a intercalé de nombreux «quoi?».	*«quoi» est en bas-de-casse.*
?). »	«J'espère qu'il viendra (mais quand?). »	*La parenthèse ne supprime rien.*
etc. ».	Je dis «qu'il faut sévir, etc. ».	*Le point abréviatif subsiste toujours.*

En résumé, voici quelques principes typographiques :

- On ne peut jamais avoir deux points d'exclamation ou d'interrogation de suite, même s'ils sont séparés par un guillemet fermant.
- On ne peut jamais avoir trois points d'exclamation ou d'interrogation de suite.
- On ne peut jamais avoir deux points ni quatre points de suite.
- La ponctuation à l'intérieur des parenthèses subsiste toujours.
- On ne doit pas mettre deux espaces de suite après une ponctuation finale.
- On ne met en général pas de ponctuation après un point d'interrogation ou d'exclam.
- Afin d'éviter un cumul de ponctuations, il vaut mieux rédiger la phrase autrement.
- Dans les dialogues, l'incise *dit-il* peut être :

à l'intérieur (entre deux virgules)	«Vous avez, dit-il, de jolis yeux.»
à la fin (précédée d'une virgule)	«Vous avez de jolis yeux», dit-il.
précédée d'un ! » (pas de virgule)	«Vous avez de si jolis yeux ! » dit-il.
précédée d'un ? » (pas de virgule)	«Voulez-vous m'épouser?» demanda-t-il.

Le coup de pied qu'il a reçu à la tête n'a pas été donné de main morte.

Typographie anglaise

pographie anglaise

Abrégé de grammaire anglaise

Nom (noun)

pluriel régulier	on ajoute -s	book/books, hat/hats
-x, -o	on ajoute -es	box/boxes, potato/potatoes
-sh, -ch, -ss	on ajoute -es	dish/dishes, watch/watches, glass/glasses
-fe	change -fe en -ves	knife/knives, life/lives
-y	précédé par consonne	lady/ladies, fly/flies
-y	précédé par voyelle	boy/boys, valley/valleys
noms propres	on ajoute -s	Henry/Henrys, Simpson/Simpsons
irréguliers	voir dictionnaire	man/men, child/children, foot/feet
genre des	êtres animés : m. ou f.	man/woman, actor/actress, lion/lioness
genre des	choses : neutre	car, ball, house

Article (article)

the	invariable	the boy, the girl, the boys, the girls
the devant	nom pluriel	pas d'article : girls are nice
the devant	nom abstrait	pas d'article : courage is a quality
the devant	nom de couleur	pas d'article : red is a beautiful color
the devant	nom de matière	pas d'article : bread is good for you
the devant	nom de langue	pas d'article : he speaks French

Adjectif (adjective)

invariable	se place devant	a good boy, two good boys
comparatif	une syllabe : -er	small/smaller, smart/smarter
comparatif	plus de 2 syllabes	more beautiful, more different
superlatif	une syllabe : -est	small/smallest, smart/smartest
superlatif	plus de 2 syllabes	most beautiful, most different
possessif	genre du possesseur	a boy with his hat, a girl with her hat

Adverbe (adverb)

en général	on ajoute -ly à l'adj.	poor/poorly, nice/nicely
adj. en -y	on rempl. -y par -ily	happy/happily, angry/angrily

Verbe (verb)

ind. présent	-s à la 3e pers. sing.	I beg, you beg, he begs, we beg..
passé simple	-ed partout	I walked, you walked, he walked..
part. passé	-ed, invariable	they are surprised
part. présent	-ing, invariable	bringing, beating

Quelques verbes irréguliers

Infinitif	*Infinitive*	*Past*	*Past participle*	*Present participle*
apporter	to bring	brought	brought	bringing
avoir	to have	had	had	having
commencer	to begin	began	begun	beginning
donner	to give	gave	given	giving
être	to be	was	been	being
faire	to do	did	done	doing
faire	to make	made	made	making
laisser	to leave	left	left	leaving
obtenir	to get	got	got	getting
permettre	to let	let	let	letting
prendre	to take	took	taken	taking
venir	to come	came	come	coming
voir	to see	saw	seen	seeing

La peau de la vache sert à garder la vache ensemble.

Règles typographiques anglaises

Abréviations

Les abréviations en anglais ne tiennent pas compte de la dernière lettre du mot entier. Elles prennent toutes un point abréviatif. La plupart des abréviations sont invariables.

account	acct.		madam	Mrs.
and others	et al.		miss	Miss
and so on	etc.		messieurs	Messrs.
avenue	Ave.		mister	Mr.
boulevard	Blvd.		north	N.
brothers	Bros.		number (quantity)	Nb.
building	bldg.		number (rank)	No.
captain	Capt.		numbers (ranks)	Nos.
chapter, chapters	ch.		page, pages	p.
commander	Cmdr.		place	Pl.
company	Co.		quantity	qty.
continued	cont.		reverend	Rev.
doctor	Dr.		road	Rd.
doctors	Drs.		section	s.
each	ea.		sections	ss.
east	E.		south	S.
for example	e.g.		street	St.
general manager	G.M.		that is	i.e.
incorporated	Inc.		west	W.
lieutenant	Lieut.		year	yr.
limited	Ltd.		years	yrs.

Sigles et acronymes en anglais

Comme en français, les sigles se prononcent lettre par lettre, et les acronymes se prononcent comme un nom. Tous deux s'écrivent en capitales, sans espaces, sans traits d'union et sans points abréviatifs. Quand ils sont cités au long, ils prennent une capitale à chaque mot, sauf aux *articles, prépositions, pronoms et conjonctions*.

Sigles (Initialisms)

CNIB	Canadian National Institute for the Blind
YWCA	Young Women's Christian Association

Acronymes (Acronyms)

NATO	North Atlantic Treaty Organization
COMECON	Council for Mutual Economic Assistance

Mois et jours en anglais

Quand ils se trouvent dans un texte courant, les mois et les jours prennent une capitale, ainsi que leurs abréviations.

January	Jan.	July	July	Sunday	Sun.
February	Feb.	August	Aug.	Monday	Mon.
March	March	September	Sept.	Tuesday	Tues.
April	April	October	Oct.	Wednesday	Wed.
May	May	November	Nov.	Thursday	Thurs.
June	June	December	Dec.	Friday	Fri.
				Saturday	Sat.

La nuit tombée, le renard s'approcha à pas de loup.

Provinces et territoires du Canada en anglais

	Texte	Postal		Texte	Postal
Alberta	Alta.	AB	Nunavut	—	NT
British Columbia	B.C.	BC	Ontario	Ont.	ON
Manitoba	Man.	MB	Prince Edward Island.	P.E.I.	PE
New Brunswick	N.B.	NB	Quebec	Que.	QC
Newfoundland	Nfld.	NF	Saskatchewan	Sask.	SK
Northwest Territories	N.W.T.	NT	Yukon Territory	Y.T.	YT
Nova Scotia	N.S.	NS			

États américains

	Texte	Postal		Texte	Postal
Alabama	Ala.	AL	Montana	Mont.	MT
Alaska	Alaska	AK	Nebraska	Nebr.	NE
Arizona	Ariz.	AZ	Nevada	Nev.	NV
Arkansas	Ark.	AR	New Hampshire	N.H.	NH
California	Calif.	CA	New Jersey	N.J.	NJ
Colorado	Colo.	CO	New Mexico	N.M.	NM
Connecticut	Conn.	CT	New York	N.Y.	NY
Delaware	Del.	DE	North Carolina	N.C.	NC
District of Columbia	D.C.	DC	North Dakota	N.D.	ND
Florida	Fla.	FL	Ohio	Ohio	OH
Georgia	Ga.	GA	Oklahoma	Okla.	OK
Hawai	Hawai	HI	Oregon	Ore.	OR
Idaho	Idaho	ID	Pennsylvania	Pa.	PA
Illinois	Ill.	IL	Rhode Island	R.I.	RI
Indiana	Ind.	IN	South Carolina	S.C.	SC
Iowa	Iowa	IA	South Dakota	S.D.	SD
Kansas	Kan.	KS	Tennessee	Tenn.	TN
Kentucky	Ky.	KY	Texas	Tex.	TX
Louisiana	La.	LA	Utah	Utah	UT
Maine	Maine	ME	Vermont	Vt.	VT
Maryland	Md.	MD	Virginia	Va.	VA
Massachusetts	Mass.	MA	Washington	Wash.	WA
Michigan	Mich.	MI	West Virginia	W. Va.	WV
Minnesota	Minn.	MN	Wisconsin	Wis.	WI
Mississippi	Miss.	MS	Wyoming	Wyo.	WY
Missouri	Mo.	MO			

Système international d'unités (SI) en anglais

International System of Units (SI). Les symboles de **base** sont les mêmes qu'en français. Mais, en anglais, il est permis d'utiliser le point décimal au lieu de la virgule.

Système impérial en anglais

Au Canada, les abréviations s'écrivent avec un point abréviatif et sont invariables.

cubic foot	cu. ft.	inch	in.	square foot	sq. ft.
cubic inch	cu. in.	ounce	oz.	square inch	sq. in.
cubic yard	cu. yd.	pint	pt.	square yard	sq. yd.
foot	ft.	pound	lb.	yard	yd.

Un septuagénaire est un losange à sept côtés.

Adresse en anglais

À l'extérieur du Québec, pas de virgule après le numéro de la voie publique. Le générique (Blvd.) prend une capitale et se place après le spécifique. La province est précédée d'une virgule. Au Québec, l'adresse reste en français.

À l'extérieur du Québec	*Au Québec*
Mr. Robert Jones	Mr. Robert Jones
123 Smith Blvd.	400, rue De Rigaud
Toronto, ON X2L 3P5	Montréal (Québec) H2L 4S9

Saint ou *Sainte* en anglais

L'abréviation **St.** prend un point abréviatif et n'a jamais de trait d'union. Pas de féminin.

St. Patrick's Church   the St. Lawrence River   St. Catherine Street

Dates en anglais

Les jours et les mois prennent une capitale. Les éléments sont séparés par une virgule. On ne met pas de **st, nd, rd, th** sauf quand ils sont précédés de l'article.

Friday, March 10, 2006   the 10th of March, 2006

Capitales

Adjectif dérivé d'un nom propre	the French culture
Bâtiments et lieux publics	the White House, the Statue of Liberty
Écoles	McGill University
Langues	she speaks French
Organismes	the Ministry of Education
Partis politiques	the Liberal Party, the Parti québécois
Religions	he studies Catholicism
Sociétés	the Bell Telephone Company
Textes juridiques	the Treaty of Versailles
Titres suivis d'un nom propre	Prime Minister Jones
Pluriel des noms de famille	the Kennedys, the Smiths
Se terminant par *s, ch, sh*	the Joneses, the Lynches, the Nashes

Coupures

Après la première lettre d'un mot	i / tinerary	e / ternity
Entre deux voyelles (sauf étymol.)	appe / arance	(re-appear)
Avant ou après une apostrophe	Father / ' /s Day	we / ' / ll accept
Ailleurs qu'au trait d'union	down-pay / ment	new / ly-wed
Avant les deux dernières lettres	walk / ed	strick / en
Il est permis de diviser avant *-ing*	land-ing, walk-ing	

Ne pas diviser : again, enough, even, every, often, only, people, some, woman.

Italique

Insistance sur un certain mot	He *must* attend the meeting.
Journal	We read *The Gazette* and *La Presse*.
Mot étranger	This dress is very *chic*.
Mot latin	*et seq., idem.*
Nom de bateau, d'avion, véhicule	They travelled on the *Normandy*.
Titre d'œuvre	Shakespeare wrote *Hamlet*.

Le général Cambronne n'était pas homme à mâcher ses mots.

Nombres

En lettres jusqu'à neuf.	He scored three goals yesterday.
En chiffres à partir de 10.	He scored 60 goals during the season.
Le point décimal est permis.	This country has 2.3 million inhabitants.
La virgule pour les milliers est permise.	This town has 2,300 inhabitants.
$ collé avant le nombre est permis.	The house is for sale at $225,000.

Ponctuation

Espacement (spacing)

Jamais d'espace entre le signe de ponctuation et le mot qui le touche, sauf pour les points de suspension (voir plus bas).

Apostrophe (apostrophe)

Le possesseur est au singulier.	the professor's hat
Le pluriel se termine en *s*.	the professors' hats
Le pluriel ne se termine pas en *s*.	the women's dresses
Noms propres se terminant en *s*.	John Lewis's car

Deux-points (colon)

Appel dans une lettre.	Dear Sir:

Guillemets (quotation marks)

Virgule au lieu du deux-points.	He said, "I am happy."
Ponctuation finale toujours à l'intérieur.	He said that "he was happy."
Virgule avant le guillemet fermant.	"I am ready to answer," said the man.
Guillemets simples pour incluse.	He said, "I am 'very' happy."
Si l'incluse est à la fin.	He said, "I am 'very happy.'"

Tiret long (dash)

Pas d'espace avant ni après.	We must—always—be honest.

Points de suspension (ellipsis dots)

Espace insécable entre eux.	I would like to go, but . . .

Trait d'union (hyphen)

Adjectif composé placé avant le nom.	A well-dressed woman
Placé après, pas de trait d'union.	A woman well dressed
Pour éviter les confusions.	re-cover (cover again), recover (regain)

Virgule (comma)

Fin d'une énumération, devant *and*.	She likes dancing, reading, and playing.
Avant et après *etc*.	A sale of beds, chairs, etc., took place.
Après le nom dans une bibliographie.	Smith, John. *The Book of Seasons*.
Après une interjection légère.	Oh, I am glad to see you.
Pour séparer les tranches de 3 chiffres.	The price is $2,300,000.
Avant la province dans une adresse.	Montréal, Québec.
À la place du deux-points.	He said, "Give me the bread."

Parenthèses (parentheses)
Point (period). Jamais deux espaces après la ponctuation finale d'une phrase.
Point d'exclamation (exclamation point)
Point d'interrogation (question mark)
Point-virgule (semicolon)

Ces cinq derniers signes suivent les mêmes règles d'emploi qu'en français.

Remarque. — Dans un texte en français, quand on cite des textes en anglais, on doit garder l'espacement de la ponctuation anglaise, c'est-à-dire que toutes les ponctuations sont collées au mot qui précède. Exemple : *Is it possible?* (pas d'espace avant le **?**).

Le lion tomba mort comme un sac de patates.

Annexes

Époques et périodes

Ères de l'histoire de la Terre

il y a 4 milliards d'années   **Précambrien**
vestiges rares d'êtres vivants

de -540 à -245 Ma   300 Ma   **Primaire** (Ma = million d'années)
vertébrés, poissons, batraciens

de -245 à -65 Ma   200 Ma   **Secondaire**
reptiles, mammifères, oiseaux

de -65 à -1,5 Ma   64 Ma   **Tertiaire**
l'homme et la femme

de -1,5 Ma   1 Ma   **Quaternaire**
flores et faunes actuelles

Époques historiques

jusqu'à 3300 ans avant Jésus-Christ **Préhistoire**
de l'apparition de l'homme à celle de l'écriture

de -3300 à 476   3800 ans   **Antiquité**
de l'écriture à la chute de l'Empire romain

de 476 à 1453   1000 ans   **Moyen Âge**
de la chute de l'Empire à la prise de Constantinople

de 1453 à auj.   600 ans   **Temps modernes**
de la prise de Constantinople jusqu'à nos jours

Périodes de l'évolution de l'humanité

900 000 ans avant Jésus-Christ   **Âge de la pierre taillée**
l'homme se sert de pierres pour chasser

400 000 ans avant Jésus-Christ   **Âge du feu**
il découvre le feu en frottant deux pierres dures

2000 ans avant Jésus-Christ   **Âge du bronze**
il chauffe le cuivre et l'étain, et il obtient du bronze

800 ans avant Jésus-Christ   **Âge du fer**
le fer est plus solide que le bronze pour les armes

Histoire de l'écriture

de -3300 à -3150   150 ans   **L'écriture cunéiforme**
en Mésopotamie : des signes sur des pierres

de -3150 à -1100   2000 ans   **Les hiéroglyphes**
gravures sacrées inventées par les Égyptiens

de -1100 à -800   300 ans   **L'alphabet phénicien**
les Phéniciens inventent le premier alphabet

de -800 à auj.   2800 ans   **L'alphabet grec** en -800, puis **romain** en -100

Le singe fait des grimaces. C'est l'animal qui ressemble le plus à l'homme.

Périodes d'art architectural

de 457 à 751	300 ans	**Art mérovingien** de Childéric jusqu'à Pépin le Bref exemple : la tombe du roi franc Childéric à Tournai
de 751 à 987	200 ans	**Art carolingien** de Pépin le Bref jusqu'à Hugues Capet exemple : la chapelle palatine d'Aix-la-Chapelle
de 987 à 1163	200 ans	**Art roman** de Hugues Capet jusqu'à l'église Notre-Dame exemple : l'église abbatiale de Cluny
de 1163 à 1380	200 ans	**Art gothique** de l'église Notre-Dame jusqu'à Charles V exemple : l'église Notre-Dame de Paris
de 1380 à 1560	200 ans	**Renaissance** de Charles V jusqu'à Charles IX exemple : la basilique de Saint-Pierre du Vatican
de 1560 à 1643	100 ans	**Baroque** de Charles IX jusqu'à Louis XIV exemple : le baldaquin de Saint-Pierre
de 1643 à 1715	100 ans	**Classicisme** de Louis XIV jusqu'à Louis XV exemple : le château de Versailles
de 1715 à 1824	100 ans	**Néoclassicisme** (style Empire) de Louis XV jusqu'à Charles X exemple : le Panthéon, l'Arc de triomphe
de 1824 à auj.	200 ans	**Art éclectique** de Charles X à nos jours exemple : l'Opéra de Paris (œuvre de Garnier)

Langues françaises parlées

Jusqu'à 58 avant Jésus-Christ		**Dialecte gaulois** jusqu'à l'invasion de la Gaule par les Romains
de -58 à 843	900 ans	**Latin vulgaire** de la conquête romaine jusqu'au traité de Verdun
de 843 à 1328	500 ans	**Roman** du traité de Verdun jusqu'à Philippe VI
de 1328 à 1589	300 ans	**Moyen français** de Philippe VI jusqu'à Henri IV
de 1589 à 1789	200 ans	**Langue classique** de Henri IV jusqu'à la révolution de 1789
de 1789 à auj.	200 ans	**Français moderne** de la révolution de 1789 jusqu'à nos jours

---

L'accusée a déclaré : «J'ai l'habitude de dire la vérité toute nue.»

Histoire du Canada et du Québec

1534	Jacques Cartier prend possession du Canada au nom de François Ier.
1608	Samuel de Champlain fonde la ville de Québec.
1627	Richelieu crée la Compagnie des Cent Associés, pour coloniser le pays.
1642	Paul de Chomedey de Maisonneuve fonde Ville-Marie, le futur Montréal.
1642	Jeanne Mance installe à Ville-Marie le premier hôpital du Canada.
1653	Marguerite Bourgeoys, sœur française, crée la première école de Montréal.
1665	Jean Talon donne un élan à la Nouvelle-France. Les Français sont 7 000.
1713	Traité d'Utrecht : dans ce traité, les Français perdent la baie d'Hudson, l'Acadie et l'essentiel de Terre-Neuve.
1759	Bataille des Plaines d'Abraham. Le général anglais Wolfe défait le général français Montcalm. Wolfe meurt au combat, Montcalm meurt le lendemain.
1760	Les Anglais prennent Montréal.
1763	Traité de Paris : la France cède le Canada à la Grande-Bretagne, qui crée la province de Québec.
1774	Acte de Québec : il délimite la province de Québec, admet les catholiques aux fonctions publiques et rétablit les anciennes lois françaises.
1784	Le Nouveau-Brunswick est créé.
1791	Division du Québec en deux : le Haut-Canada (aujourd'hui l'Ontario) et le Bas-Canada (aujourd'hui le Québec).
1812	Lors de la guerre entre les États-Unis et la Grande-Bretagne, le Haut-Canada et le Bas-Canada font bloc du côté de la Grande-Bretagne. L'opposition est conduite par Louis Joseph Papineau au Bas-Canada, et par William Mackenzie au Haut-Canada, qui exigent un régime parlementaire.
1837	Le refus de Londres provoque une rébellion dans les deux colonies.
1840	La révolte écrasée, le gouvernement britannique réunit les deux Canada en une même province, le Canada-Uni, sous un même parlement, et il impose l'anglais comme langue unique.
1848	Le français est restauré au rang de langue officielle.
1867	L'Acte de l'Amérique du Nord britannique crée la Confédération du Canada, qui regroupe quatre provinces : l'Ontario (ancien Haut-Canada), le Québec (ancien Bas-Canada), la Nouvelle-Écosse et le Nouveau-Brunswick.
1870	Le Manitoba entre dans la Confédération, après la révolte des Métis qui est conduite par Louis Riel.
1871	La Colombie-Britannique entre dans la Confédération.
1873	L'Île-du-Prince-Édouard entre dans la Confédération.
1905	La Saskatchewan et l'Alberta entrent dans la Confédération.
1914	Le Canada déclare la guerre à l'Allemagne (Première Guerre mondiale).
1931	Statut de Westminster : la Conférence impériale reconnait l'indépendance du Canada au sein du Commonwealth.
1940	Le Canada déclare la guerre à l'Allemagne (Seconde Guerre mondiale)
1949	Terre-Neuve entre dans la Confédération.
1948	Les libéraux dominent la vie politique avec les premiers ministres Louis Saint-Laurent, Lester Pearson et Pierre Elliott Trudeau.
1976	Succédant aux libéraux, le Parti québécois, parti indépendantiste conduit par René Lévesque, remporte les élections.

La main de cette personne était froide comme celle d'un serpent.

1977	La loi 101 instaure le français comme la langue officielle du Québec.
1980	Référendum sur l'indépendance du Québec. Le *non* l'emporte par 60 %.
1982	Trudeau obtient le rapatriement de la constitution canadienne. Le Québec refuse d'adhérer à cette loi constitutionnelle.
1984	Le conservateur Brian Mulroney accède au pouvoir. Il est réélu en 1988.
1990	L'échec du projet d'accord constitutionnel, dit «du lac Meech», destiné à satisfaire les demandes minimales du Québec, ouvre une crise politique.
1992	Un nouveau projet de réforme constitutionnelle, dit «de Charlottetown», est rejeté par référendum.
1993	Après la démission de Brian Mulroney, Kim Campbell lui succède. Aux élections générales, ce parti connait une grave défaite. Arrivé en deuxième position, le Bloc québécois, parti indépendantiste, constitue l'opposition. Jean Chrétien, chef des libéraux, devient premier ministre du Canada.
1995	Référendum sur la souveraineté du Québec. Les partisans du maintien de la province dans l'ensemble canadien l'emportent de justesse.
1996	Jacques Parizeau est remplacé à la tête du Parti québécois et du gouvernement du Québec par Lucien Bouchard.

Premiers ministres du Canada

1867-1873	John Macdonald	1935-1948	William Mackenzie-King
1873-1878	Alexander Mackenzie	1948-1957	Louis Saint-Laurent
1878-1891	John Macdonald	1957-1963	John Diefenbaker
1891-1892	John Abbott	1963-1968	Lester Pearson
1892-1894	John Thompson	1968-1979	Pierre Elliott Trudeau
1894-1896	Mackenzie Bowell	1979-1980	Joe Clark
1896-1896	Charles Tupper	1980-1984	Pierre Elliott Trudeau
1896-1911	Wilfrid Laurier	1984-1984	John Turner
1911-1920	Sir Robert Borden	1984-1993	Brian Mulroney
1920-1921	Arthur Meighen	1993-1993	Kim Campbell
1921-1930	William Mackenzie-King	1993-2003	Jean Chrétien
1930-1935	Richard Bennett	2003-	Paul Martin

Premiers ministres du Québec

1867-1873	Pierre-Olivier Chauveau	1939-1944	Adélard Godbout
1873-1874	Gédéon Ouimet	1944-1959	Maurice Duplessis
1874-1878	Charles-Eugène Boucher	1959-1960	Paul Sauvé
1878-1879	Henri-Gustave Joly	1960-1960	Antonio Barrette
1879-1882	Joseph-Adolphe Chapleau	1960-1966	Jean Lesage
1882-1884	Joseph-Alfred Mousseau	1966-1968	Daniel Johnson père
1884-1887	John Jones Ross	1968-1970	Jean-Jacques Bertrand
1887-1887	Louis-Olivier Taillon	1970-1976	Robert Bourassa
1887-1891	Honoré Mercier	1976-1985	René Lévesque
1891-1892	Charles-Eugène Boucher	1985-1985	Pierre-Marc Johnson
1892-1896	Louis-Olivier Taillon	1985-1994	Robert Bourassa
1896-1897	Edmund Flynn	1994-1994	Daniel Johnson
1897-1900	Félix-Gabriel Marchand	1994-1996	Jacques Parizeau
1900-1905	Simon-Napoléon Parent	1996-2001	Lucien Bouchard
1905-1920	Lomer Gouin	2001-2003	Bernard Landry
1920-1936	Louis-Alex. Taschereau	2003-	Jean Charest
1936-1939	Maurice Duplessis		

Le vieillard craignait de se casser un bras, une jambe ou un autre membre.

Histoire de France

CAROLINGIENS

751-768	Pépin le Bref	à 35 ans, il épouse Berthe au grand pied, 23 ans
768-814	Charlemagne	à 30 ans, il épouse Hildegarde de Vintzgau, 15 ans
814-840	Louis Ier le Pieux	à 41 ans, il épouse Judith de Bavière, 24 ans
843-877	Charles II le Chauve	à 24 ans, il épouse Ermentrude d'Orléans, 22 ans
877-879	Louis II le Bègue	à 22 ans, il épouse Adélaïde de Frioul, 15 ans
879-882	Louis III	à 19 ans, il meurt célibataire
882-884	Carloman	à 20 ans, il meurt célibataire
884-887	Charles III le Gros	à 23 ans, il épouse Richarde de Souabe, 17 ans
888-898	Eudes	à 24 ans, il épouse Théodrate de Troyes, 16 ans
898-923	Charles III le Simple	à 40 ans, il épouse Edwige d'Angleterre, 16 ans
922-923	Robert Ier	à 28 ans, il épouse Béatrice de Vermandois, 23 ans
923-936	Raoul	à 27 ans, il épouse Emma de France, 27 ans
936-954	Louis IV d'Outremer	à 28 ans, il épouse Gerberge de Germanie, 24 ans
954-986	Lothaire	à 24 ans, il épouse Emma d'Italie, 17 ans
986-987	Louis V le Fainéant	à 14 ans, il épouse Adélaïde d'Anjou, 34 ans

CAPÉTIENS

987-996	Hugues Ier Capet	à 31 ans, il épouse Adélaïde d'Aquitaine, 25 ans
996-1031	Robert II le Pieux	à 32 ans, il épouse Constance d'Arles, 19 ans
1031-1060	Henri Ier	à 44 ans, il épouse Anne de Kiev, 27 ans
1060-1108	Philippe Ier	à 19 ans, il épouse Berthe de Hollande, 16 ans
1108-1137	Louis VI le Gros	à 34 ans, il épouse Adélaïde de Savoie, 15 ans
1137-1180	Louis VII le Jeune	à 40 ans, il épouse Adèle de Champagne, 20 ans
1180-1223	Philippe II Auguste	à 15 ans, il épouse Isabelle de Hainaut, 10 ans
1223-1226	Louis VIII le Lion	à 13 ans, il épouse Blanche de Castille, 12 ans
1226-1270	Louis IX (Saint Louis)	à 20 ans, il épouse Marguerite de Provence, 13 ans
1270-1285	Philippe III le Hardi	à 17 ans, il épouse Isabelle d'Aragon, 19 ans
1285-1314	Philippe IV le Bel	à 16 ans, il épouse Jeanne de Navarre, 11 ans
1314-1316	Louis X le Hutin	à 26 ans, il épouse Clémence de Hongrie, 22 ans
1316-1322	Philippe V le Long	à 14 ans, il épouse Jeanne de Bourgogne, 16 ans
1322-1328	Charles IV le Bel	à 31 ans, il épouse Jeanne d'Évreux, 18 ans

VALOIS

1328-1350	Philippe VI de Valois	à 20 ans, il épouse Jeanne de Bourgogne, 20 ans
1350-1364	Jean II le Bon	à 31 ans, il épouse Jeanne de Boulogne, 30 ans
1364-1380	Charles V le Sage	à 12 ans, il épouse Jeanne de Bourbon, 12 ans
1380-1422	Charles VI le Bienaimé	à 17 ans, il épouse Isabeau de Bavière, 14 ans
1422-1461	Charles VII	à 19 ans, il épouse Marie d'Anjou, 18 ans
1461-1483	Louis XI	à 28 ans, il épouse Charlotte de Savoie, 6 ans
1483-1498	Charles VIII	à 21 ans, il épouse Anne de Bretagne, 15 ans
1498-1515	Louis XII	à 52 ans, il épouse Marie d'Angleterre, 18 ans
1515-1547	François Ier	à 20 ans, il épouse Claude de France, 15 ans
1547-1559	Henri II	à 14 ans, il épouse Catherine de Médicis, 14 ans
1559-1560	François II	à 14 ans, il épouse Marie Stuart, 16 ans
1560-1574	Charles IX	à 20 ans, il épouse Élisabeth d'Autriche, 16 ans
1574-1589	Henri III	à 24 ans, il épouse Louise de Lorraine, 22 ans

BOURBONS

1589-1610	Henri IV	à 47 ans, il épouse Marie de Médicis, 27 ans
1610-1643	Louis XIII le Juste	à 14 ans, il épouse Anne d'Autriche, 14 ans
1643-1715	Louis XIV le Roi Soleil	à 22 ans, il épouse M.-Thérèse d'Autriche, 22 ans
1715-1774	Louis XV le Bienaimé	à 15 ans, il épouse Marie Leszczynska, 15 ans
1774-1791	Louis XVI	à 16 ans, il épouse Marie-Antoinette, 15 ans

---

Le général de Gaulle est enterré dans deux églises à Colombey.

PREMIÈRE RÉPUBLIQUE

1792-1795	Convention	Assemblée qui succéda à la Législative
1795-1799	Directoire	Conseil de 5 membres chargé du pouvoir exécutif
1799-1804	Consulat	Régime issu du coup d'État, 18 brumaire an VIII

PREMIER EMPIRE

1804-1814	Napoléon Ier	Époux de Joséphine de Beauharnais
1815	Les Cent-Jours	Napoléon Ier est au pouvoir pour 100 jours

RESTAURATION

1814-1824	Louis XVIII	Époux de Marie-Joséphine de Savoie
1824-1830	Charles X	Époux de Marie-Thérèse de Savoie

MONARCHIE DE JUILLET

1830-1848	Louis-Philippe Ier	Époux de Marie-Amélie de Bourbon-Sicile

DEUXIÈME RÉPUBLIQUE

1848-1852	Louis N. Bonaparte	Empereur sous le nom de Napoléon III en 1852

SECOND EMPIRE

1852-1870	Napoléon III	Époux d'Eugénie de Montijo

TROISIÈME RÉPUBLIQUE

1871-1873	Adolphe Thiers	Réorganise la France vaincue à la guerre de 1870.
1873-1879	Mac-Mahon	Établit un régime d'ordre moral.
1879-1887	Jules Grévy	École primaire gratuite, obligatoire jusqu'à 13 ans.
1887-1894	Sadi Carnot	Assassiné à Lyon en 1894 par Casério.
1894-1895	Jean Casimir-Perier	Démissionne devant l'opposition de gauche.
1895-1899	Félix Faure	Meurt subitement lors d'un rendez-vous galant.
1899-1906	Émile Loubet	Exposition de Paris en 1900. Affaire Dreyfus.
1906-1913	Armand Fallières	Séparation de l'Église et de l'État en 1906.
1913-1920	Raymond Poincaré	Déclare la guerre à l'Allemagne le 28 juillet 1914.
1920-1920	Paul Deschanel	Santé perturbée après être tombé d'un train.
1920-1924	Alexandre Millerand	Démissionne devant le Cartel des gauches.
1924-1931	Gaston Doumergue	Gouvernement d'Union nationale.
1931-1932	Paul Doumer	Meurt assassiné à Paris par le Russe Gorgulov.
1932-1940	Albert Lebrun	Accords : semaine de 40 heures, congés payés.

ÉTAT FRANÇAIS

1940-1944	Philippe Pétain	Vainqueur de Verdun, 1916. Collaboration en 40.

GOUVERNEMENT PROVISOIRE

1944-1946	Charles de Gaulle	Se désigne chef du gouvernement provisoire.
1946-1947	Gouin, Bidault, Blum	Gouin, 5 mois. Bidault, 5 mois. Blum, 2 mois.

QUATRIÈME RÉPUBLIQUE

1947-1954	Vincent Auriol	Il y a eu 14 gouvernements durant son septennat.
1954-1959	René Coty	Demande le retour du général de Gaulle.

CINQUIÈME RÉPUBLIQUE

1959-1969	Charles de Gaulle	Met fin à la guerre d'Algérie.
1969-1974	Georges Pompidou	Passionné d'art moderne.
1974-1981	V. Giscard d'Estaing	Fondateur de l'UDF en 1978.
1981-1995	François Mitterrand	Premier secrétaire du Parti socialiste.
1995-	Jacques Chirac	Président du RPR et maire de Paris.

Sur le bucher, Jeanne la Pucelle est morte en sainte.

Littérature de langue française

NEUVIÈME SIÈCLE

881   Abbaye de Saint-Amand   *Cantilène de sainte Eulalie*

DIXIÈME SIÈCLE

950   Composée à Autun   *Vie de saint Léger*

ONZIÈME SIÈCLE

1040   Auteur inconnu   *Vie de saint Alexis*

DOUZIÈME SIÈCLE

1100   Turoldus   *La chanson de Roland*

TREIZIÈME SIÈCLE

1230   Guillaume de Lorris   *Le roman de la rose*

QUATORZIÈME SIÈCLE

1364-1430   Christine de Pisan   *Épitre au dieu d'amours*

QUINZIÈME SIÈCLE

1431-1463   François Villon   *Ballade des pendus*

SEIZIÈME SIÈCLE

1494-1553	François Rabelais	*Pantagruel, Gargantua*
1496-1544	Clément Marot	*Adolescence Clémentine*
1522-1560	Joachim du Bellay	*Heureux qui comme Ulysse...*
1524-1585	Pierre de Ronsard	*Mignonne, allons voir si la rose...*
1533-1592	Michel de Montaigne	*Essais*

DIX-SEPTIÈME SIÈCLE

1555-1628	François de Malherbe	*Odes, poésies*
1596-1650	René Descartes	*Discours de la méthode*
1606-1684	Pierre Corneille	*Le Cid, Horace, Cinna, Polyeucte*
1613-1680	Fr. de La Rochefoucauld	*Maximes morales*
1621-1695	Jean de La Fontaine	*Les fables*
1622-1673	Molière	*Le misanthrope, L'avare, Tartufe*
1623-1662	Blaise Pascal	*Pensées, Les provinciales*
1626-1696	Madame de Sévigné	*Lettres de Madame de Sévigné*
1627-1704	Jacques-Bénigne Bossuet	*Sermons, Oraisons funèbres*
1634-1693	Madame de Lafayette	*La princesse de Clèves*
1636-1711	Nicolas Boileau	*L'art poétique, Épitres*
1639-1699	Jean Racine	*Andromaque, Britannicus, Bérénice*
1645-1696	Jean de La Bruyère	*Les caractères*

DIX-HUITIÈME SIÈCLE

1688-1763	Pierre de Marivaux	*Le jeu de l'amour et du hasard*
1689-1755	Charles de Montesquieu	*L'esprit des lois, Lettes persanes*
1694-1778	Voltaire	*Candide, Zadig, Lettres philosophiques*
1712-1778	Jean-Jacques Rousseau	*Émile, Le contrat social, Confessions*
1713-1784	Denis Diderot	*Encyclopédie, Le neveu de Rameau*
1732-1799	Beaumarchais	*Le barbier de Séville, Le mariage de Figaro*

Molière est mort sur la Seine.

DIX-NEUVIÈME SIÈCLE

1766-1817	Madame de Staël	*Delphine, De l'Allemagne*
1867-1830	Benjamin Constant	*Adolphe, Journal intime, Cécile*
1768-1848	René de Chateaubriand	*Le génie du christianisme, René, Atala*
1783-1842	Stendhal	*La chartreuse de Parme, Le rouge et le noir*
1790-1869	Alphonse de Lamartine	*Méditations poétiques, Jocelyn*
1797-1863	Alfred de Vigny	*Cinq-Mars, Stello, Les destinées*
1799-1850	Honoré de Balzac	*Eugénie Grandet, Le colonel Chabert*
1802-1885	Victor Hugo	*Les misérables, Notre-Dame de Paris*
1802-1870	Alexandre Dumas père	*Les trois mousquetaires, La reine Margot*
1804-1876	George Sand	*La mare au diable, La petite Fadette*
1808-1855	Gérard de Nerval	*Aurélia, Les filles du feu*
1810-1857	Alfred de Musset	*On ne badine pas avec l'amour*
1811-1872	Théophile Gautier	*Le capitaine Fracasse, Émaux et camées*
1821-1867	Charles Baudelaire	*Les fleurs du mal, Curiosités esthétiques*
1821-1880	Gustave Flaubert	*Madame Bovary, Bouvard et Pécuchet*
1824-1895	Alexandre Dumas fils	*La dame aux camélias, Le fils naturel*
1840-1902	Émile Zola	*La bête humaine, J'accuse, Germinal*
1844-1896	Paul Verlaine	*Poèmes saturniens, Fêtes galantes*
1844-1924	Anatole France	*Les dieux ont soif, Le lys rouge*
1850-1893	Guy de Maupassant	*Bel-Ami, La maison Tellier*
1854-1891	Arthur Rimbaud	*Le bateau ivre, Une saison en enfer*

VINGTIÈME SIÈCLE

1866-1944	Romain Rolland	*Jean-Christophe, Théâtre de la révolution*
1868-1918	Edmond Rostand	*Cyrano de Bergerac, L'aiglon*
1868-1955	Paul Claudel	*Le soulier de satin, L'échange, L'otage*
1869-1951	André Gide	*Les nourritures terrestres, La porte étroite*
1871-1922	Marcel Proust	*À la recherche du temps perdu*
1871-1945	Paul Valéry	*La soirée avec M. Teste, Charmes*
1873-1954	Gabrielle Colette	*Le blé en herbe, Chéri, Gigi*
1880-1913	Louis Hémon	*Maria Chapdelaine, Monsieur Ripois*
1880-1918	Guillaume Apollinaire	*Le poète assassiné, Calligrammes*
1882-1844	Jean Giraudoux	*La folle de Chaillot, Ondine*
1885-1972	Jules Romains	*Les hommes de bonne volonté, Knock*
1885-1970	François Mauriac	*Thérèse Desqueyroux, Les mal aimés*
1889-1963	Jean Cocteau	*La belle et la bête, Orphée*
1893-1968	Germaine Guèvremont	*Le survenant, En pleine terre*
1900-1944	Antoine de Saint-Exupéry	*Le petit prince, Terre des hommes*
1903-1987	Marguerite Yourcenar	*Mémoires d'Hadrien, L'œuvre au noir*
1905-1980	Jean-Paul Sartre	*Les mains sales, Le mur, Huis clos*
1908-1986	Simone de Beauvoir	*Le deuxième sexe, La force des choses*
1909-1983	Gabrielle Roy	*Bonheur d'occasion, La petite poule d'eau*
1913-1960	Albert Camus	*L'étranger, La peste, La chute*
1915-1983	Yves Thériault	*Aaron, Agaguk, Ashini, Cul-de-sac*
1916-2000	Anne Hébert	*Kamouraska, Les fous de Bassan*
1929	Antonine Maillet	*Pélagie la Charrette*
1930	Marcel Dubé	*Le temps des lilas, Médée, Pauvre amour*
1935	Françoise Sagan	*Bonjour tristesse, Château en Suède*
1939	Marie-Claire Blais	*La belle bête, Le sourd dans la ville*
1941	Yves Beauchemin	*L'enfirouapé, Le matou*
1942	Michel Tremblay	*Les belles-sœurs, Parlez-nous d'amour*
1945	Victor-Lévy Beaulieu	*Les grands-pères, Monsieur Melville*

Le poème de Ronsard nous raconte l'histoire d'une fille qui veut aller voir des roses.

Table des matières

Index

Un index n'est pas fait pour donner sur-le-champ l'orthographe d'un mot. Par exemple, le mot **pacte** s'écrit parfois avec un bas-de-casse (*le pacte de Varsovie*), parfois avec une capitale (*le Pacte atlantique*). Les entrées d'index sont donc toutes données en bas-de-casse

A

Tableaux

MEMBRE DU GROUPE SCABRINI

Québec, Canada
2006